De staart van de hagedis

Juan Marsé

De staart van de hagedis

Vertaald door Fred de Vries

Ambo | Amsterdam

De vertaler ontving voor deze vertaling een werkbeurs van de
Stichting Fonds voor de Letteren.

ISBN 20 263 1787 5
© 2000 Juan Marsé en Editorial Lumen
© 2003 Nederlandse vertaling Ambo|Anthos *uitgevers*, Amsterdam en Fred de Vries
Oorspronkelijke titel *Rabos de lagartija*
Oorspronkelijke uitgever Editorial Lumen
Omslagontwerp Marry van Baar
Omslagillustratie © BJ Formento/Corbis
Foto auteur © Luis Miguel Palomares

Verspreiding voor België:
Veen Bosch & Keuning uitgevers n.v., Wommelgem

Ik begrijp niet waarom mensen behoefte hebben aan laster.
Wil je iemand schade berokkenen, dan hoef je alleen maar
iets over hem te zeggen dat waar is.

FRIEDRICH NIETZSCHE

De dichter is een fantast.
Zo volkomen fantaseert hij
dat hij zelfs fantaseert dat het pijn is
wat hij echt als pijn ondergaat.

FERNANDO PESSOA

Het is moeilijk met je hart te strijden:
want je verlangen betaal je met je leven.

HERACLITUS

Zeg alles over een tiran, zeg meer.

JOSÉ MARTÍ

Chispa, een vonkje in de herinnering

Kom op, joh. Voor de draad ermee.

Mijn ouders hebben me jaren geleden verwekt, maar nu zal ik toch hooguit een maand of drie, vier zijn. Alles voltrekt zich als in een droom, bevroren in de placenta van het geheugen, in een stilgezette tijd die is geschapen door de stoet van openbare schijnvertoningen en particuliere tegenslagen, gewelddadigheden en ongelukken, kerkers en boeien.

'Wat is er, heb je je tong verloren?' Weer geselt de barse, schorre stem van de man mijn broer David; ze staan allebei voor het huis. Nog geen halfuur geleden heeft een donderend, donker onweer zich boven de buurt ontladen en nu, terwijl de ochtend andermaal schittert en glanst, lucht en licht zich herstellen tot een balsem voor huid en ogen, voelt David zich weer zo piekfijn dat het hem niets had uitgemaakt als hij het dwingende bevel van hogerhand had gekregen terwijl hij was uitgedost als Shirley Temple met haar blonde pijpenkrullen, de kuiltjes in haar bolle wangen en haar verwende-meisjesstemmetje: 'Wablief?'

'Ik zeg dat je je mond eens moet opentrekken als je me iets over je moeder hebt te vertellen...' Door heimelijke nijd raakt de stem verstrikt in zijn eigen schorheid en uitzinnigheid, maar de woorden klinken niet bits, de toon is zo weinig dwingend en verraderlijk dat een minder achterdochtige jongen dan David Bartra ze misschien had geïnterpreteerd als een uitnodiging tot vertrouwelijkheid, niet als een provocatie.

'Probeert u me uit mijn tent te lokken, sahib?'

'Wat weet je?' dringt de bezoeker aan. 'Wat het ook is, het interesseert me. Ik luister.'

Ik heb de scène voor mijn ogen, alsof die zich hier en nu afspeelt. De man staat nog steeds met zijn grijze trenchcoat dubbelgeslagen over zijn schouder voor de huisdeur geposteerd, tikt bedaard met het uiteinde van de sigaret op zijn duimnagel en wacht af. Maar David heeft door dat zijn doffe gelaat vanbinnen in lichterlaaie staat en al voordat hij het bevel kreeg, ontwaarde hij in 's mans waterige, treurige ogen vluchtig de vrouwengestalte die hem in verwarring brengt; zodat hij nu zwijgt, de blik naar binnen gericht zonder te zeggen wat ook hij ziet, en eventjes roepen ze allebei, de jongen en de politieman, het beeld van mamma op zoals ze op dezelfde plek en in identieke houding op de tram staat te wachten, geleund tegen dezelfde lantaarnpaal op de Travesera, het boek open in haar handen, dezelfde brandende zon op haar haar en dezelfde dromerige blik. Beeldschoon staat onze roodharige daar in gepeins verzonken te wachten, ze heeft haar ogen en gedachten niet op de bladzijde van het boek gericht maar op de blauwe rook van de sigaret die ze tussen haar vingers houdt, of misschien op iets dat verder weg ligt, een noodlottige lichtrimpeling, een onheilspellende schaduwvlek die alleen zij in de atmosfeer van de stralende julimorgen waarneemt.

'Nou?'

Terwijl hij hoopvol wacht tot mijn broer iets besluit te zeggen, maakt inspecteur Galván rustig een holletje van zijn hand om de vlam van de aansteker te beschermen die weliswaar half schuilgaat achter zijn lange, pezige vingers, maar waarvan David vermoedt dat hij verguld is en een geribbelde huls heeft. Met de brandende sigaret tussen de lippen herhaalt hij dan ogenschijnlijk ongeïnteresseerd het bevel en laat hij zijn gespannen handen zakken tot bij zijn navel, alsof ze erop voorbereid zijn een te verwachten steek in de lever of een steevast weer opspelend maagzuur te onderdrukken. Gedwee en bleek lijken het zo geen handen die ooit een pistool hebben vastgehouden of bij machte zijn vuistslagen te laten neerdalen op het smoelwerk van iemand die vastgebonden op een stoel zit, al lijken ze wel snel, behulpzaam en attent genoeg om de roodharige precies op het goede moment bij haar schouders op te vangen, waarmee werd voorkomen dat ze bewusteloos op de stoep viel. *Een vrouw die op de openbare weg staat te roken!* bromt een streng kijkende voorbijganger, en de inspecteur gebaart hem dat hij zich koest moet houden en doorlopen, *loopt u door.* Maar ik laat me door zijn gespeelde zachtaardigheid niet om de tuin leiden, denkt David: dat zijn de handen van een harteloze kerel, een ploert. Ik houd je in de gaten, smeris, ik heb je in de smiezen, je hebt geen idee wie je voor je hebt.

'Waar wacht je op?'

'Laat eerst uw penning maar zien.'

'Je kent me toch? Ik heb je moeder geholpen toen ze op straat viel.'

'Echt waar?'

'Kom op, doe niet zo bijdehand.'

Dit zijn de eerste schermutselingen van een rampzalig tweegevecht waar beiden gehavend uit te voorschijn zullen komen en waarmee ze eigenlijk geen van tweeën zijn begonnen maar dat is terug te voeren op een simpele systeemkaart in de archieven van aangiften en wraakgevoelens. Maar dat is een ander verhaal.

'O ja,' erkent David. 'U volgde haar van zo dichtbij dat u met uw snufferd tegen haar op botste. Zodoende kon u haar onder haar oksels grijpen voor ze tegen de stoeprand viel. Wat een geluk, vindt u niet?'

'Ik was daar toevallig.'

'M'n zolen.'

'Je verdoet mijn tijd, jochie. Je hebt me staande gehouden om me iets belangrijks over mevrouw Bartra te vertellen. Vooruit, ik luister naar je.'

'Ik weet niet of het belangrijk is. Maar ik weet wel dat het u interesseert…'

'Oké, waar gaat het over? Kom op.'

'Jaagt u me niet zo op, zeg, er zit een hele zwerm vinken in mijn oren… Maar goed dan, ik zal het vertellen. Het is zo dat mijn moeder heeft gehoord dat pappa samen met luitenant Harry Faversham de rivier de Nijl is opgevaren, dat was vorige week, en ze waren allebei vermomd als inboorlingen van de Shangali-stam. Zoals u wel zult weten,

want dat weten alle agenten ter wereld, kunnen de Shangali's niet praten, ze zijn stom omdat hun tong is afgesneden op last van de kalief,
en daarom hebben ze een brandmerk op hun voorhoofd. Nou, met
hun witte veren in hun tas en stervend van de dorst zullen mijn vader
en luitenant Faversham nu wel door de woestijn trekken om zich aan
te sluiten bij het Engels-Egyptische leger van generaal Kitchener, die
niet te stuiten is in zijn opmars naar Khartoum...'

'Laat maar, joh. Je werkt me op mijn zenuwen.'

'Als u me niet gelooft, arresteert u me dan maar meteen.' David
houdt zijn vuisten tegen elkaar en slaat zijn blik neer, maar ondertussen houdt hij de in slaap gesukkelde handen van de politieman in het
oog, je moet uitkijken. 'Toe dan, slaat u me maar in de boeien.'

In een van de spottend naar voren gehouden vuisten, in de linker,
kronkelt het afgehakte staartje van een hagedis. Hoeveel leven zit er
nog in je, staartje? Vijf minuten eerder slingerde het nog heen en weer
over een gladde steen onder in het ravijn en had David er ongelovig
en gefascineerd naar staan kijken.

'Oké, wat wilde je me over je moeder vertellen?' houdt de inspecteur aan.

'Tja, zal ik de waarheid dan maar zeggen? Ik wilde de tronie van
een smeris weleens van dichtbij zien,' grijnst David, terwijl hij bedenkt dat de roodharige, toen ze op de tramhalte voor het eerst iets
van een stiekeme liefkozing in die handen bespeurde die haar bij haar
oksels grepen, toen ze voor het eerst zijn tabaksadem in haar nek ge-
waarwerd en die harde mond en kille ogen heel dichtbij voelde, natuurlijk niet kon weten dat die kerel haar volgde en zelfs niet kon vermoeden dat het een rechercheur was. 'Meer wilde ik niet, ik meen het,
ik was gewoon benieuwd hoe maf u zou kijken als ze u kletskoek verkopen. Vindt u het erg, bwana?'

De inspecteur kijkt hem zwijgend aan en schudt meewarig zijn
hoofd. 'Hoe lang blijf je nog zo lollig, snotaap? Zou je niet eens een
beetje opschieten? Ik moet dringend met je moeder spreken.'

'Die slaapt. Maar u kunt nu wel aanbellen, als u wilt.' Hij laat het
hagedissenstaartje in zijn zak glijden en zegt nog: 'Moge Allah ons beschermen, sahib. Deze hagedis is giftig. Ik ga d'r van tussen.'

'Dus je was geen moment van plan om me wat dan ook te vertellen, boef.'

'Welnee, meneer. Wat dacht u dan? Ik wilde enkel een beetje tijd winnen zodat mijn moeder iets langer kon slapen. Iets langer maar.'

Misschien was dat niet de eerste ontmoeting en evenmin het eerste duel, maar ik weet wel dat het zich vlak bij ons huis afspeelde en dat het midden in de zomer was, waarschijnlijk een paar dagen voor die middag waarop het alweer stortregende en David bij mamma kwam aanzetten met in zijn armen een hond met een pikzwarte vacht, broodmager en ongelooflijk vies, een stokoud mormel dat er allesbehalve aantrekkelijk uitzag.

'Goeie genade!' roept de roodharige, 'waar heb je dat arme beest vandaan? Je bent toch zeker niet van plan om hem te houden, hè?'

'Hij is ziek en niemand wil hem. Hij was van meneer Augé en nu is hij van ons.'

'Hoezo van ons?'

'Dat zal ik je vertellen.' David slaat zijn armen enthousiast om de hond terwijl hij bedenkt wat hij zal zeggen. 'Je weet toch dat ze meneer Augé hebben opgehaald en omdat hij daar in zijn eentje woonde en niet wist aan wie hij hem moest geven, heeft hij tegen de conciërge gezegd dat als ik bij haar langskwam...'

'Ook dat nog! Heb je er enig idee van hoeveel werk zo'n dier ons zal bezorgen?' klinkt het klagerig; ze heeft een hand op haar buik gelegd, misschien om te controleren of mijn prenatale opgerolde slaap niet wordt verstoord door de luizige nabijheid van dat rafelige scharminkel.

Haar treurige blik kruist die van de hond, die inderdaad heel oud is, bijna blind en aan reuma bezweken, geeft David toe, maar heel lief en gehoorzaam, je zult zien dat je veel van hem gaat houden, mam.

'Ja, daar ben ik voor.'

Het mormel ligt wijdbeens tussen Davids voeten te rillen en laat een diepe, langgerekte zucht horen die overgaat in gesnuif dat in de slotakkoorden gesnurk wordt en uiteindelijk een soort gemiauw.

'Hoor je dat?' vraagt David. 'Meneer Augé zei al dat deze hond in een vorig leven een kat is geweest. Dat hij een kattenziel heeft.'

'Ik zie wel dat het arme beest geen raad weet met zijn ziel, of die nu van een kat is of van wat ook.'

'Je moet niet zo hard praten, want dan hoort hij je. Hij verstaat alles!'

'Ach, jongen toch, waar zit je verstand?' Terwijl ze haar best doet om de vacht van de hond met een handdoek droog te wrijven, vertoont de blik waarmee ze mijn broer opneemt de tederheid waarvan het lot niet wilde dat die mij toeviel, maar in mijn slaap bemerk ik wel de kleine lichtvlinder die in haar stem fladdert: 'Zou je niet eerst eens een beetje kunnen nadenken voor je iets doet, lieve schat?'

Dat vind ik nou ook, beste broer.

Met jou praat ik niet, zevendemaands kindje, mompelt David met gebogen hoofd en naar de muur afgewend gelaat.

Heb je dan helemaal geen hersens? Waarom gebruik je dat bolle hoofd niet even voordat je onze roodharige met nog meer zorgen opzadelt terwijl ze het toch al zo druk heeft? Echt een fijn cadeautje dat die lieve eerstgeborene ons in de maag splitst, nota bene de avond voor pappa's verjaardag…!

Bemoei je niet met mijn zaken, groentje.

'Wat sta je te mopperen, David?' vraagt mamma, terwijl ze een oude deken uit de kast haalt. 'Draai je eens om, zodat ik je gezicht kan zien.'

'Ik zei dat hij best bij ons kan blijven, tenminste tot meneer Augé weer thuis is.'

'Meneer Augé komt pas over een hele tijd weer naar huis, áls hij ooit nog terugkomt.'

'En wat dan? Moeten we hem dan op straat zetten en dood laten gaan, het arme hondje?'

'Ga je nou huilen? Want ik ken je. Pak nu eerst maar die handdoek, droog hem goed af en laat hem hier maar gaan liggen. Daarna zien we nog wel.'

'We zijn erg moe,' zegt David, die naast de hond gaat liggen en een zoen op zijn snuit drukt. 'We hebben heel veel gelopen, we konden haast niet meer. Mogen we het raam dichtdoen en even op de deken proberen te slapen? Mogen we dat...?'

Nauwelijks een minuut geleden lag ik nog opgerold in mijn moeders buik te dobberen, maar al in die sponsachtige duisternis voorvoelden mijn ogen het licht van de buitenwereld met zijn veelheid van drogbeelden: wat ik zie en wat ik niet zie is inmiddels hetzelfde.

Nu heeft iemand voor de zoveelste maal de ramen en luiken gesloten, nicht Lucía heeft me mijn glas melk met mijn pilletjes gebracht en me ingestopt en de herinneringen balanceren boven de afgrond, zoeken houvast, een stem die me weer de weg wijst. Alles ligt in de schemering van de herinneringen die ik aan dat huis bewaar, en alles getuigt van geknakte gevoelens en onderdrukte emoties, van een tijd waarin het zwijgen aan tafel de dekmantel vormde van ernstig verstoorde gezinsrelaties, duistere voorvallen, verbitterde harten. Er zijn geen woorden, maar er klinken stemmen (deels in het Catalaans).

Knoeier!

Potverdrie!

Schooier!

Lucía, geemoor loggevrede!

Volledige naam!

Víctor Bartra Lángara! Formaliteiten!

Achtung!

'Sodeju, mam! Is het waar wat ze zeggen, dat het hem is gelukt te ontsnappen door halsoverkop het ravijn in te duiken?'

'Het is niet zo gebeurd als jij denkt, David.'

'En dat hij zijn gezicht aan een braamstruik heeft opengehaald en daardoor een litteken had als een bliksemstraal?'

'Welnee,' antwoordt de roodharige. 'Je vader liet zich op zijn billen van de helling af glijden. Hij had de pech dat hij over een scherp stuk glas heen ging, waarschijnlijk een scherf van een kapotte fles, en daardoor werd zijn kont opengereten alsof het een meloen was. Dat is er gebeurd. Niks meer en niks minder.'

Mamma's handen, rood en ruw, woelen door veelkleurige lapjes stof in een kartonnen doos en David snuift de geur op. Stijfsel, bleekmiddel, soda en een wattenachtig licht op de vensterruiten. Het huis waar ik nooit heb gewoond, is echter en tastbaarder dan dit afgekloven potlood van me dat over het papier krast. Ongelovig en lichtelijk teleurgesteld informeert David: 'Meen je dat? Is hij zo ontsnapt, op zijn kont?'

'Dat zeg ik toch, jongen?'

'Oké, maar hij heeft zijn achtervolgers toch maar mooi te kijk gezet. Ze afgeschud. En hij had er wel moed voor nodig, zeker.'

'Hij had er een complete fles drank voor nodig. Dat had je vader daarvoor nodig.'

David had de veelbesproken vlucht die nacht niet gezien, maar meer dan wie ook was hij gehecht aan de waarheid, althans wat die geschiedenis betreft, en daarom heeft hij me het hele verhaal jaren later haarfijn uit de doeken gedaan. Onze vader liep op blote voeten, de slippen van zijn hemd hingen over zijn broek, want hij had nauwelijks tijd om iets aan te trekken toen hij uit bed was gesprongen, maar het kwam niet door de schrik vanwege de smerissen die waren gekomen en ook niet door de brandy die hij ophad dat hij op zijn kont de steile helling naar de bedding afgleed, met in zijn ene hand zijn schoenen en in zijn andere de fles Fundador, al leek de situatie inderdaad sterk op vele eerdere waar de buurt getuige van had mogen zijn: die losbol, die flierefluiter van een Víctor Bartra ging tot ergernis van zijn vrouw op de onmogelijkste uren met zijn kameraden de hort op, best, daar zou je aan kunnen denken, maar hij was niet dronken en deed het niet van angst in zijn broek. Springend verdween hij tijdens die vage overgang van de nacht in de ochtend aan de achterkant van het huis, die jaren daarvoor geen achterkant was maar een fraaie gevel met een bescheiden tuin; je had hem op zijn blote voeten de helling af moeten zien rennen, eerst wist hij nog de keien te ontwijken die klem waren komen te zitten tussen de wortels van vijgenbomen en verdroogde eikenstompjes maar al snel liet hij zich op zijn achterste naar de bodem van het ravijn glijden, gehuld in een wolk van rood stof, en daar stond hij op terwijl hij zijn wrok en woede wegslikte, maar volgens mijn broer David standvastig, waakzaam en bliksemsnel, meer als een vogelverschrikker of een dronken eend volgens mamma, met zijn broek aan flarden en zijn bloedende kont bloot.

'En uiteraard met de fles nog heel, in veiligheid, dat spreekt vanzelf. Op die manier heeft je lieve vader het huis verlaten. Een treurig schouwspel, mijn jongen.'

Maar als ik de volgorde wil aanhouden, als die herrie van stemmen me even met rust laat, begint het verhaal dat ik wil vertellen eigenlijk wanneer inspecteur Galván op een dag waarop ik niet thuis ben voor de deur staat.

We wonen in het hooggelegen gedeelte van de stad, in een doodlopende steeg en bijna aan de rand van een ravijn, maar ons huis heeft twee deuren waarvan de ene toegang biedt tot de straat en de dag, de andere tot de nacht en het ravijn, een niet al te diepe kloof van roodachtige aarde met steile, poreuze wanden die gedwee afbrokkelen zodra je erbij in de buurt komt. Ik weet niet of de inspecteur die keer aanbelt bij de dagdeur of aanklopt bij de nachtdeur met de oude klopper, een fijne meisjeshand die stevig een bal van verroest ijzer omklemt, maar mijn broer David, die ervan overtuigd is dat de twee deuren verschillende maar elkaar aanvullende functies vervullen – om het op zijn manier te zeggen: de ene is bedoeld om je overdag in huis te verbergen, de andere om 's nachts te ontsnappen –, hoort die middag met afwisselend zon en striemende regen beslist slagen van de deurklopper, wat logisch is omdat het bezoek ditmaal arriveert tijdens de uren waarop de stroom is afgesloten, en vertel jij maar hoe je dan kunt aanbellen. Jij kon het trouwens sowieso niet horen, want je was er niet, niet hier, niet daar of waar dan ook, snotneus, je was nog niet uit je ei gekropen.

Goed, best, jij hebt het meegemaakt, maar ik heb het me verbeeld. Denk niet dat je op het pad van de waarheid ver op mij voorligt, broer.

Ik zal altijd op je voorliggen, wormpje.

Ik neem een kortere weg.

Met jou wil ik niet discussiëren. Je maakt me in de war. Ik weet niet meer waar ik ben.

In mamma's kamer bijvoorbeeld, je naait poppenkleertjes of past blouses en bolerootjes voor de spiegel, bekijkt je van voren en van opzij en vast ook van achteren, en het is heel warm, het is de zomer van de bom op Hirosjima en daarom zeg je wanneer er op de deur wordt geklopt tegen Chispa: pas op, ga opzij als ik de deur opendoe, want er kan weleens atoomstraling binnenkomen en dan word je ter plekke blind en geroosterd.

Om tot de nachtdeur terug te keren, ditmaal is het in elk geval makkelijk te raden wie het is, dus kun je maar het beste even wachten met openmaken, wat David doet onder bescherming van zijn favoriete pose: heupwiegend en gekleed als meisje in een prachtige roze trui van imitatieangora, een hemelsblauw plissérokje, witte kousen tot onder zijn mollige en lachwekkende knieën en een rode plexiglazen tas aan zijn schouder. Hij draagt ook een zonnebril, een buitenmaatse kermisfok met een wit plastic montuur, en een rode alpino die scheef boven een wenkbrauw hangt en zijn honingkleurige krullen bedekt.

'Als u de sahib zoekt, die is er niet.'

Wijdbeens op de drempel, zijn krachtige schouders licht gebogen onder de trenchcoat, zijn natte hoed in de hand en zijn schoenen vol modder, kijkt inspecteur Galván hem zonder een spier te vertrekken aan. Zijn ogen zijn helder maar zijn blik is somber. Hij is anders dan andere dienders, dat moet David toegeven, het is er niet zo een die zijn blik zelfs op bewolkte dagen achter een donkere bril verbergt, het schijnt hem niet te deren dat de mensen zijn ogen zien en daar een emotie in lezen, of het nu verbittering is of de absolute onverschilligheid die er meestal uit spreekt. Hij laat ook zijn penning niet zien en heeft het niet over een huiszoekingsbevel, hij probeert niet eens de drempel over te stappen.

'Vraag je moeder even of ze zo vriendelijk wil zijn een momentje hier te komen.' En met een rauwere stem maar zonder stemverheffing: 'Pias.'

'De memsahib is er ook niet.'

'Blijft ze lang weg?'

'Hebt u een huiszoekingsbevel?'

'Daarvoor kom ik niet. Nogmaals: blijft mevrouw Bartra lang weg?'

Een van de diepe zakken van zijn grijze trenchcoat vertoont een bobbel en is zwaarder van inhoud dan de andere. Maar daar hebben

ze hun pistool meestal niet, denkt David, terwijl zijn ogen zich vanachter zijn kermisbril door de waterdichte stof en de voering van de
zak boren: een zakflacon vol brandy, wat kleingeld tussen tabakskrui-
mels en pluisjes, de huissleutels en een aansteker, een nep-Dupont,
verstopt achter een flink beduimeld pakje Lucky Strike, die smeris
koopt vast en zeker losse sigaretten en vult het dan bij…

Wat ik hier vertel, zijn feiten die ik reconstrueer aan de hand van
mijn herinneringen aan wat mijn broer me heeft toevertrouwd en
aan zijn bedoelingen, en ik beweer niet dat alles klopt, maar wel dat
het de waarheid heel dicht benadert.

'Hoor je me niet?' houdt de inspecteur aan. 'Ik vraag je of ze gauw
terugkomt?'

'Ik weet het niet, bwana. Ik weet niets.'

David slaat zijn ogen neer, want hij voelt wel aan dat de volgende
vraag met ongeduldig gerasp en minachtend spraakwater gepaard zal
gaan: 'Wat speel je voor spelletje, joh? Zeg nou maar gewoon waar je
moeder heen is.'

'Ja, natuurlijk.' Hij kijkt niet op en zegt verder niets. Strijkt even
over zijn rok, schikt zijn muts, verschuift de riem van zijn schouder-
tas en praat dan eindelijk verder: 'Als u het zo graag wilt weten, zal ik
het u vertellen. Ze is voor controle naar de kraamkliniek maar daarna
moest ze nog van alles doen… Op bezoek bij oma Tecla, die een embolie heeft gehad waardoor één kant van haar gezicht verlamd is, en
ze moest langs de apotheek en ook wilde ze nylons en een avondjurk
kopen en als ze dan nog tijd had, zei ze, ging ze ergens in Tres Torres
nog een villa met een tuin bekijken, want u moet niet denken dat we
hier ons hele leven blijven wonen, als onderhuurders in deze klere-
buurt waar ze zoveel op ons aan te merken hebben. Kent u Tres Torres? Een chique wijk, de beste van Barcelona, daar is mijn moeder geboren, net als de ouders van mijn moeder die bij een bombardement
zijn omgekomen. We gaan vast volgende week verhuizen, dus dan
weet u het meteen, als u hier weer langskomt en we zijn hem ge-
smeerd. Dat is wel bijna zeker.'

'Je bent een zielig figuur, jongen,' bromt de inspecteur die zijn
hoofd heeft afgewend terwijl David stond te orakelen, alsof hij zijn

gezicht niet door al die flauwekul wil laten bezoedelen. Zijn vingers verdwijnen in de zak van zijn regenjas en hij aait de flacon met brandy maar haalt hem er niet uit. 'Je vader zou je eens een flinke draai om je oren moeten geven. Hoe lang heb je hem nu al niet gezien?'

'Wat krijgen we nou, gaat u me echt verhoren?' Hij staat met zijn ene hand tegen de deurpost geleund en met de andere iets eleganter op zijn brutaal naar buiten gedraaide heup. Als u het dan zo graag wilt weten, dan kan ik u zeggen dat ik mijn vader niet meer heb gezien sinds die nacht dat hij het ravijn in is gesprongen en is ontsnapt naar het grondgebied van de Kubanga's.'

'Hoofd omhoog en kijk me aan,' zegt de inspecteur.

'Naar de jungle. Zegt u niet dat u dat niet wist.'

'Waar heb je het voor de donder over?'

'Over de Jungle in Opstand. Daar is hij.'

De man laat een diepe zucht horen en zet zijn hoed op. Het lijkt erop dat hij weggaat, maar nee. Het liegen zit je in het bloed, joh. David tilt zijn linkerknie op om zijn sok omhoog te trekken, dan zijn rechterknie, balancerend op één been. Dan brengt hij met een bewust subtiele en heel trage beweging zijn hand, als was het een vlinder, naar zijn zij en slaat hij zijn ogen weer neer. De inspecteur kijkt hem streng aan.

'Doe die bril af en kijk me aan. Ik wil je ogen zien als je tegen me praat.'

'Bwana zittend wachten. Op dit oog heb ik een strontje als een meloen.'

'Ik heb te doen met je moeder. Ik wed dat ze er de hele dag naar zit te smachten dat je vader weer thuiskomt en zich met jou bemoeit zoals normaal is...'

'Denkt u?'

'En tegelijk bidt ze dat meneer Bartra stopt met drinken en met zich in de nesten werken, waar hij nu ook mag zijn. Ik bedoel' – de stem van de inspecteur krijgt nu opeens een heel andere, vriendelijker toon, hij lijkt een ander mens – 'dat ze wenste dat er een eind aan deze toestand kwam. Dat je vader snel terugkomt. Dat hij zich met jullie bemoeit.'

'Ik weet het niet, bwana. Thuis hebben we het daar niet over.'

'Wil je beweren dat jullie het nooit over hem hebben? Missen jullie hem soms niet?'

'We hebben het er niet over. Dat vindt de roodharige niet prettig.'

'Hoe durf je haar zo te noemen, je eigen moeder?'

'Haar kan het niet schelen.' David tovert een grijns op zijn gezicht en buigt zijn heup nog verder. 'Het is een soort koosnaampje. Pappie noemde haar altijd zo.'

Hij hoort een zacht gekreun en kijkt even naar opzij. Voor zijn ogen verschijnt pappa's bebloede achterwerk en de hand die een zakdoek tegen de wond gedrukt houdt.

De inspecteur zwijgt een paar tellen.

'Dus je weet zeker dat je me niks te vertellen hebt? Je zult toch tenminste wel weten waar je vader werkte.'

'Bij de onverschrokken rattenverdelgingsbrigade.'

'Doe niet zo achterlijk.'

'Ik mag doodvallen als ik lieg!' zegt David. 'Hij moest ratten verdelgen in de bioscopen!'

'Vóór die tijd, bedoel ik. Voordat hij ambtenaar werd bij de sanitaire dienst van de gemeente.'

'Daarvóór weet ik niet, bwana. Ik geloof dat hij anesthesist was. Ik was nog heel klein. Wist u dat ratten soms massaal een bioscoop in trekken en mensen aanvallen? Wist u dat een rattenpaar vijfentwintigduizend smerige jongen per jaar kan krijgen?'

'Hebben jullie niks van hem gehoord, al die zes maanden?'

'Jawel, maar die berichten zijn uit de prehistorie, en niet gunstig,' zegt David aanstellerig terwijl hij een geeuwkramp onderdrukt en een plotselinge rilling onder de trui van imitatieangora die hem te klein is, zodat je zijn navel kunt zien. 'We hebben een brief van hem gekregen, en hij blijkt ergens anders te zijn dan we dachten... Ik zal het u vertellen. Hij zei altijd dat hij een lange reis naar hartje Afrika wilde maken, van Khartoum via de Blauwe Bergen naar het Victoriameer, maar nee hoor, blijkt hij op het laatst van plan veranderd te zijn. Hij dringt met de dag dieper door in het oerwoud bij Mindanao, weet u waar dat ligt, bwana? Op de Filippijnen. En hij schrijft dat hij zich als

Gezworene heeft moeten vermommen om Datu gevangen te kunnen nemen en alle anderen die in varkenshuiden en olifantstanden handelen. En er is nog meer. Hij zegt dat het een leugen is dat de Gezworenen doodgaan van angst als je ze in een varkenshuid wikkelt. Een smerige leugen.'

De inspecteur heeft zijn ogen halfdicht en zijn hoofd in zijn nek alsof Davids woorden stinken, het lijkt of hij slaapt. 'Is dat alles?'

Onder de fijne, hooghartige boog van zijn wenkbrauwen spreekt uit Davids opstandige blik wantrouwen over de zelfbewustheid en kalmte van de rechercheur.

'Nee, bwana. De Gezworenen zijn net paarden, je kunt ze alleen met een schot tussen hun wenkbrauwen doden... Kunt u zo schieten? Mijn vader zegt in zijn brief dat hij zich nog liever met zijn repeteergeweer door het hoofd schiet dan dat hij zich gevangen laat nemen door de Kubanga's, die pygmeeënstam. De brief is van vier maanden geleden, dus misschien is hij al de pijp uit. De pastoor van Las Ánimas heeft tegen mijn moeder gezegd dat hij vast al in de hel is, want daar komen zelfmoordenaars terecht, dat zei die smerige klootzak, die lul van een priester. Maar hij kreeg haar niet aan het huilen, want de roodharige is sterk, maar dat is toch geen stijl.'

'Ben je klaar?'

'Ja, bwana.'

Uit de uitpuilende zak van zijn regenjas haalt de inspecteur een boek dat heel slordig is gekaft met krantenpapier. 'Als je moeder thuiskomt, geef haar dit dan van mij. Ze heeft het die middag bij de tramhalte laten vallen. Ik heb het zo goed en zo kwaad als het ging gekaft, want het is gescheurd.'

'Wat een prutswerk,' zegt David terwijl hij het boek tussen zijn vingers houdt alsof het besmet is. 'En alleen daarvoor bent u gekomen? Nou ja, zeg.'

En de mensen maar kletsen. Dat ze haar hebben zien huilen, dat ze hoge bloeddruk heeft en suiker en dat ze rookt als een kerel, dat zij en haar zoon van twee stuivers per dag leven... Oké, het zal wel zijn zoals ze beweren, maar ik zeg jullie, je zult haar nooit horen klagen, al heeft ze meer last van haar rug dan ik, en bleek dat ze is, op sommige dagen is haar lieve gezicht nog geler dan die citroen hier en ondanks dat alles zul je haar geen krimp zien geven. Ze verricht wonderen met oude kleren en naald en draad.

Dat kun je wel zeggen. Mevrouw Bartra is een heel energieke vrouw. Altijd zo attent en aardig, een prachtvrouw en heel ontwikkeld bovendien.

'Volledige naam, kom op.'

'Ze zeggen dat ze onderwijzeres is geweest.'

De roodharige naaister is een nog jonge, beeldschone vrouw.

Een vrouw die het in haar eentje moet zien te redden, Rufina. Een van de velen vandaag de dag.

Of ze van koffie houdt? Wat een vragen stelt meneer de rechercheur! Wie kan daar nou nog aankomen, toch, Puri? U hebt geen idee wat je tegenwoordig voor echte koffie moet betalen. Of vraagt u het soms omdat de roodharige misschien wel in de zwarte handel zit? Nou, heus niet, hoor. Er worden zo veel kletspraatjes verteld…

Maar ze ziet er zo jeugdig uit met dat meisjesgezichtje, die huid die zo blank is en dat peenhaar, ik weet het niet, ik weet het niet…

Mij hoeft u niks te vragen. Ik weet niks, da's de waarheid.

De waarheid? Deze ellendige steeg is zo smal dat je de waarheid er nog niet met een verlostang uit krijgt.

Maar Rufina, wat is dat nou weer voor onzin?

Een nicht van haar, Emilia, zit in de gevangenis omdat ze zich bezighield met het kopen van spullen van twijfelachtige herkomst. Dus gaat u maar na!

De man van mevrouw Bartra? Een losbol.

Als ze hem zoeken…

Een smeerlap. Een schoft.

Hé, *no fotis*, niet schelden jij!

…zal er toch wel iets loos zijn.

De laatste keer dat ik hem heb gezien, nam hij me in de maling. Ik vroeg: En, meneer Bartra, hoe staat het leven? en hij stak een Ideales op, graaide in zijn kruis, met permissie, riep *Arriba España*, keek zo schuins naar mijn kont en smeerde hem.

Zodra je hem je rug toekeert, kijkt die vent naar je kont.

Die hele nacht heeft hij zich schuilgehouden in het ravijn…

Een halve mijl, een halve mijl, een halve mijl.

…terwijl hij sliep met één oog open, net als een tijger.

En een andere vrouw zegt: En dan zijn zoontje. De godganse dag zwerft hij over straat, hij gaat niet naar school, verstopt zich met een mes in zijn hand in het ravijn of hij bezorgt foto's van trouwerijen of van een doop. Die groeit op voor galg en rad, een aardje naar zijn vaartje.

Ja, van dat jong hoef je niks goeds te verwachten.

En dan is het alsof een warme wervelwind de stemmen heeft gesmoord, ze zoeken beschutting in de steeg en tegen de tijd van de siësta trekken ze zich terug, fluisteren onder een schaduwrijke arcade of op de overloop van een trap en later worden ze heet opgediend met de damp van meelbrij, gekookte kool en vette baksels van Joost mag weten wat, en als de avond valt sissen ze als slangen, als het gesis dat onophoudelijk in Davids gekwelde oren huist. En de stramme hand van de man op zijn revers verraadt zijn gezag, wakkert de stemmen en de angst aan: Vraagt u mij maar, meneer. Mijn man niet, die weet niks.

De mijne ook niet. En dat is geen onverschilligheid, begrijpt u me goed. Het is hoofdzakelijk dat hij een beetje doof is.

Die van mij zit bij de Vrome Broederschap van Dragers van de Heilige Christus.

Nou, die van mij heeft het Grootkruis van Verdienste van de Orde van Vliegeniers. Hij is echt gek op het regime, gelooft u me.

De mijne heeft een beetje de pest in. Het zijn moeilijke tijden, hoor.

Volledige namen! Ik wil voor- en achternamen!

Benito Miró Zabala; Franco Raich Rosalench; Martín, César en Bravo Sospedra Escolá.

Mijn gezin gaat iedere zondag naar de mis, dat spreekt vanzelf, zegt een andere vrouw.

Het enige wat niet deugt aan mijn man is dat hij vaak spuugt. De hele dag spuugt hij van die fluimen, hij vindt alles om van te kotsen.

Op een avond zei de man van de naaister dat hij even frisdrank ging kopen en niemand heeft hem ooit nog gezien.

Hoezo frisdrank, laat naar je kijken, Paca! Naïef schaap!

En een andere stem doet er nog een schepje bovenop: Het is een dronkelap en een praatjesmaker, een regelrechte kletsmajoor.

Een opschepper en een schuinsmarcheerder, zegt mevrouw Carmela. Een lekker dier.

De laatste keer dat die man hier was, moet hem iets vreselijks zijn overkomen. Van de ene dag op de andere was hij veranderd.

De laatste tijd liep hij er als een zwerver bij, met een afzakkende broek en ladderzat. Maar Trini ziet hem wel zitten...

Ik? Maar liefje, hoe kom je daarbij? Ik val op goed geschoren mannen met een lekker strakke broek, hoor.

Dat mag je niet zeggen, Trini, straks gooien ze je nog uit de kerk!

Misschien interesseert het u dat mijn man hem een keer heeft gezien, echt zo dronken als een tor.

Nou, ik durf te zweren dat zijn vrouw niet meer op hem zit te wachten...

Oh Rufina, jij bent ook wel hardhorend, kindje!

...vooral sinds die arme drommel haast een miskraam had en die lapzwans geen teken van leven gaf.

Een fijn heerschap! Zag hij een bezemsteel met een rok, dan ging hij erachteraan. Toch, Trini, liefje?

Vraag je mij dat, schatje? zegt de jongste terwijl een windvlaag haar bedrukte rok omhoogblaast. Haar handen zijn bezig met het breiwerk en ze doet niets om haar rok, die nog steeds om haar korte, melkwitte dijen krinkelt, weer terug te slaan.

Kindje, je rok.

Wat is er?

Nou, ik mag hem wel, oordeelt een andere vrouw die zich bij de kring heeft gevoegd. Echt een kerel om te zien, een bink.

Je moet hem naar beneden doen, lieveling.

Hoezo, wij hoeren hebben toch geen benen. Wist je dat niet, engel? Wij hebben geen kont en geen ziel of niks wat maar ene moer waard is, dat heeft een priester laatst tegen mijn vriendin gezegd toen ze ging biechten.

Ze zeggen dat hij zich de hele nacht en de hele volgende dag verborgen heeft gehouden, niet zo ver hiervandaan, een halve mijl stroomopwaarts in de bedding, languit tussen de wortels van een verdorde vijgenboom.

Zijn vrouw wilde hem geen kleren of eten brengen. Ze wilde hem niet eens zien. Laat die lul maar verrekken, zeggen ze dat ze zei.

Helemaal niet waar, Felisa. Luistert u maar naar mij als u de waarheid wilt horen. Die ongelukkige buurvrouw van ons, de roodharige zoals we haar noemen, de vrouw van de man in wie u zo geïnteresseerd bent, en u zult zelf wel weten waarom, wij willen niets met politiek te maken hebben, al werk ik persoonlijk graag samen met de overheid wanneer ik maar kan, begrijpt u me goed, en bovendien ga ik altijd naar de kerk; die brave vrouw, de naaister, wilde ik zeggen, is misschien geen heilige, want heiligen zie je vandaag de dag alleen nog maar op het altaar, maar ik kan u zweren dat ze niet haatdragend is en dat ze zich ook niet bedrogen voelt door haar man, en bovendien moet ik zeggen dat ze ook geen sloerie is of in de zwarte handel zit en ze is ook niet zo'n rooie zoals we die allemaal hebben gekend, welnee, helemaal niet, het is een dame, dat zie je al op een afstand, hoe de zaken ook liggen, ik hoop dat u me snapt...

Mijn man interesseert zich niet voor politiek. Zijn hobby is postzegels verzamelen.

Een arme vrouw die zich doodwerkt. Iemand die precies weet hoe het hoort, heel keurig en beschaafd.

Bij de voordeur van haar huis heeft ze een margriet staan... een plaatje!

Je ziet zo dat ze niet hiervandaan komt, echt, die vrouw heeft iets.

Familie? Een zus in Vallcarca, maar ze praten niet met elkaar. Die zus woonde vroeger in een dorpje in de provincie Tarragona, La Carroña. En van haar mans kant, zegt u? Nou ja, haar schoonmoeder is onlangs in een tehuis overleden, ze had een embolie gehad en herkende niemand meer. Een jaar geleden is haar schoonvader ook gestorven. Ze woonden in Mataró, haar schoonvader was vissersman...

Visser, Rufina. Je brengt meneer de rechercheur nog in de war.

Die visser wilde nooit iets van zijn zoon weten, van meneer Bartra dus. Ach, u kent het wel, gebroken gezinnen, onbetaalde rekeningen enzovoort.

Bedrogen vrouwen. Gestorven kinderen. Mannen die nooit meer naar huis zullen komen. Hoeren zonder benen en zonder ziel. Zo staan de zaken, meneer.

Mevrouw Bartra? In de derde maand, denk ik zo.

Minstens in de vierde, Aurelia.

En ook zeggen ze nog: Ik vertel het niet graag, maar de roodharige heeft twee miskramen te verduren gehad. Twee of zelfs drie, voorzover ik weet.

Wat kan jij toch roddelen, Consuelo!

Ze hield van haar man. Zo zit het gewoon.

Wat zijn wij vrouwen toch een sufferds, vindt u ook niet?

Nou, ik ga alleen maar van huis naar de kerk en van de kerk naar huis, meneer de inspecteur.

En verder, tja… Nou, dat die mevrouw het huis onderhuurt. En dat ze leeft als een sloof! Nu kan ze tenminste rustig slapen, sinds haar man de benen heeft genomen, die straatslijper. Net als wij, de buren. Een geluk bij een ongeluk, vindt u ook niet? En de mensen maar kletsen en maar kletsen, dit en dat, en zus en zo.

Mettertijd zou mijn broer de gelegenheid krijgen om de tronies en het gedrag van een stel marionetten van de Politiek-Sociale Brigade van nabij te aanschouwen, en hij concludeerde dat ze bijna allemaal dezelfde lompe manier hebben om je te overdonderen, zich voor je neus te posteren en als onbehouwen blokken stil te blijven staan, terwijl ze je aankijken met een etterend lui oog en altijd een paar tellen wachten voor ze je iets vragen, en dat inspecteur Galván juist wat die gedragswijze betreft op niemand leek; want hij had een bijzondere manier om lange tijd op een hoek of midden op straat, tegenover een gebouw of achter de ruit van een kroeg te blijven staan, een heel eigen houding waarin hij rustig, recht op beide benen bleef staan met zijn kleurloze lippen stijf op elkaar en met zijn smalle, koele ogen, die zeker niet minder koel werden als ze iets verschrikkelijks zagen; hij kon even onverstoorbaar naar om het even wat staan kijken, of het nu de etalage van een bloemist was of de uitloop van een rioolput, de rug van iemand die wegliep, een balkon of een gesloten raam, niet alsof hij erop wachtte dat het openging zodat er iemand te zien was, maar alsof hij dan net afscheid van die iemand had genomen en hij nog iets vergeten was tegen de betrokkene te zeggen wat deze beslist niet prettig zou vinden. Of hij zijn blik nu gericht had op de foyer van een bioscoop als de Delicias of de Iberia, op de kleine Camelias-markt of op een passerend mooi meisje, of hij nu een groep roddelende buurvrouwen op straat aan de tand voelde of gewoon naar een zwerfhond stond te kijken, hij leek zozeer gewend om rustig in die houding, met enigszins opgetrokken schouders te blijven staan – het straatgewoel, de grijze motregen of de onbarmhartige zon, alles leek aan hem voorbij te gaan – dat hij vaak de indruk gaf van iemand die van elders kwam en in die buurt was verdwaald, maar dat dit hem niet kon schelen en dat hij geen enkele haast had om de weg terug te vinden of wat dan ook te doen. Zijn lange gestalte en slingerende bewegingen, als vertraagd, deden je aan een misvorming denken die hij in werkelijkheid niet had, een soort bedachtzaamheid van de spieren, iets bezwerends, een fysieke aanleg voor onbeweeglijkheid.

Wie weet had hij haar die dag ook al gevolgd sinds ze de deur uit was gegaan, of misschien stond hij al op de hoek van de Calle Escorial te wachten tot hij zag dat ze met haar palmrieten mand kwam aanlopen en aansloot in de rij bij de tramhalte, het eindpunt van lijn 24. Om het wachten te veraangenamen steekt de roodharige een sigaret op en slaat ze een oud gebonden boek open, een roman die ze erg mooi vindt en die ik nu in een blauwpapieren kaft bewaar. Ze heeft altijd graag gelezen en benut er iedere gelegenheid voor; hoe vaak heeft David haar niet voor het elektrische fornuis zien staan met in haar ene hand een opengeslagen boek en in haar andere een pollepel, roerend in de stoofpot en tegelijk prevelend, met zowel oog voor het lezen als voor het prutje, als waren beide zaken een ritueel, en ook vindt ze het leuk heel felgekleurde briefjes tussen de bladzijden te doen om te onthouden waar ze is gebleven, en de boeken te kaften zoals ze dat als kind op school heeft geleerd. Onder de vuurrode schaduw van de bougainville die over de muur golft bij het eindpunt van lijn 24 staat ze daar nu, met haar prachtige rode haar bijeen in een wrong, haar mooie gebloemde jurk en haar grijze rubber sandalen, en op de hoek houdt inspecteur Galván haar in het vizier, zijn hoofd gebogen en zijn ogen onzichtbaar achter de rand van zijn hoed, heel stil, peinzend, alsof hij nog nooit een vrouw op straat heeft zien roken en een boek lezen, nog wel een zwangere vrouw. Of doet die man alleen maar zijn werk, wil hij enkel weten waar ze heen gaat, met wie ze heeft afgesproken en of dat misschien iets met pappa te maken heeft, waar die dan ook mag zijn? Zou het kunnen dat hij alleen maar doet wat hem is opgedragen?

Vaststaat dat het gedrag van die politieman de laatste tijd, net als wat hij zegt, niet veel te maken lijkt te hebben met zijn hoedanigheid van speurder. Een week na een allesbehalve toevallige ontmoeting op de markt waar de roodharige gewoonlijk vanwege haar werk naartoe gaat, botst David als hij de kruidenierswinkel uit loopt opnieuw tegen hem op, en weer wordt hij op zonderlinge wijze ondervraagd. Ditmaal wil de inspecteur, na een blik te hebben geworpen op de etenswaren die David in zijn boodschappentas heeft, weten of mamma nu het advies van de dokter opvolgt en de koffie waar ze zo gek op is, definitief heeft afgezworen.

'Informeren agenten naar zulke dingen?' vraagt David verbaasd. 'Tjonge, dat wist ik niet. Ja inderdaad, meneer, ze houdt van echte koffie. En van slagroom en van warme *churros*. Net als ik. Zij zegt dat ze daar zo'n trek in heeft als ze zwanger is. Dat we er daarom alledrie zo van houden, snapt u?'

Het is waar dat ze veel van koffie houdt en het aroma daarvan dringt dikwijls binnen in het domein van haar dromen en van haar lectuur, en ook op dit ogenblik meent ze te ruiken dat de bladzijden van het boek dat ze aan het lezen is ervan doordrongen zijn, dat de kamer van de bedroefde, wanhopige Natasja ernaar geurt. Ze slaat het boek dicht en klemt het onder haar bovenarm. Dit is een andere middag en ze draagt een pas gestreken paarse blouse, een wijde bruine rok en platte schoenen en aan haar arm bungelt een papaplu. Als ze de tram in stapt, glijdt het boek zonder dat ze het merkt weg onder haar arm, stuitert eerst op de treeplank, dan tegen de paraplu en valt ondersteboven open op de natte keien. De tram zet zich in beweging en een wiel schuift het zachtjes naast de rails zonder eroverheen te rijden. De inspecteur zou later beweren dat hij nog naar de tram was gerend om haar te waarschuwen, maar hij heeft vast en zeker geen hand uitgestoken, waarom zou hij hard gaan lopen voor iets wat hij haar immers liever persoonlijk bij haar thuis wilde teruggeven. Ik zie hoe hij zich bukt en het boek opraapt, dat wel, ik zie hem daar midden tussen de rails stilstaan, zijn hoofd licht gebogen, de rug recht, alsof hij een soort genoegdoening verlangt, terwijl hij met de mouw van zijn colbert de besmeurde en verkreukelde bladzijde afveegt, nauwgezet, zorgvuldig, een man die misschien al in maanden of zelfs jaren geen boek meer in handen heeft gehad.

Geheel in beslag genomen door de gehavende bladzijde, als gebiologeerd, zijn ogen halfdicht om het beeld van de roodharige en de tram die in de richting van Lesseps wegrijdt nog wat langer vast te houden, leest hij: *Eind december lag Natasja uitgestrekt op de divan in een zwarte wollen jurk, haar vlecht enigszins losgeraakt, haar gezicht mager en bleek, naar de deur te staren terwijl ze het uiteinde van haar ceintuur voortdurend op- en weer afrolde. Ze keek naar de plaats waar hij uit dit leven was verdwenen.*

Zij heeft hem uit de verte gezien en zal het beeld van de inspecteur voorgoed in haar herinnering bewaren, zoals hij zich over de keien boog om het boek op te rapen, in een welhaast vrome houding; wellicht is dat de eerste maal dat deze man, die ze nauwelijks kent, haar heeft ontroerd. Op straat een vuil, gescheurd boek oprapen, zo zorgvuldig en met zo'n overgave, dat wijst op zijn minst, moet ze hebben gedacht, op een tot op zekere hoogte goede inborst.

'Nogmaals: als ze thuiskomt, geef je het haar namens mij. En je zegt haar dat ze het bij de halte van lijn 24 heeft laten vallen. Ik heb het zo goed als ik kon gekaft.'

David houdt het boek dat hij heeft gekregen in de hand die nog steeds tegen de post van de deur leunt die hij niet helemaal opendoet, terwijl zijn andere hand nog rond zijn heup fladdert. Zijn hoofd onder de rode alpino en het blonde haar blijft gebogen. Dat is geen teken van onderdanigheid, allerminst. Het duidt op grimmige concentratie en een pesthumeur.

'Hebt u het gekaft? Dat is u dan erg goed gelukt, bwana.'

'Het is dat ik dat je moeder niet ook nog wil aandoen, jongen, anders rukte ik je oren van je kop en je tong uit je bek. Wat dacht je daarvan?'

'Meent u dat nou?'

'Reken maar.'

Zijn toon is steeds dezelfde en even kortaf, maar niet uitgesproken dreigend. Inspecteur Galván spreekt zijn woorden niet grommend uit of vol verachting. David doet dat wel, met intense woede: 'U schaduwt mijn moeder. Ik weet het. U volgt haar op straat en u verstopt zich zodat zij u niet ziet. U volgt haar maar en u volgt haar maar. Waarom?'

De inspecteur denkt even na voordat hij antwoord geeft: 'Soms ben je gedwongen dingen te doen die voor anderen vervelend kunnen zijn.'

'Ja, m'n reet! Volgt u haar omdat ze u misschien ongewild bij mijn vader brengt? Of waarom doet u het anders? Nou?'

'Je zit er helemaal naast, jongen. Doe je hoofd omhoog en kijk me aan. Heb je dat tegen haar gezegd?'

'Nee, maar dat ga ik wel doen.'

'Dat doe je niet.' De inspecteur buigt iets voorover, stapt iets dichter naar David toe en vervolgt: 'Anders vertel ik haar wat jij tijdens de film in de Delicias bij je laat doen door dat zoontje van de kapper, die kleine schele dikzak, hoe heet hij ook alweer... Dat jochie dat altijd een stel sambaballen bij zich heeft.'

David kijkt eindelijk op, maar zijn wraakzuchtig fonkelende ogen gaan schuil achter zijn belachelijke zonnebril. Daarop buigt de inspecteur nog iets verder naar hem toe, kijkt hem strak aan en zegt: 'Je weet wel waar ik het over heb. Dat zou je moeder knap ellendig vinden. En we willen toch niet dat het zover komt, is het wel?'

'Nee.'

'Dan valt er dus niets meer te zeggen.'

'Jawel, bwana.'

De inspecteur schudt meewarig zijn hoofd, draait zich om alsof hij weggaat, bedenkt zich, maakt weer rechtsomkeert en blijft David strak aankijken.

'Wat is er toch mis met jou, knaap? Vind je dat echt lekker of doe je het om een paar centen te verdienen? Of is het alleen maar een spelletje? Hoe zit dat, verdomme?'

David denkt na over een antwoord, zijn grijnzende ogen verschanst achter de brillenglazen. 'Zal ik u eens wat zeggen? Mij zal nooit iemand zien met een hand op mijn kont!'

'Hè? Heb ik dat goed gehoord?'

'Ze zeggen dat mijn vader nu rondloopt met zijn hand op zijn achterste, vreselijk toegetakeld, maar ik geef u op een briefje dat niemand mij ooit zo zal zien. En verder krijgt u hier geen woord meer van me over te horen. Hoe lang u me ook ondervraagt, bwana.'

'Ik kan maar niet op de naam van je vriendje komen, dat schattige jochie. Bardolet?'

'Paulino Bardolet, dienaar van God, van u en van de hele klerezooi. En dus?'

'Ik sta echt te kijken van je taalgebruik en van je brutaliteit, ventje. Maar knoop dit in je oren: ik wil je niet meer met die Paulino zien. En zorg dat je moeder er niets van te weten komt.'

De inspecteur blijft hem peinzend aankijken, hij geeft weer eens een staaltje van de zo volkomen en langdurige onbeweeglijkheid waardoor hij soms wel bevroren lijkt. Voor hij weggaat probeert hij David een kennelijk vriendschappelijk schouderklopje te geven, wat deze weet te ontwijken. Dan ontwaart hij een dashond die zich moeizaam, met zijn hangoren en met zijn staart tussen de poten over de plavuizen achter de jongen voortsleept. 'Waar komt dat vandaan?'

'Die is van mij,' zegt David snel. 'Ik heb hem van de plaatsaanwijzer van de Delicias gekregen. Ik heb hem beloofd dat ik voor hem zou zorgen. Is daar wat mee?'

De hond snuffelt aan de lange kousen van David en begint te hoesten op een manier die meer aan kokhalzen doet denken en waardoor zijn ribbenkast ineenkrimpt. De inspecteur haalt diep adem, alsof hij kracht verzamelt om tegen zijn zin iets te zeggen.

'Dat is een straathond.' Hij draait zijn hoofd om en kijkt over het pad dat parallel aan de droge bedding loopt, in de hoop, denkt David, dat hij de roodharige ziet aankomen; meteen daarna doet hij net of hij belangstelling voor de hond heeft, alleen maar om tijd te rekken.

'Een mormel.'

'Ja, bwana. Een mormel, een vuilnisbak.'

'En stokoud. Heb je hem een naam gegeven?'

'Chispa,' antwoordt David. 'Wat is er, vindt u Vonkje geen mooie naam? Meneer Augé heeft hem in de foyer van de bioscoop gevonden, daar was hij achtergelaten, en hij heeft hem Niebla genoemd omdat er die week een film draaide die *Nevel in het verleden* heette. Hij heeft ook nog overwogen om hem Nodo te noemen, want als de hond het muziekje van het No-Do-journaal hoorde werd hij altijd vrolijk...'

'Ja, dat past wel bij hem.'

'De hele wereld binnen het bereik van alle honden, zei meneer Augé dan. Wat nu weer, vindt u dat ook al niet leuk?'

'Je bent zielig, jongen.'

'Wat nou, bwana, wat is er?'

Uitgestrekt op de grond, gesloopt door de tijd en de ouderdomskwalen doet Chispa een poging om te kwispelen maar geeft die direct weer op en met zijn minst verzwakte oog kijkt hij naar de inspecteur.

'Dit beest is meer dood dan levend.'

'U hebt geen verstand van honden.'

'Je zou hem een dienst bewijzen als je hem liet inslapen.'

'Wat?! Wat zegt u?!'

'Dat je hem het beste een bolletje strychnine kunt geven.'

'U bent niet goed snik! Ik laat hem juist weer op krachten komen, snapt u?!'

'Dan zal hij alleen maar langer lijden. Wat vindt je moeder ervan?'

'Daar heeft zij niks mee te maken! Die hond is van mij. Ik pieker er niet over om hem af te maken, hoe oud en hoe ziek hij ook is en al zou mijn moeder dat zeggen!'

'Al goed,' zegt de inspecteur terwijl hij aanstalten maakt om weg te lopen. 'Vergeet niet wat ik je heb gezegd...'

'Nog iets anders, bwana,' onderbreekt David hem, nu weer op zijn spottende toon, misschien om het gesprek een andere wending te geven zodat hij niet meer aan de roodharige denkt en geen woord of zelfs maar gedachte aan haar wijdt. 'Waarom vertelt u me niet wat er aan de hand was met die gehangene in de Calle Legalidad? Wat zegt u van dat raadsel? Heeft u hem gezien, als een pop opgehangen aan die pergola?'

'Ik heb zoiets gehoord,' bromt de inspecteur.

'Het was duidelijk dat ze achter hem aan zaten. Ze zeggen dat hij zich heeft verhangen omdat hij het beu was om zich schuil te houden.'

'Om zich schuil te houden voor wie? Voor wat?'

'Hij heeft een brief achtergelaten waarin hij vertelt dat het de schuld van zijn vrouw is dat hij zich heeft opgeknoopt. Ik heb hem aan het touw zien hangen, weet u? Zijn tong hing uit zijn mond en hij had rouge op zijn gezicht, als een clown, en zijn afscheidsbrief was ondertekend met een rare naam: de onzichtbare worm. Wat zou dat betekenen, denkt u?'

De inspecteur fronst zijn wenkbrauwen en zucht. 'Ik weet niets van wormen. Tot ziens. Vergeet niet wat ik je gezegd heb.'

'Ja, bwana.'

Beschermd door zijn plastic bril ziet David hem weglopen over de rand van het grijze stoppelveld bij het ravijn. Met een degenstoot zal Henri de Lagardère met je afrekenen, smeris! Vanuit de hal doet hij de nachtdeur dicht, hij neemt de hond in zijn armen en holt in zijn plissérokje en zijn mooie trui van imitatieangora door de leegstaande vertrekken vol meubels die onder spookachtige hoezen staan te kermen, halverwege de smalle gang stormt hij met een schouderduw door het groene gordijn, beukt zo ook de kleine matglazen deur open die het woonhuis van de praktijk scheidt en komt in ons piepkleine ondergehuurde woninkje, waar hij de dagdeur die op de steeg uitkomt wijd opendoet om Chispa uit te laten, zodat deze aan de drollen van andere honden kan snuffelen en zich, wie weet, misschien wel minder alleen en versleten voelt. Wie weet.

Mamma heeft David gezegd dat hij haar om halfvier wakker moet maken. Even eerder heeft ze haar opgezwollen voeten uit het zoute water in de teil gehaald en nu houdt ze haar middagslaapje zittend in de rieten leunstoel. David loopt stilletjes naar haar toe, haalt de teil weg en wikkelt een handdoek om haar voeten. Voor hij overeind komt pakt hij haar hand om zeker te weten dat ze vast slaapt, en dan slaat hij heel voorzichtig zijn armen om haar knieën en vleit zijn wang en oor tegen haar buik. Dankzij een open knoop van haar duster kan hij op zijn wang de spanning van de warme huid rond haar navel voelen en zijn oor registreert het gedempte neuriën van wat een melodie lijkt, alsof de roodharige in haar slaap zingt en haar stem in haar baarmoeder zakt en daar tot rust komt. Kun je me horen, kaboutertje? Zelfs in haar slaap heeft ze een liedje op haar lippen. Wat denk jij, ukkie, jij hoort immers haar hart via haar bloed? Waarom zingt ze in haar slaap, en voor wie zingt ze?

Je wilt niet weten voor wie, broer. Je kunt het maar beter niet weten.

Waarom niet?

Je zou steil achteroverslaan als je het wist.

Is het een geheim van de roodharige? Draai je niet om maar geef antwoord, bloedzuiger! gromt David halfluid. Als je me hoort, moet je me iets vertellen. Jij zult binnenkort zo'n slimme en belangrijke man zijn, zoals mamma zegt, een beroemd kunstenaar, wat zou jij in mijn plaats doen, als je zag hoe die opschepper, die sombere smeris bezig is? Vooral na die afschuwelijke toestand laatst.

Ik heb niets gezien.

Hij heeft die arme kerel gemold zonder met zijn ogen te knipperen, hem een-twee-drie naar de andere wereld geholpen! Dat heeft iedereen gezien die in de tram zat!

Nou, ondanks dat ik daar ook was, heb ik het niet kunnen zien. Vind je dat zo moeilijk te snappen, suffie? Juist daarom, omdat ik het niet heb gezien, kan ik het me beter voorstellen dan jij. Het moet verschrikkelijk zijn geweest.

Verschrikkelijk? Het was om je dood te schrikken! Ik zal het je vertellen. Zondag zegt de roodharige me opeens na het eten: kam je haar en kleed je een beetje netjes aan, we gaan bij oma op bezoek. We namen de 24 en jemig, wie zou er verzinnen dat je in de tram een moord zou meemaken? Want het was een koelbloedige moord!

Ik betwijfel of de mensen die op het balkon stonden het ook zo hebben gezien. En praat niet zo hard, mamma slaapt.

Blijkt dat die kip die verliefd is op een roodharige die tot alles in staat is. Hij is gewoon doorgedraaid, hartstikke lijp! Vergeet niet dat een kip altijd een kip is. Als je ooit, wanneer je eenmaal uit je ei bent gekropen en je wat groter bent, een smeris ziet en zijn ogen vallen uit zijn hoofd vanwege een mooie vrouw, kijk dan maar uit!, want dan is hij helemaal weg van haar en ben je je leven niet zeker, ik zweer het. Je had moeten zien hoe hij haar op het stampvolle trambalkon met zijn adelaarsogen stond te zoeken. En toen hij later zag wat die handtastelijke kerel van plan was, ging hij me toch tekeer, werd die vent toch link! Het zat zo. We stonden op het voorbalkon, zij beschermde je met haar armen tegen het gedrang van de mensen, maar ze kon niet doorlopen, en in die situatie begint een magere kerel met een kale knar van achteren tegen haar aan te rijden, je snapt me wel, en zij kijkt hem woedend aan en maakt zich van hem los door zich met haar ellebogen een weg te banen. Op het balkon scheen niemand erg te hebben in mamma's vervelende toestand, niemand behalve inspecteur Galván. Ik weet niet of die kip bij dezelfde halte was ingestapt als wij of pas later, maar daar was hij, vanuit een hoekje stond hij met zijn adelaarsogen naar haar te kijken, hij hoefde niet eens op zijn tenen te staan, zo lang is hij. Hij zag hoe ze naar het gangpad schuifelde en ging meteen tot actie over. Zo, heel achteloos, zonder een spier te vertrekken, strekt hij zijn arm over een stel hoofden heen uit en grijpt me daar dat mannetje in zijn lurven en duwt hem naar de rand van het balkon. Het leek erop dat hij van plan was hem uit de rijdende tram te laten vallen, die op dat moment in sneltreinvaart de Paseo de Gracia af denderde, maar dat slappe kereltje kon zich nog net aan de stang vastgrijpen en zo bleef hij hangen, met één voet op de treeplank en de andere in de lucht. Spring, smeerlap, ik wil zien hoe je je nek breekt!, zei de inspecteur, en die ander, die het zowat in zijn broek deed, met een kop als een biet en doodsbenauwd, alsof hij bang was dat hij van links of rechts een dreun zou krijgen, keek naar het plaveisel dat pijlsnel onder de wielen van de tram door schoot en hij stak een been uit en tastte naar de grond met zijn oude schoen zonder veter die van zijn voet schoof, en hij leek van plan om te springen maar uiteindelijk durfde hij niet. Of je springt er nu meteen uit of je gaat met mij mee naar het bureau en je hebt geen idee van de aframmeling die je dan wacht, kies maar, zegt de smeris dreigend als hij bij de treeplank staat, en die vent probeert weer met de neus van zijn schoen bij de bestrating te komen, hij maakt aanstalten om te springen zodra hij wat steun voelt en het moment gunstig is, als de tram wat vaart mindert, als er een bocht komt, en toen keek hij met zijn apentronie smekend omhoog naar de passagiers op het balkon. Nooit van mijn leven zal ik de zielige blik van die arme drommel vergeten zoals hij daar steun zocht, enig teken van begrip, ook al wist hij dat niemand een vinger voor hem zou uitsteken, wat denk je wel, smeerlap, een beetje tegen een zwangere vrouw oprijen... Intussen heeft de roodharige verderop in de tram een zitplaats veroverd en ze slaat haar boek open, ze wil liever niets weten van wat zich op het balkon afspeelt. Volgens mij heeft ze de inspecteur niet eens gezien, heeft ze er geen flauw idee van dat hij haar schaduwde. Spring, klootzak, verdwijn uit mijn ogen, herhaalde de smeris koppig, ik zeg het je voor het laatst. Toen de trambestuurder, misschien wel uit medelijden, een beetje vaart besloot te minderen, was het al te laat: je had moeten zien hoe lijkwit de verkrampte hand werd die om de stang geklemd zat; toen hij losliet, was het de hand van een dode. Met zijn ogen dicht en paniek op zijn gezicht wierp hij zich ten slotte naar buiten, belandde op straat, zijn benen galoppeerden, zijn armen crawlden zonder kracht, zonder eigen wil, als een marionet, zijn evenwicht kwijt, zwaaiend als een op hol geslagen ventilator. Door de niet te stoppen stuwende kracht wordt hij tegen een plataan op de Paseo gekwakt en onmiddellijk weer door de boomstam teruggekaatst waardoor hij onder de tram belandt en een achterwiel verbrijzelt zijn ribbenkast en wist zijn gezicht uit als hij over de straatstenen wordt meegesleept. Je hebt geen idee, hysterisch gegil en de tram die vijftig meter verderop met knarsende remmen tot stilstand komt. Het lichaam van de ongelukkige zat opgevouwen onder het zwarte labyrint van ijzerwerk. Een been strekte zich, het spartelde even en het bloed gulpte uit zijn mond, ja, echt. Toen een paar voorbijgangers hem te hulp schoten, toen, je had het moeten zien, kleintje, toen ging er een huivering door dat toegetakelde lijf en hij bleef onbeweeglijk liggen, met zijn ogen open en terwijl het bloed uit zijn mondhoek gutste, kijk, zo, alsof het met weerzin werd uitgespuwd. De inspecteur was uit de tram gestapt en kwam op zijn akkertje aanlopen terwijl hij met zijn vergulde nep-Dupont een sigaret aanstak, zijn trenchcoat over zijn schouder geslagen, heel nonchalant en doodkalm, en meteen nam hij de touwtjes in handen en gaf bevelen, laat een ambulance komen, opzij allemaal, doorlopen. Hij zou er persoonlijk voor zorgen dat het lichaam werd afgevoerd, de gebeurtenis rapporteren en de familie op de hoogte brengen, hij was eraan gewend om zulke dingen af te handelen... Hoe kan iemand zo'n ploert zijn?

En wat deed mamma intussen? Was ze daar bij het raam blijven zitten?

Ja. Ze keek niet één keer die kant op, ze wilde niks zien en niks weten, ze bleef met het boek open op schoot zitten en hoewel ze gegil had gehoord en wist dat er iemand dood was, vroeg ze niks, ze keek niet op of om, hield haar ogen op haar boek gericht en zei geen boe of bah.

En waarom zou dat zijn, broer? Waarom denk je dat de roodharige zo gevoelloos deed?

Ik wist wel dat je dat zou vragen. Zie je wel dat je niet zo slim bent, onderkruipertje, zie je wel dat je nog geen hersens hebt en nog niet kunt denken? Wanneer kom je eindelijk eens uit je hol en krijg je in de gaten wat het leven inhoudt, sulletje? Heb je nou nog niet begrepen dat mamma door toedoen van de oorlog zo veel ellende heeft meegemaakt, zo veel heeft geleden en zo veel afschuwelijks heeft gezien dat niets haar meer kan raken? Dat ze vanbinnen niets meer voelt?

Ik heb anders wél wat gemerkt. Alsof er een slang om mijn hals kronkelde.

Nogal wiedes. Ze raakte er een beetje van streek door. Het was ook niet niks.

Het kwam niet alleen daardoor. Ik weet dat ze ziek is...

Doe niet net of je snugger bent, uilskuiken! Jij weet niks en je ziet niks en je voelt niks! Als je eens wist wat je te wachten staat! Net als alle baby's die worden geboren nadat de atomische bom is gevallen, zoals oma die noemt, zul je geboren worden zonder gat in je kont en zonder oren. Daarentegen kan ik jou horen met mijn grote oor van dokter P.J. Rosón-Ansio, dat is net een zeeschelp, en ik kan je zien met mijn flikkerende blik van een radioactieve supermuis – fluistert David terwijl hij zijn oor over de gespannen, warme huid van de buik laat glijden.

Dan schuift hij opzij, nog half doezelig en met een gloeiende wang, hij knoopt de duster boven de navel dicht en staat op. De zomerzon valt door het raam, het is een snikhete middag. David kijkt even naar het mooie slaapgezicht van mamma terwijl hij haar voeten verder met de handdoek afdroogt en fluistert: 'Wakker worden, mam. Het is halfvier. Wakker worden.'

Jachtvlieger

Een steeg waar bijna geen verkeer komt, met aangestampte zwartige aarde vol messporen van het landjepik dat de kinderen er spelen, vol pies en stroompjes smerig water of sop, al naargelang het uur van de dag, zo is onze straat, de straat waarvan David Bartra nooit zal toegeven dat het de zijne is. Een tochtsteeg noemen ze zoiets. Hooguit tien, twaalf hokken van huizen, sommige gepleisterd, andere van rode baksteen en allemaal met maar één verdieping, een buitentrap en platte daken volgepropt met geïmproviseerde bouwsels van hout of metselwerk: een duivenhok, een berging, een plek om de was te doen. De straat, die uit het niets op de armste helling van de heuvel is ontstaan, ligt enigszins geïsoleerd van de buurt en is een doodlopende steeg geworden toen hij vanuit de buitenwijken kronkelend en onbezonnen afglijdend in de richting van de stad op de voormalige praktijk stuitte die was aangebouwd tegen de achterkant van een oud gebouw uit de jaren twintig met villapretenties. Op de kleine verveloze deur vol krassen van deze praktijk, waarvan de weduwe van de arts een woning heeft gemaakt die ze voor een schappelijke prijs verhuurt, prijkt nog altijd het messing bord met de naam en het specialisme: DR. P.J. ROSÓN-ANSIO. KEEL-, NEUS- EN OORARTS.

Naast de deur bloeit een witte margriet van bijna een meter hoog, net een met sneeuw bestoven groene paraplu.

'Ik heb begrepen dat u onderhuurt.'

De inspecteur speelt met zijn vingers door de margrietenstruik, terwijl hij met verstrooide blik het naambord van de KNO-arts leest.

'Dat klopt,' zegt de roodharige op ietwat vijandige toon, terwijl ze de deur vasthoudt en niet het minste blijk geeft dat ze van plan is hem binnen te laten. 'Ondergehuurd met gebruik van keuken en badkamer. En deze margriet is van mij.'

'Van u?'

'Helemaal, meneer. De keuken, de badkamer en de waskeuken deelde ik met de weduwe, verder niets.'

'Het schijnt dat die mensen het aanvankelijk als zomerhuis gebruikten,' zegt de politieman met gebogen hoofd alsof hij tegen zichzelf praat. Zijn stemgeluid verraadt dat hij zijn keel moet schrapen. Hij haalt een notitieblokje uit zijn zak, bekijkt een paar aantekeningen en vervolgt: 'Een jaar of tien geleden zijn ze hier permanent komen wonen en heeft de dokter de praktijkruimte laten bouwen. Zat het niet zo?'

'Ik weet het niet,' zegt mamma. 'Toen waren wij hier nog niet.'

De overheid beschikt over de formele gegevens, maar in de buurt weet iedereen het: dokter P.J. Rosón-Ansio was een KNO-arts uit Córdoba met anarchistische sympathieën die in 1933, vanwege een onopgehelderde kwestie op de vlucht voor de justitie, zijn praktijk naar Barcelona had overgebracht en later tijdens de burgeroorlog was verdwenen. Zijn weduwe overleefde hem zes jaar in dit huis, dat toen voor de hoofdingang, aan de andere zijde van het pand een kleine tuin had.

'Die arts heeft het huis vast gekocht met het idee om er nog een verdieping op te bouwen en er een echte villa van te maken,' speculeert de inspecteur zonder enige overtuiging.

Zij verheelt niet dat deze gevolgtrekkingen haar vervelen en houdt haar mond. Inspecteur Galván loopt wat blaadjes van het blokje door. Een verdwaalde witte vlinder danst plotseling boven de margrieten zonder op een van de bloemen neer te strijken, en mamma verbreekt de stilte. 'Mijn papieren zijn in orde, als u het weten wilt. Ik ben maar één maand achter met de huur.'

'Daar ga ik niet over, mevrouw.'

'Wat wilt u dan nog weten? Ik heb veel te doen, ziet u?'

De rechercheur kijkt niet op van zijn notities. Telkens voordat hij een blaadje omslaat, bevochtigt hij zijn vingertop met speeksel. 'U komt uit het zuiden van Andalusië, vast uit Málaga,' zegt hij. 'Of vergis ik me?'

Nu wordt ze wantrouwend, zulke vragen verwachtte ze niet. Ze laat een paar seconden verstrijken en dan antwoordt ze: 'Ik had niet gedacht dat het na twintig jaar in Catalonië nog aan me te horen zou zijn. Mijn ouders kwamen van de Canarische Eilanden, maar ik heb tot mijn twaalfde in Coín gewoond.'

'Ziet u wel, mevrouw? Ik heb daar een goed oor voor. Mijn vrouw kwam namelijk uit Algeciras,' gaat hij verder, en er trekt een schaduw over zijn blik. 'Woont u alleen?'

Mamma doet haar ogen dicht en zucht vermoeid. 'Hoort u eens, ik ben al op het hoofdbureau verhoord, twee maanden geleden, ruim acht uur lang...'

'Toen hield ik me nog niet met de zaak bezig,' zegt de inspecteur. 'Woont u alleen?'

'Met mijn kinderen.'

'Ik dacht dat u er maar eentje had.'

'Er zijn er nog twee.' (Die ene van me hebben jullie bij een bombardement vermoord, denkt ze ongetwijfeld, en de andere zit eraan te komen, hopelijk springlevend.) 'Als u bedoelt of er iemand in het grote huis woont, nee. Sinds de weduwe twee jaar terug is overleden, staat het leeg.'

'Ik heb gehoord...' begint hij maar zwijgt dan opeens, zijn kille blik raakt heel even verstrikt in de blote armen en de ranke hals van de roodharige, wellicht ook in haar krullen. Maar het is een blik waar zo op het oog niet eens nieuwsgierigheid uit spreekt: een of ander bijzonder karaktertrekje van deze man, beroepsroutine, onbewogenheid in de omgang of misschien een gewoonte die het gevolg is van het aanschouwen van andermans leed is op zijn gelaat bevroren. 'Ik heb begrepen dat u voor die mevrouw heeft gezorgd nadat ze weduwe was geworden.'

'Het arme mens voelde zich heel alleen. Haar dochter woont in Pamplona, getrouwd met een *pelota*speler die een arm is kwijtgeraakt...'

Stilte. Achter mamma is het gejank van Chispa te horen die onder de tafel ligt. Het is geen grapje, zegt zij nog, hij heeft bij een ongeluk een arm verloren. De inspecteur draait zijn hoofd opzij en krabt zijn hoge, heel bleke voorhoofd. Met zijn monotone stem zegt hij als tegen zichzelf: 'Dus aan de andere kant woont niemand meer.'

'Nee, inderdaad,' zegt mamma. 'En ze hebben nog niet besloten wat ze met de meubels en met ons zullen doen. Op een dag verscheen er een man die beweerde dat hij meubels opsloeg of zo en dat hij namens de dochter van mevrouw Rosón kwam met de opdracht om alles naar een pakhuis te brengen. Maar hij kon me geen enkel ondertekend papier laten zien en de bewindvoerder had me er niets over verteld, dus ik heb hem niet binnengelaten.'

De inspecteur knikt zwijgend. Hij stond waarschijnlijk op een vraag te broeden, maar de roodharige is heel gewiekst: ongetwijfeld om te vermijden of uit te stellen dat ze uitleg moet geven over nog meer netelige kwesties waar ze liever niet over praat, vooral als die met pappa te maken hebben, babbelt ze lustig door over zoiets onbenulligs: 'Die meubels zijn wanstaltige bakbeesten, ik denk absoluut niet dat haar dochter die wil hebben. In feite is die onbewoonde villa alleen maar lastig. Af en toe moet ik er wel naar binnen om de boel schoon te maken, ik heb liever niet dat er een rattenkolonie komt te zitten. En wie denkt u dat er schoonmaakt? Nou ik, zei de gek. Niemand verplicht me ertoe, natuurlijk, maar ik doe het wel... Ik ben benieuwd wat haar dochter met ons, haar onderhuurders, van plan is.' Terwijl ze dat zegt, legt ze een arm om Davids schouders; hij is net de hal in gekomen, zijn haar is nat en om zijn hoofd heeft hij een handdoek gewikkeld op de manier van Sabu's tulband. 'Maar dat maakt niets uit, ons kan niks ergs overkomen, nietwaar, jongen?' Ze glimlacht flemerig naar hem. 'En jou ook niet, kriebelmuisje, zeg maar nee.' Ze streelt over haar buik en haar hand voelt, denk ik graag, onder haar kleren en de strakke huid een schopje ten teken van instemming met haar en haar niet te temperen strijdlust, terwijl David zijn armen nog steviger om haar middel slaat en de inspecteur grimmig aankijkt. 'We hebben niemand anders nodig, hè jongens?' voegt ze eraantoe met weer haar vertrouwde harde en bittere glimlach bestemd voor David.

'Klopt, memsahib.'

41

Een jongen die lief is voor zijn moeder, zwijgzaam en spichtig, met grote honingkleurige ogen en krachtige, iets uitstekende billen, goed geproportioneerd boven zijn lange, fijn gebouwde, bijna vrouwelijke benen. Zo'n indruk maakt David. De inspecteur had eerst nauwelijks op hem gelet; een vluchtige schim achter de roodharige, in de buurt van de hond en de tafel in de woonkamer, iets wat zo ijl als een geest wegglipte, met nu en dan een verwijtende blik.

'Al gooit de bewindvoerder ons misschien wel op straat, net als we dat helemaal niet verwachten,' klaagt mamma hardop denkend.

'Dat moet u niet zeggen. Weet u niet dat er wetten zijn die onderhuurders beschermen?'

'Echt waar?'

'Als u wilt, kan ik er wel naar informeren.'

'Dank u, dat hoeft niet. Ik weet waar ik me aan te houden heb.'

Ondanks de misprijzende toon waarop ze de vragen beantwoordt, ligt er een sprankje vrouwelijke nieuwsgierigheid in haar blik nu ze voor het eerst de ogenschijnlijk goedmoedige manieren peilt van die man met dat magere gezicht en grijze ogen die heel aantrekkelijk is met zijn air van norse welwillendheid of van verveling, dat weet zij nog niet, en een zo kaarsrechte houding dat hij langer lijkt dan hij is. Zijn jukbeenderen hebben iets strijdlustigs, ze lijken niet erg gezond, bijna ontstoken, alsof de huid wat viezigheid afscheidt, maar zijn trekken vertonen een mannelijke harmonie. Zijn stem is bedaard en af en toe, misschien door de gewoonte om reeksen vragen te stellen die eerst ontdaan zijn van zowel venijn als mededogen, krijgt het monotone, kille geluid een vol, onpersoonlijk maar vaag dreigend timbre.

'Heeft uw zoon u het boek gegeven dat u bij de tramhalte had laten vallen?'

'O ja, ik ben vergeten u te bedanken... Het is wel toevallig dat u daar op dat moment langsliep.'

Met zijn armen nog om mamma's middel geslagen en zijn hoofd voortdurend gebogen kijkt David nu naar de grond, precies naar de plaats waar de rechercheur net de aarde van zijn schoen heeft gewreven alsof hij een peuk uittrapte. Maar hij heeft niet gerookt, er ligt helemaal geen peuk op de grond. Misschien heeft hij in poep van Chispa getrapt. De inspecteur kijkt weer op zijn blokje en zegt: 'Als u er geen bezwaar tegen hebt, zou ik even een kijkje aan de andere kant willen nemen.' 'Ik heb u al gezegd dat er niemand is. Het woonhuis zit op slot.' 'U heeft vast wel een sleutel van de voordeur.' De roodharige is zichtbaar geërgerd. 'Dat hoeft niet. U kunt hierlangs naar binnen.' En lichtelijk spottend voegt ze eraantoe: 'Zo kunt u meteen zien hoe je als onderhuurder in een dokterspraktijk woont.'

Ze stapt opzij en maakt zich los van David, die voor de rechercheur uit glipt, snel, gebogen en met een valse grijns terwijl hij bromt: 'Altijd als ik deze deur doorga, begint het gezoem in mijn oren. Dat is de vloek van de KNO-dokter!'

Het piepkleine woninkje van de onderhuurders is in een oogwenk bekeken. Krap vijftig vierkante meter. Er is geen hal, geen vestibule of enig ander voorvertrek: zodra je de drempel over bent, sta je in de eetkamer, direct voor een rechthoekige tafel waar een geruit kleed op ligt, met links het buffet en rechts, onder het raam met jaloezieën waardoor je tot ver de steeg in kunt kijken, de Nogma-naaimachine, de salontafel en twee rieten fauteuils. Het is overduidelijk dat wat nu zowel hal, eet- als woonkamer is vroeger de wachtruimte van de praktijk was: op de muur zitten nog vergeelde vlekken met spijkers waar schilderijen en diploma's aan hebben gehangen. Iets dergelijks geldt voor de slaapkamer van de roodharige, nu tevens haar naaikamer. Dat is het grootste vertrek, met aan het voeteneind van het tweepersoonsbed voldoende ruimte voor de zwarte ladekast en haar werkblad van ongeverfd hout met daarop haar naaidoos, altijd vol lapjes stof, scharen, driehoeken, krijt en klosjes garen. Hier onderzocht de KNO-arts zijn patiënten, in sommige plavuizen zie je de gaten nog waar de martelstoel met bouten zat vastgeschroefd. Doe je mond eens open, jongen, en steek je tong eens uit.

'Bwaaaah…! Op deze plek sneed de KNO-dokter met een scheermes je huig af,' fluistert David achter de inspecteur.

De inspecteur zegt niets. Het enige mooie van die in een klotewoning veranderde klotepraktijk, zoals David die jaren later op zijn kernachtige wijze zou betitelen, zijn de deuren, allemaal van matglas met sierranden vol vlinders en lelies; dat plus een paar overgordijnen en vitrage die mamma heeft gemaakt. De uiterst traag rondgaande blik van de politieman heeft nu echter geen aandacht voor de merktekens in de vloer en op de muren, maar voor het tweepersoonsbed met de roze sprei, de foto's van pappa en van Juanito op het nachtkastje, het hartvormige roodfluwelen speldenkussen met een woud van spelden op het werkblad vol krijtlijntjes, de klerenkast en de zwarte ladekast in de hoek.

David wijkt achteruit tot hij tegen die fijne buik botst, slaat zijn armen er weer omheen en vraagt zachtjes: 'Waarom zeg je niet tegen hem dat hij je het huiszoekingsbevel moet laten zien?'

'Zulke mensen houden zich niet bezig met formaliteiten, jongen.'

'Vraag hem dan tenminste om zijn penning.'

'Hoezo?'

'Zeg hem dat hij die moet laten zien!'

'Ssst…! Weet je niet meer wat je vader ons heeft gezegd? Vroeger stond de politie in dienst van justitie, maar tegenwoordig is het andersom, justitie staat in dienst van de politie. Begrijp je?'

'Hij heeft deze keer vast een schriftelijk bevel in zijn zak. Dat moet je hem vragen,' houdt David vol; hij heeft zijn mond tegen haar buik gedrukt en praat op fluistertoon tegen me: Jij gelooft me, hè, minimuisje? Jij weet dat ik alles kan zien omdat mijn ogen met atomische straling kijken en dwars door muren en deuren gaan en vooral door kleding, zelfs door de regenjas die over de schouder van een politieman hangt, en ook door zijn colbert en zijn blauwe overhemd, en daarom kan ik je nu, als ik wil, zo zeggen waar hij het huiszoekingsbevel heeft zitten en zijn pistool en of het geladen is en vergrendeld, en ik zie zelfs in zijn andere zak zijn flacon met brandy zitten en zijn pakje Lucky's en zijn vergulde aansteker, dat is een namaak-Dupont. Dat kan ik allemaal zien want mijn atomische ogen boren overal doorheen…

'Ssst…!' Mamma stapt achterwaarts op de drempel van de slaapkamer.

'Laat jij me nu jouw kamer zien, jongeman?' vraagt de inspecteur terwijl hij zich op zijn hakken omdraait. Opeens lijkt hij zich opgelaten te voelen, hij beweegt onhandig. 'Het spijt me dat ik u moet lastigvallen, mevrouw.'

Een uitdrukking van berusting is haar antwoord.

Davids kamer is de kleinste, een hokje waar vroeger geneesmiddelen en medische instrumenten werden bewaard. Op de groenige, blinde muren met bovenin een raampje op het westen is door de afdrukken die de stellingen hebben achtergelaten en door het vocht een onduidelijk kruiswoordraadsel ontstaan. De vermoeide, geveinsd roofdierachtige blik van de politieman glijdt nu over de brits en de houten kapstok waar Davids rode alpino en zijn regenjack aan hangen, over de klerenkast en het open bovenlicht en blijft dan rusten op de oude, verkleurde wereldkaart, net twee uitgedroogde appelhelften, met punaises op de muur geprikt naast een uit de krant geknipte foto van Joe Louis. Met zijn trenchcoat zorgvuldig over zijn schouder gevouwen en zijn handen in zijn zakken blijft de inspecteur naar de wereldkaart en de foto van de bokser staren. Achter hem staat de roodharige met haar armen over elkaar en geduld oefenend naar hem te kijken en naast haar denkt David: allemachtig, wat is dit voor huiszoeking? Ik heb je wel in de gaten, smeris, je bent er alleen maar op uit om zo lang mogelijk bij haar in de buurt te blijven, al moet je daarvoor net doen alsof je geïnteresseerd bent in een wereldkaart uit het jaar nul...

'Zal ik u mijn wereldatlas laten zien? Die is in kleur. En mijn verzameling zwaargewichten aller tijden?' vraagt David. 'Ja? Wilt u misschien ook mijn plaatjesalbum zien van *De trommels van Fu-Manchu?*'

'Nee, dank je, daar heb ik geen tijd voor.'

Op de kapotte stoel die als nachtkastje dient, ligt naast een bureaulamp een beduimelde roman van Edgar Wallace, het pennenmesje met het parelmoerkleurige heft, een uitgedroogd hagedissenstaartje, een doosje lucifers en een polshorloge van plexiglas met een hemelsblauwe wijzerplaat en een vast tijdstip, aangewezen door geschilderde wijzers. Van die uitstalling op de manke stoel stijgt een gewelddadige walm op van stil, gevleugeld geweld, een woordeloze, heimelijk gevoede ruzie. Maar de aandacht van de politieman richt zich op de muur, op twee ingelijste oude diploma's van de KNO-arts boven Joe Louis, die mamma daar heeft gehangen om vochtplekken te maskeren, en vooral op het oor van dokter P.J. Rosón-Ansio, een reuzenoor op een stuk karton met felle kleuren, beschermd door een glasplaat en vol pijlen met heel klein gedrukte teksten die de verschillende functies beschrijven van de inwendige organen en holten.

'Waarom heeft u dat daar opgehangen?'

'Daar is de muur afgebladderd.'

Wanneer hij zich omdraait om de kamer uit te lopen, struikelt de inspecteur bijna over David, die net de handdoek van zijn haren heeft afgewikkeld. Hij steekt zijn arm uit, woelt zachtjes door zijn haren en laat tegelijk zijn schorre, uitdrukkingloze stemgeluid klinken: 'Hoe staat het ermee, jongeman, probeer je je moeder al een beetje te helpen?'

'Ja, bwana. Heeft u gezien hoe het messingen bord bij de deur blinkt? Elke zaterdag poets ik het met bicarbonaat en een vochtige doek, en ik doe ook de boodschappen, ik haal kolen, het rantsoen en het brood, spuitwater, ijsblokken… En 's middags ben ik loopjongen bij een fotograaf…'

'David.' Zijn moeder snoert hem de mond. 'Let u maar niet op hem.'

'Maakt u zich geen zorgen,' zegt de inspecteur. 'Wij kennen elkaar al; is het niet, jongen?'

Hij kijkt schijnbaar ongeïnteresseerd in de rondte en richt zijn aandacht ten slotte op een omslag van het tijdschrift *Adler*, afgeknipt en met punaises op de muur onder het bovenlicht tegenover het veldbed geprikt. Op de omslag staat een geallieerde piloot afgebeeld op het moment waarop hij naast zijn neergehaalde vliegtuig gevangengenomen wordt. Een propagandafoto, een bij daglicht gemaakt kiekje. Wanneer de inspecteur het van iets dichterbij bekijkt, constateert hij een zekere brutaliteit in de houding van de jonge vliegenier, met zijn handen in zijn zij, de nauwelijks waarneembare glimlach en de opstandige, voorzichtig ironische blik niet op de Duitse soldaten gericht die aan weerskanten hun machinepistolen op hem richten, maar direct in de lens van de fotograaf, op de onzekere toekomst en de ogen die hem voortaan steeds op zijn hoede zullen zien. Maar zijn gezicht zegt de inspecteur niets.

'Wie is dat? Nog een bokser, een filmacteur?'

'Ik weet het niet,' zegt David.

'Mijn zoon zag die foto in een tijdschrift en hij vond hem mooi,' zegt de roodharige snel. 'Hij knipt altijd vliegtuigen en piloten uit, daar is hij dol op. Hij bewondert piloten enorm.'

David kijkt haar met onverholen verbazing aan: voor het eerst hoort hij zijn moeder liegen, de eerste leugen die niet als grapje is bedoeld, uitgesproken op een merkwaardig gejaagde manier.

'Goed, ik zie geen reden voor een grondige huiszoeking,' zegt de inspecteur. 'Loopt u met me mee naar de andere kant, naar de villa. Alstublieft.'

David is met zijn handen in zijn nek achterover op zijn bed geploft, tegenover de piloot die van de muur naar hem glimlacht. De Spitfire is met een in brand geschoten cockpit in een spin geraakt, mompelt David zonder dat iemand hem hoort, maar hij kon wel landen. En hij herinnert zich wat hij hier een keer tegen Paulino Bardolet heeft gezegd: Wat een foto, bolle! Een honderdvijfentwintigste om de moed vast te leggen van een held die zich gereedmaakt om staande te sterven!

Hij hoort de stemmen van de politieman en de roodharige die de gang in lopen terwijl hij zijn gulp openknoopt.

'U zou het niet moeten goedvinden dat hij die oorlogsellende in zijn kamer ophangt, mevrouw.'

'Ach, kinderen, ze verbazen ons altijd weer, vindt u niet? Tot voor kort had hij op dezelfde plek een foto van Donald Duck hangen met daaromheen plaatjes van de Helden van de Burgeroorlog,' zegt mamma terwijl ze de kleine deur opendoet die naar de villa leidt; haar enigszins ironische stem klinkt van steeds verder weg. 'Vindt u Donald Duck samen met de Helden uit onze Burgeroorlog geschikter voor een jongen van zijn leeftijd, inspecteur?'

'Doden zijn geen goed gezelschap.'

Leugens, ze vertellen alleen maar leugens!, gromt David stilletjes.

Teringsmeris, weet jij veel of de Duitsers hem hebben vermoord.

Mamma's geduldige, goedlachse blik gaat door de gang die zich uitstrekt over een donker ruitpatroon van plavuizen en eindigt bij een half losgeraakt groen fluwelen gordijn en iets verder bij een paar grijze vilten pantoffels die voor een deur zijn achtergelaten met de hakken tegen elkaar en de neuzen naar weerszijden. De weduwe Rosón wilde ze hier nooit weghalen, zegt mamma spottend. We hebben haar wens geëerbiedigd. Volgt u me, inspecteur. Het is zo gebeurd, bromt hij, bij wijze van verontschuldiging wellicht. Hoe gedraagt uw zoon zich op straat? Hij lijkt me een heel pienter kereltje, vervolgt hij op geveinsd vermoeide toon als een ambtenaar die er zijn buik vol van heeft dat hij altijd weer dezelfde vragen moet stellen.

Juan gaat schrijlings op de stoel tegenover Davids bed zitten met zijn armen naar beneden over de rugleuning. Hij heeft een verband om zijn hoofd en zijn broek is gescheurd, waardoor je ziet dat zijn been onder de knie is afgerukt, al vertoont het versplinterde bot geen spoortje bloed. Op zijn bruine sjaal en zijn winterkleren zit nog roodachtig stof van het compleet ingestorte gebouw dat lang geleden, op de middag van een zeventiende maart, op hem is neergekomen, al lijkt hij niet meer zo jong als toen, maar een jaar of twintig, wat hij nu zou zijn.

Jij zou mijn oudere broer zijn, klaagt David. Wat jammer.

Het mocht niet zo zijn, joh, pieker er maar niet meer over.

Je had me van alles over het leven kunnen leren.

Vergeet het. Dat was nou eenmaal mijn lot.

Wat een godvergeten pech!

Zoals je ziet. Ze hebben al het mogelijke geprobeerd. Een man wilde me uit het puin halen, hij trok aan mijn been, maar hij hield het zo in zijn handen. Ik voelde helemaal geen pijn.

Heb je het gefluit van de bom gehoord toen hij viel?

Nee. Ik stond op de Gran Vía naar de gevel van de Coliseum-bioscoop te kijken en hoorde iemand schreeuwen: Snel, jongen! Ga op de grond liggen en doe je mond open!

Hoezo dat?

Joh, vanwege de schokgolf. Als je je mond niet opendoet, word je vanbinnen opgeblazen. Dus ik wierp me op de grond en deed mijn mond zo wijd mogelijk open. Maar het heeft geen enkele zin gehad, besloot Juan, en er loopt een straaltje koud bloed uit zijn neus dat hij met de rug van zijn hand afveegt.

Jemig, zegt David, in onze familie bloeden we allemaal als een rund.

Met anderen is het slechter afgelopen, weet je? zegt Juan, en terwijl hij praat spuwt hij een scherfje metselwerk of marmer uit. Er lagen mensen met al hun ingewanden uit hun buik, en voor me stond het geraamte van een tram te branden.

En de bom heb je niet gehoord?

Wat zeur je toch over die bom, David! Ik heb hem niet gehoord, dat heb ik toch al honderd keer gezegd!

Nou, dan moet je weten dat het gefluit van die bom als een gifslang in mijn oor is gaan zitten. En ik raak het niet meer kwijt, broer.

Wat doen we eraan, zegt Juan die het geronnen bloed van zijn hand krabt. Het is zonde, want omdat je hier woont, had je naar het spreekuur van dokter P.J. Rosón-Ansio kunnen gaan, de KNO-arts uit Córdoba. Maar die is ook de pijp uit. Mij had hij aan mijn neus kunnen opereren, nu ik eraan denk.

De KNO-arts uit Córdoba, begint David te zingen. Toen ik nog niet wist wat KNO-arts betekent, dacht ik dat het de naam was van een stierenvechter uit Córdoba…

Het is wel pech dat die bolsjewistische dokter die een vriend was van pappa ook het hoekje om is.

Praat niet zo hard en kijk uit met wat je zegt, broer.

En hun blikken komen even samen op het ingelijste roze aanhangsel dat aan de muur hangt, het grote oor met pijlen er dwars doorheen dat zich opent als een slakkenhuis dat alles kan absorberen wat in deze ruimte en daarbuiten wordt gezegd, elk geluid in huis, het kraken van een kast, het piepen van een deur, de wind tegen het raam, de regen op de ruiten, ik weet waar ik het over heb, jochie, alles, tot en met de moeizame ademhaling van Chispa die onder de tafel ligt en het zachte, stille schuifelen van een muis of een kakkerlak, zelfs het krassen van een potlood over papier…

Zeg, is het waar wat de roodharige zegt, dat jij als je groot bent schrijver wilt worden?

Dat zal niet meer gaan, antwoordt Juan.

Jij bent het lievelingetje. Jij was de beste voor haar, op jou had ze al haar hoop gevestigd.

Nou, je ziet hoe ik eraantoe ben, een wrak. Misschien heeft je opvolger meer geluk.

Dat scharminkeltje? Waarom zeg je dat?

Ik weet dat mamma het geweldig zou vinden, zegt Juan terwijl hij met een van pijn vertrokken gezicht over de stoel schuift.

Met pappa niet thuis wordt die onderkruiper niks, zegt David.

Je zit er helemaal naast, broertje. De reden waarom die onderkruiper mettertijd kunstenaar wordt, is nu juist dat pappa er niet is; hij zal zijn leven lang over hem fantaseren.

Weet je dat ik de roodharige voor het eerst op een leugen heb betrapt?

Eén keer moet de eerste zijn.

Maar het is heel gek… Ik heb die foto helemaal niet uit een tijdschrift gehaald. Zij had hem!

Ga weer naar haar toe, vooruit, laat haar niet alleen met die man, maant Juan hem met holle stem. Zeker niet in de villa, met al die afgesloten kamers en die stank van lijkenkleren en van oude aangevreten meubels, en die kamferlucht die onder de deuren door komt en ons bedwelmt telkens wanneer we naar de andere kant moeten om naar de badkamer of de keuken te gaan.

In de verte klinkt geraas van ijzer en glas. David komt overeind op zijn bed en tegelijkertijd verschijnt vanachter het prikkeldraad bij de romp van de Spitfire de gedaante van de RAF-piloot met zijn handen in zijn zij.

Zou jij nou zeggen dat hij dood is? vraagt David voordat hij de kamer uit gaat. Denk je dat ze hem daar ter plekke bij zijn vliegtuig hebben neergeknald? Of dat ze hem gevangengenomen hebben en gemarteld, en dat hij daarna kon ontsnappen? Denk je dat de roodharige iets weet…?

Houd toch op met je geklets en ga naar haar toe, zegt Juan met een stoffige stem. Ik ga mijn verband verschonen.

Ik ga al, zegt David met een bedroefde blik op de beenstomp. Je zou dat uitstekende bot weer recht moeten zetten en schoonmaken, broer. En klop dan gelijk het stof van je af, je lijkt wel een spook. Of borstelen spoken hun kleren niet?

Wanneer David even later bij ons komt, staat de inspecteur midden in de zitkamer tussen de vele meubels, waarvan sommige zijn bedekt met gele hoezen. Zij doet de lamp naast de haldeur aan en draait zich dan met de armen over elkaar naar hem toe, alsof ze verwacht dat hij nu wel zal vertrekken. Hier hangt een andere lucht, het licht is anders, de stilte eveneens. Alles wat David in die zitkamer ziet, telkens wanneer hij er in zijn eentje op weg naar of terug van de badkamer of keuken doorheen moet, lijkt niet meer in de tijd te leven maar slechts in iemands verwarde herinneringen; verschoven krakkemikkige meubels, stijve overgordijnen en gerafelde vitrage, grote scheefhangende schilderijen aan de muur, ouderwets en somber, met dode hazen en patrijzen uitgestald op tafels vol groenten en fruit, alles lijkt niet alleen al jaren geleden in allerijl en volstrekt liefdeloos verlaten door degenen die hier woonden, maar zelfs verstoten en vervloekt, in blinde woede overgeleverd aan een moedwillige vergetelheid.

Achter mamma is in de schemering de hal te onderscheiden en de huisdeur waar het middaglicht doorheen sijpelt. Rechts van mamma bekijkt de inspecteur de ronde tafel en de twee oranje rieten fauteuils, en meteen beseft hij dat hier vroeger vier fauteuils moeten hebben gestaan en dat de twee ontbrekende in onze lachwekkende hal annex eetkamer staan. Mamma heeft ze geleend. Kaarsrecht en zonder iets te zeggen draait de inspecteur langzaam rond en zijn ravenblik registreert alles, de blinde spiegels en de oude pendule, de kasten vol boeken, de schilderijen, de salontafel met de twee fauteuils en de lege vitrinekasten om zijn blik uiteindelijk met een soort vermoeid welbehagen op de roodharige te laten rusten.

'Hier zou u heel wat beter wonen dan aan de andere kant.'

'Ja, natuurlijk, als ik twee of drie keer zoveel zou betalen als nu. Die luxe kunnen we ons niet veroorloven,' en ongeduldig zuchtend vervolgt ze: 'Daarlangs kom je in de keuken en bij een klein toilet aan het eind van de gang, en hierlangs bij de slaapkamers en de badkamer, een kleine bibliotheek en andere vertrekken. Als u het wilt zien…'

De inspecteur schudt zijn hoofd. Hij begrijpt wel hoe ruim het huis is, ook al heeft het maar één verdieping, maar nooit zal hij de minste belangstelling tonen om het helemaal te zien. Zijn ogen blijven op het tafeltje in de hoek rusten, met daarop twee gekruiste leren handschoenen, een bol cognacglas en een kristallen asbak met een opgebrande sigaret, een intact aswormpje. David volgt de route van de diendersblik en kan de blauwe rookspiraal nog naar het plafond zien opstijgen, direct daarop ziet hij pappa op blote voeten en in hemdsmouwen in een van de rieten fauteuils zitten, ontspannen en glimlachend terwijl hij het cognacglas bij wijze van groet heft. De inspecteur loopt naar de sigarettenas en ziet onderweg wazig en vluchtig weerspiegeld in het lepreuze oppervlak van een oude spiegel het gedweeë, zwangere silhouet van mamma, die in een andere hoek van de zitkamer hetzelfde drogbeeld oproept: van de opgebrande sigaret in de asbak stijgt een blauwe, ingehouden woedende, kringelende spiraal naar het plafond op.

'Bent u degene die rookt?'

'Wie anders?' Ze blijft even staan met haar hand op haar buik. 'En jij, dondersteen, begin nou niet met je gebuitel.'

'Wablief?'

'Ik had het niet tegen u.' Ze doet de hoge en zware dubbele deur open. Het geroeste ijzer van de scharnieren piept. 'Dit is de hoofdingang. En zo staan we dus buiten.'

Er hangt een lucht van verbrand hout. Nadat de inspecteur de overblijfselen van de drie treden is afgegaan, kijkt hij uit over het kleine voorterrein dat doorloopt tot aan de rand van het ravijn, een verschroeid terrein met resten van wat ooit een bosschage moet zijn geweest. Hier om hem heen, recht voor de villa, ziet hij stompjes van dode rozenstruiken, wortels van een gekapte olijfboom en aangetaste geranium- en oleanderscheuten bij fragmenten van een muur die om de oude tuin stond. Hij loopt naar de rand van de kloof, schat de hoogte en de hellingsgraad van de kleiachtige flank vol scheuren, draait dan direct weer op zijn hakken om en blijft naar de op het zuiden gelegen oude voorgevel kijken die rechthoekig is en een met mos overdekte balustrade heeft waarachter het dakterras waarschijnlijk lag te beschimmelen. Het is een protserige gevel, golvend afgewerkt met aardewerk, sierranden van mozaïek en bovenin terracotta ornamenten in de vorm van grote manden die overlopen van vruchten en bloemen. Een bouwvallig afdakje dient als beschutting van de deur met de klopper en een bloedrode glimmende hydra kronkelt zich om de twee getraliede vensters. Siersteen tot op een hoogte van een meter en verder rode baksteen, behalve de omlijsting van deur en ramen, die ook van siersteen is.

De roodharige wisselt een blik met David waarmee ze zegt: moet je hem zien, je hoeft alleen maar naar zijn gezicht te kijken om te weten wat hij denkt: Víctor Bartra is ongetwijfeld hierlangs ontkomen, dat is de nachtdeur, de drempel van de afgrond en de vergetelheid, de afvoerbuis van een crimineel verleden…

'Dus hierlangs is hij ontkomen,' zegt de inspecteur.

'Ik weet het niet, ik lag te slapen.' Mama blijft boven aan de drie treden staan, haar armen over elkaar en een schouder tegen de deurpost geleund. 'Als een marmot, gelooft u me.'

'Kent u een zekere mevrouw Vergés, weduwe van Monteys?'

'Nee,' antwoordt zij vlug, en ik voel haar hart kloppen in haar keel. 'Waarom vraagt u dat?'

De plotselinge bleekheid van haar gezicht ontgaat de politieman niet. Ook ziet hij haar opgezwollen lippen.

'Voelt u zich niet goed, mevrouw?'

'Het is niets. Kom hier, jongen.' Ze legt haar hand op Davids schouder en leunt met haar rug tegen de deur terwijl ze haar ogen dichtdoet. 'Je went aan alles. Wie had kunnen denken…'

'Ik begrijp u niet,' zegt de inspecteur.

'Het is echt niets. Bent u klaar? Ik moet nog weg.'

Onbeweeglijk, recht voor haar, met de handen in de zakken van zijn jasje kijkt de inspecteur onderzoekend naar haar vermoeide gelaat. 'Ik denk dat u beter even kunt gaan zitten.'

'U kunt denken wat u wilt, maar ik moet aan het werk.'

'Al goed.' Met zijn rechterhand voelt hij aan iets in zijn zak. David durft te wedden dat het de flacon met brandy is. 'Ik houd u niet langer op. Maar er zijn nog heel wat dingen op te helderen. Ik kom een andere keer nog wel terug. Eens zien, als ik hier naar beneden loop,' gaat hij verder terwijl hij naar het pad langs de bedding wijst, 'dan neem ik aan dat ik op de Avenida Virgen de Montserrat uitkom.'

'Aan de andere kant van het ravijn steekt u over en dan ziet u direct de weg naar de Plaza Sanllehy. Het beste ermee,' zegt mamma voordat ze met gebogen hoofd en als verstijfd het huis in loopt.

'Ik hoop dat u snel opknapt.'

David sluit de deur tot op een kier maar verliest de politieman niet uit het oog; hij staat nog in de verwelkte tuin maar nu met zijn rug naar het huis en slaat iets na in zijn notitieboekje alvorens weg te lopen.

Als David tien minuten later Chispa gaat uitlaten, staat de smeris op dezelfde plek maar nu weer met zijn gezicht naar de deur. Hij heeft net een slok uit de flacon genomen en laat die in de achterzak van zijn broek glijden. Met de rug van zijn hand veegt hij zijn dunne, staalstrakke lippen af, zijn ogen voortdurend op de deur gericht.

'Voelt je moeder zich weer beter?' vraagt hij schor en op volkomen natuurlijke toon.

David staart naar zijn over de schouder geslagen regenjas. 'Ja.'

'Ik had haar moeten vragen waarom je haar het boek pas na zo'n tijd hebt teruggegeven. Ik weet werkelijk niet wat ik van jou moet denken.'

'U denkt maar wat u wilt, bwana. Dat zal me aan mijn reet roesten.'

Inspecteur Galván blijft nog even naar de hond kijken die hijgt en nauwelijks op zijn poten kan blijven staan, en dan geeft hij David plotseling een klopje op zijn schouder, reikt hem met een snelle beweging en zonder hem aan te kijken de hand, maakt rechtsomkeert en loopt met soepele tred weg langs de strook as aan de rand van de helling. David kan of wil niet meer gehoord worden als hij binnensmonds bromt: 'Het is de beste jachtvlieger van de hele wereld. En hij is nog niet dood! Knoop dat goed in je oren, smeris!'

Terwijl hij hem ziet weglopen, aait hij onder in zijn zak het staartje van een hagedis dat hij bewaart voor Paulino, en hij herinnert zich wat hij zei toen hij voor het eerst een staartje had afgehakt: Kijk, er zit geen bloed in. In plaats van bloed komt er slijmerig koud vocht uit, als het zweet in de handen van de politieman.

Ik zal de ogen van mijn moeder nooit zien, maar ik weet dat ze een beetje loensen en dat haar blik vrolijk is en helder, van dezelfde kleur als de oneindigheid, vooral wanneer ze naar een min of meer fantastische uiteenzetting van David luistert of als haar gedachten afdwalen, op zoek naar mijn vader. En ik weet ook dat haar huid heel blank is en dat haar mooie rode haar gezien mag worden. Daarom noemen ze haar in onze straat en op de kleine markt, bij de kramen met kinderkleren waar ze haar kennen, de roodharige.

Op de laatste zaterdag van deze onwaarschijnlijke augustusmaand die zo heet is en uiteindelijk zo'n rampzalig gedenkwaardig keerpunt zal blijken, is de atmosfeer halverwege de ochtend nog steeds zwanger van de atomische zwavel met zijn weerzinwekkende stank en zijn spookachtige stoet doden als in lood gegoten, stijf en ontveld, zonder neus en ogen, maar later drijven er enorme zwarte wolkenpartijen binnen, de hemel gaat op in rook, de walm van verschroeid haar en geblakerde botten verdwijnt in de regen. Daarna heeft het een hele tijd achtereen onvoorstelbaar geplensd en nu wordt het weer drukkend warm en doet het middaglicht pijn aan je ogen.

In de keuken vol rook wordt de roodharige duizelig, ze verbrandt haar hand als ze er kokend water over giet, even later kotst Chispa na een eindeloze krampaanval in de gang en direct daarna, terwijl mamma het braaksel opdweilt, op haar knieën op de tegels en slaap-kindje-slaap neuriënd, een wijsje dat zich hardnekkiger in je oren vastzet dan tweecomponentenlijm, krijgt ze opeens weer zo'n vreselijke hoofdpijnaanval en haar blik wordt wazig, en uitgerekend op dat moment komt David op het idee om een opmerking te maken over de onbekende die zich aan een pergola op een dakterras aan de Calle Legalidad heeft opgeknoopt; hij beweert bij hoog en bij laag dat die man die zich verhangen heeft 's nachts voor hem verschijnt met zijn tong

uit zijn mond, in pyjama en met vilten pantoffels aan, een zelfmoordenaar die er aldus als een keurige huisvader uitziet, zo netjes en verzorgd; het is al twee maanden geleden, maar David is geobsedeerd
door die dode die in de lucht blijft bungelen met het touw om zijn
hals en zijn tong naar buiten als bij een schoen, tot mamma zegt dat
hij zijn mond moet houden.

'Nu niet, jongen, alsjeblieft, vergeet die ongelukkige en help me
overeind.'

'Hopla, mam.'

'Goed zo, brave jongen.'

Later veegt David met een vochtig gaasje het vuil uit Chispa's ogen
en hij fluistert hem dwaze beloften in van spelen en rennen. Terwijl zij
aan tafel met haar verbrande vingers een bord linzen zit te lezen, voelt
ze de duizeligheid weer toenemen en ziet ze weer insecten voor haar
ogen schemeren, dus ze staat op, loopt naar haar slaapkamer en gaat
op bed liggen. Terwijl ze wacht tot het overgaat, praat ze even met de
foto van haar man, die in een zilveren lijstje op het nachtkastje staat,
een geretoucheerde, keurige studiofoto met onze aangeschoten lieve
vader altijd half van opzij, altijd met die te gekke uitdrukking van
hem, zijn zwarte brillantinehaar achterover en zijn glimlach onder de
netjes bijgewerkte snor; een scheve, aantrekkelijke glimlach met een
spottend trekje om de mondhoeken. Nooit zal ik de kans krijgen die
in het echt en van dichtbij te zien, maar ik weet dat het een nepgrijns
is, bedrog of beter gezegd, ik weet dat die glimlach niet helemaal van
hem is, dat die witheid en dat volmaakte niet bij hem horen; want die
glimlach is net als de mannelijkste en verleidelijkste glimlach die fu-
rore maakt op het witte doek en waar de roodharige het meest dol op
is, die van Clark Gable, in feite slechts van een kunstgebit.

'Dat is onmogelijk!'

'Ik heb het in een tijdschrift gelezen.'

Er is niets aan de hand, meneer Bartra, zegt ze nu vanaf haar bed
tegen hem, ik heb weer een duizeling en die lichtvliegjes dansen weer
voor mijn ogen, maar wees gerust, er is niets aan de hand, waar je ook
bent, je kunt rustig doorzuipen en hopelijk verdrink je je verdriet in
de fles die je hebt meegenomen, lieve rotzak van me, samen met je

kunstgebit en je gekoesterde idealen, als je die nog hebt, over mij hoef je je geen zorgen te maken, want het gaat zo weer over en dan tut ik me op, ik zal mijn tranen drogen, mijn haar kammen, rouge op mijn wangen doen, mijn lippen stiften en hup, naar buiten. Op het nachtkastje staat ook een schoolfoto van onze broer Juan, hij zit achter een tafeltje en heeft een pen met een marmeren filigraanheft vast boven een open schrift, achter hem hangt de kaart van Spanje aan de muur. Hij glimlacht en kijkt ons aan, maar deze keer zegt de roodharige niets tegen hem.

Als David naar buiten is gegaan om Chispa uit te laten, kamt zij zich en stift ze haar lippen, met enige moeite trekt ze haar kaplaarzen aan, hoewel ze weet dat het niet meer regent – haar kaplaarzen zien er beter uit dan haar schoenen, die zo oud zijn dat ze wel weggegooid kunnen worden – en ze pakt de paraplu. Ze gaat de deur uit en wordt verrast door de stekende zon die nu en dan stralend tussen de voortjagende wolken verschijnt; opgewekt gaat ze op weg in de richting van de Avenida en dan voel ik, die niet meer ben dan een duister plan in het bewustzijn van haar en van mijn broer David – en in de laatste stuiptrekkingen van de arme Chispa waarschijnlijk niet eens dat –, via de navelstreng de blije impuls van haar ontembare wil om te leven en om verdriet, valstrikken en minachting afkomstig van wie of waar ook te boven te komen, door dag in dag uit haar vaste voornemen te stalen om zich niet klein te laten krijgen door de eenzaamheid en de angst, haar ziekte en ongewenste zwangerschap, de armoede, onverschilligheid en wat het lot nog meer voor haar in petto heeft.

Ik durf te wedden dat ze me deze middag, op weg naar de dokter voor controle, als dat had gekund graag thuis had gelaten. Maar hoe kan ik dat zeker weten? Ik balanceerde toen op het randje van het leven en de dood, met mijn rug naar de wereld en ongetwijfeld op mijn kop. Het onderkruipertje voorvoelde wel al het leven om zich heen, maar slechts als een vluchtige roep, als door licht toegebrachte tikken.

Stemmen in het ravijn

Als hij zoals ze zeggen de nacht in het ravijn heeft doorgebracht, heeft hij er misschien iets achtergelaten, denkt David, een verfrommeld sigarettenpakje, een peuk, een paar druppeltjes bloed, de lege fles Fundador... Of een papiertje, een in een fles gestopt stukje opgerold papier: een boodschap! Natuurlijk, dat zal die kip interessant vinden! Hallo, bwana. Goed nieuws. Ik weet waar mijn vader is.

Hij ziet hem aankomen en blijft in de hal bij de nachtdeur staan wachten, terwijl hij op zijn hurken kleverige hagedissenstaartjes in zijn zakken aait – vijf minuten eerder zat hij onder in het ravijn ook op zijn hurken met het scherpe pennenmes in zijn hand aandachtig te kijken naar de spleet waardoor de hagedis moest verschijnen, en wachtte. Hallo, schoonheid.

'Hallo, bwana. Moet u horen wat ik u te vertellen heb...'

'Ik moet je moeder spreken.'

'Ik ben er net achter waar Víctor Bartra is.'

'Oh ja? Vertel me dat later dan maar. Roep je moeder even.'

'Mijn moeder is niet thuis, ze is halsoverkop naar de Skating gegaan toen ze dit gelezen had. Wilt u het even bekijken? Ik heb het gevonden in een lege brandyfles naast een hoop Chesterfield-peuken, het merk dat mijn vader rookt... Moet u zien. Het is in geheimschrift.'

'Zijn we weer aan het fantaseren?'

'Oké, best, ik dacht dat het u zou interesseren,' zegt David. 'Kijkt u er toch even naar, bwana.'

'Lees jij het me maar voor.'

David vouwt het briefje open en schraapt zijn keel. 'Het gaat zo. Een meisje was aan het schaatsen, schaatsend ging ze onderuit en op de grond vertelde ze zonder geluid... dat ze niet kon schaatsen.'

'Waarom zing je het niet?'

'Het is gecodeerd!'

'Jaja. Is dat alles?'

'Nou ja zeg, wat bent u voor politieman? Heeft u dan geen speurneus? De boodschap is in code, dat ziet een blinde nog! Ik weet wel dat het de tekst van een liedje is dat je vaak op de radio hoort, maar het is zonneklaar wat mijn vader ons zegt: ga naar de schaatsbaan in het Turó Park, daar zul je een meisje zien dat niet kan schaatsen en zij zal je vertellen wie je moet benaderen als je iets over mij wilt horen... Het klopt toch allemaal? Wat zegt u ervan, inspecteur?'

'Ik heb te doen met je moeder. Meer kan ik niet zeggen, jongen.'

'U hebt gewoon niet zo'n fijne neus als echte detectives,' zegt David. 'Ik weet niet waarom ik mijn tijd verdoe met een smeris die geen greintje speurzin heeft... Gaat u al weg? Zoals u wilt. Dan loopt u het mis.'

Paulino Bardolet, hart van goud, kont van glas, mag dan handlanger en vertrouweling zijn, de kleine dikke huilebalk die steeds bescherming zoekt, altijd aanhankelijk en schijterig, de onvermoeibare metgezel bij de muzikale strooptochten in het ravijn, de deerniswekkende, dankbare ontvanger van de hagedissenstaartjes, maar de geheime vriend 's nachts, de bondgenoot van Davids heldendromen, de makker die hij met niemand wenst te delen, is een RAF-piloot wiens naam hij niet kent en wiens hoogstwaarschijnlijke dood – nadat hij bij zijn neergehaalde Spitfire door de persfotograaf is vereeuwigd in zijn indrukwekkende leren vliegeniersjack, zijn om de hals geknoopte sjaal en zijn kapotte bril op het voorhoofd – door David talloze malen is beleefd. Dag en nacht hangt hij voor hem met punaises aan de muur geprikt, met zijn handen in zijn zij staat hij voor twee soldaten van de Wehrmacht die hun mitrailleurs op hem richten, midden op een sinistere vlakte waar de Luftwaffe haar moorddadige werk heeft gedaan. *Achtung!* Het is een in pasteltinten ingekleurde of gefilterde oorlogsfoto, waarop alles is overdekt met een hemelsblauw patina als een laag jam, behalve de rokende puinhopen rondom, de geschroeide handen van de piloot die rustig op zijn heupen liggen en de smalle compacte rookzuil die achter hem vanuit de resten van het toestel de hemel in rijst. Er zijn vlammen zichtbaar in de cockpit, die zich in de grond heeft geboord en op de verkreukelde zijkant is in zwarte letters nog te lezen THE INVISIBLE WORM. Afgezien van wat roet op zijn gezicht en van zijn geblakerde handen, waarvan er één een paar handschoenen vasthoudt waar nog rook van afslaat, lijkt de piloot ongedeerd en bovendien heel kalm, zijn gespreide benen staan stevig op de grond, zijn ogen kijken met een opgewekte schittering in de lens, volkomen onverschillig voor de dreigende Duitse machinepistolen.

Richten jullie op mijn buik, zegt de piloot tegen zijn beulen. Geen gaten in mijn jack, *please.*

Achtung!

Jullie hebben zeker nog nooit een jack met zo'n geweldige vacht gezien, hè?

Hände hoch!

Zakken jullie maar in de stront, kleremoffen.

In het holst van de nacht rent het kappersknechtje doodsbang met het scheermes in zijn ene hand en de kwast met scheerzeep in de andere door een landschap dat oplicht onder bliksemschichten.

'Ik denk aan hem, dan val ik in slaap en in mijn droom roep ik hem,' zegt David. 'En de Paulino van mijn droom blijft staan en draait zich om zodat hij me kan zien, die sukkel, maar hij ziet me niet. Hij heeft het fluitje van de verkeersagent in zijn mond, die grote eikel, zijn lip is kapot en zijn hemd gescheurd.'

'En die bange schijterd uit je droom dat ben ik? Wat denk je wel, mopsneusje?' zegt Paulino. 'Wil je me nog meer angst aanjagen?'

'Je hoeft je niet te schamen als je tijdens een enorm onweer hartstikke bang bent. Ik ben benieuwd of je dan je leven durft te geven door zelf iemand om zeep te helpen, door die kaffer van een oom van je verdomme eindelijk zijn ballen af te snijden.'

'Over mijn oom wil ik het niet hebben. Zullen we hagedissen gaan vangen? Ik heb veel staartjes nodig, minstens een dozijn. Jemig, help me nou.'

'Oké,' zegt David. 'Maar daarmee kom je nooit van je aambeien af.'

'O nee?'

'Nee. Daar heb je de staartjes van hagedicten voor nodig.'

'Hagewat...?'

'Hagedicten van Ibiza. Dat is een ander soort hagedis. Ze hebben een groengele buik en een staartje waar zwart vocht uit komt, net inkt, want ze vinden het lekker om oude boeken en kranten te eten, allerlei beschreven papier. Ik heb er een keer een gezien in het vak van mijn bank op school in het Parque Güell, die zat een blocnote op te peuzelen en zijn staartje was al helemaal zwart. Ik zweer het.'

'Je houdt me voor de gek, lekkertje.'

'Je ziet ze niet vaak en je moet ze weten te herkennen, maar met een beetje geluk vangen we er weleens eentje, je zult het zien. Gekookt met venkel en madeliefblaadjes helpen ze volgens oma Tecla veel beter tegen aambeien en wintervoeten dan gewone hagedissenstaartjes.'

'Voorlopig moeten we het daarmee doen,' zegt Paulino. 'Ga je nou mee of niet?'

'Ik zeg alleen maar dat je op moet letten, want er kan opeens een hagedict onder een steen vandaan schieten, en dan wil ik weleens zien wat je doet. Wat ben je toch een sukkel, joh!'

'Best, maar wil je me nou helpen of niet?' dringt Paulino aan. 'Ga met me mee het ravijn in en help me, ik heb nog meer staartjes nodig. Alsjeblieft, om de nagedachtenis van je vader...'

'Je bent een eikel! De nagedachtenis van mijn vader interesseert me geen bal.'

Toch is dat niet waar. David houdt die nagedachtenis in ere, al zou hij liever minder vaak aan zijn vader denken. Soms, op de meest onverwachte momenten, ziet hij hem heimelijk op een manier die hij zich nooit had kunnen voorstellen, van achteren, op de hielen gezeten door zijn furiën en demonen, diep voorovergebogen verdwijnt hij stroomopwaarts door de bedding, met een bebloede hand op zijn kont en in de andere de schuddende fles. Een zuipende bedelaar die door de droge rivierbedding dwaalt. Hij is het, wie anders? Rondom zijn haveloze, verslagenheid uitstralende gestalte ontvouwt de schemering haar bedrieglijke opalen glans zo intens en met een avondrood als David ook nooit eerder heeft gezien en waardoor de grond onder zijn voeten wegzakt. Zonder enige verbazing bespeurt hij een doffe galm in de lucht als van oorlogspuin, staal en gespannen stemmen vanuit het water dat al is weggestroomd, en dan kijkt hij aandachtiger. De jaap in zijn achterwerk laat een bloedspoor achter op de steenmassa in de bedding.

'Waar ga je naartoe, zo als een voddenbaal, pappa?'

Mijn ceintuur, waar is mijn ceintuur?

'Tegen wie praat je?' vraagt Paulino.

'Daar ergens moet hij rondhangen. En je hebt geen idee hoe hij erbij loopt. Als een wrak. Wat een ellende, Pauli. Wat een schande.'

Terwijl hij Chispa aait, laat zijn vriend Paulino zijn blik stroomopwaarts dwalen, waar de slabedden en tomatenplanten tot in de droge bedding zijn opgerukt.

'Hoe kun jij nou weten hoe hij erbij loopt? Je bent echt een beetje getikt, David,' zegt hij, maar plotseling hurkt hij voor een kalkrots. Voor hij eronder wegglipt, kijkt de hagedis hem met zijn loodkleurige oogje aan. 'Verdomme!'

'Mijn hoofd is een volière,' klaagt David die een hand tegen een oor drukt. Hij knipt het pennenmes met het parelmoeren heft dicht en zegt dan: 'Laten we maar naar huis gaan. Je ziet niks meer, mijn oren suizen en Chispa valt bijna om.'

Hij neemt dezelfde route terug, gevolgd door de hond en Paulino die zijn scheermes ook dichtklapt en het in zijn zak stopt, mopperend omdat hij het er niet mee eens is. Net voordat ze bij het ravijn zijn, klimmen ze de minst steile helling op en lopen over het pad parallel aan de bedding tot ze weer achter het huis uitkomen. Wanneer ze op het trappetje van drie treden zitten dat ooit de entree vormde, zoekt Paulino met zijn schele, bange blik de grond af tot hij zijn bont beschilderde sambaballen ziet, die hij liefdevol opraapt. Kwetterend scheert een zwaluw over de grond. In de stoffige oleanderscheuten heeft zich een atomische wolk vastgezet. Paulino schudt de sambaballen zachtjes, in elke hand een, hij laat ze ingehouden lispelen, een briesje dat zijn woorden wiegt, er ritme en zin aan geeft. De sambaballen zijn felblauw met groene en rode banen en op het handvat gele sterretjes. Paulino heeft ze op de rommelmarkt van Los Encantes gekocht van de opgespaarde fooien die hij in het Cottolengo voor het baarden inzepen heeft gekregen.

'Je moedersss isss nog sssteedsss niet thuisss van de doktersss...'

'Sst!' doet David die met zijn hand om zijn oor in de richting van de bedding luistert. 'Stil even. Ik heb iets gehoord...'

'Yesss, ssschattige sssukkel of sssstombo,' zingt Paulino met begeleiding van zijn sambaballen.

'Stil nou en luister!'

Opnieuw kermt de kurk in de flessenhals, het klinkt als het gekrijs van een vogel. In de hal-eetkamer zit pappa glimlachend en flirtend naar mamma's buik te kijken, hij barst in schateren uit en buigt dan plechtig, spottend en verleidelijk voorover, houdt de fles tussen zijn dijen geklemd, ontkurkt met verwrongen gelaat de wijn en laat van al dat gezwoeg een boer.

Sorry, Rosa, liefje.

Je krijgt nog eens een breuk van al dat kurkentrekken, Víctor. Zij zit in de fauteuil en heeft haar gezwollen voeten in de teil water. Je zou je energie beter kunnen gebruiken om je zoon op te voeden en wat geld binnen te brengen.

Het zal ons aan niets ontbreken, dat beloof ik je, zegt pappa. Weet je wat mijn enige probleem is, roodharige zonder vrees? Niet de fles, niet mijn idealen en niet mijn rokkenjagen of mijn drang naar avontuur. Mijn probleem is dat ik simpelweg een oorlog heb verloren. Als een man maar één oorlog heeft verloren, kan hij zijn eergevoel wel vergeten... Plop! Ziehier de kurk.

'Heb je dat gehoord?' vraagt David.

'Jezus, wat ben jij vervelend,' zegt Paulino. 'Jij en je flaporen die alles horen.'

'Zelfs Chispa is zich doodgeschrokken. Het leek wel een schot,' zegt David koppig en de echo kaatst twee keer terug, verstrikt in het groen van het bosje aan de overkant van de bedding.

Even heeft hij zijn oren dichtgedrukt om het gebruikelijke, aanhoudende gezoem kwijt te raken, net als bij die andere zinsbegoochelingen: de knal en de echo daarvan hebben hem zelfs al bereikt voor de trekker is overgehaald, want dat schot zit al geruime tijd opgesloten in zijn hoofd. Op roekeloze wijze maakt mijn broer David andermans geheugen tot het zijne en die priemende plaatsvervangende herinneringen, een erfenis van pappa en van een overleden opa die we nooit hebben gekend, zijn doordrenkt van de modderige, woeste wateren van weleer, de wateren die de bedding van het ravijn hebben uitgesleten. Wie na een klim vanaf de Avenida in de buurt van het huis komt, kan onder in het ravijn het zo te zien levenloze straaltje water waarnemen, de gebarsten klei, het afval, een enkele hagedis zonder staart en de plantenwortels, droog en kronkelig als slangen; maar alleen David ziet het woelige water dat de hellingen van de kloof heeft afgekalfd en uitgemergeld, alleen hij herinnert zich nog die schuimende galm die zijn zieke gehoor overspoelt en hem stram overeind houdt boven de afgrond, geschiedenissen dromend van orkanen en onweersbuien, dichte mist, stormen en schipbreuken.

'Een schot, absoluut. Daarboven bij de tuingronden heeft iemand een schot gelost.'

'Als jij het zegt,' bromt Paulino, scheelkijkend en in vervoering door het ritme van de sambaballen.

Met veel moeite, zijn snuit tussen zijn poten en een doorgezakte rug loopt Chispa naar de rand van de bedding en blijft daar met de kop omlaag bevend staan, berustend in zijn aftakeling, misschien met het idee om van de laatste middagzon te profiteren. Paulino Bardolet staat op en zegt: 'Luister, Zittend Oor, Rode Wolk smeert hem. Hij moet zijn oom een flesje Floïd-lotion brengen en diens zomerhelm schoonmaken. Dus de ballen.'

'Laat je oom die tyfuspolitiehelm maar in zijn reet steken. Zeg hem dat toch eindelijk eens, als je durft.'

Paulino loopt wiegend op het ritme van zijn sambaballen weg en David probeert tevergeefs Chispa te roepen. Stokdoof of misschien een sprong overwegend die een eind aan zijn ellende kan maken, blijft het dier met gebogen kop en de staart tussen zijn poten voor de diepte staan, naar de droge bedding starend met in het midden de verstarde slang, het stroompje smerig water. Misschien registreert hij daar beneden, denkt David, op zijn manier ook de echo van het razende geweld waardoor de kloof is uitgegraven, het holle gehuil, de sinistere schuimkoppen die lang geleden de zich toen nog fier verheffende kleigrond wreed hebben aangevreten. Niet dat dit een erg diep of vervaarlijk ravijn is, het stelt niet veel voor, is helemaal niet gevaarlijk, geeft geen aanleiding tot romantische bevliegingen of mijmeringen over daar gepleegde zelfmoorden of zoiets, niemand is ervan onder de indruk behalve mijn broer David. In een grijs verleden lag er een planken loopbrug, een geïmproviseerde oversteekmogelijkheid waarvan nog wat ontzielde inkepingen in de hellingen en een paar verrotte omhoogstekende spaanders resteren. In de roodachtige spleten, slecht geheelde wonden, woekert inmiddels een wilde flora van braamstruiken, distels en scherp gepunte agaven. De oostflank, aan de kant van ons huis, is licht glooiend met een verval van nog geen acht meter, vol wortels en struikgewas waar je je aan kunt vastgrijpen. Van de bergstroom waar David zo weemoedig aan terugdenkt, van die oude kwetsuur in het landschap is aan de overzijde nu alleen nog een gebarsten steile muur over die met de dag verder afbrokkelt, en het minimale, haast onzichtbare laagje water in de bedding waar tussen allerlei rommel een onthoofde plastic pop dobbert tussen glasscherven die schitteren in de middagzon. Nu verspreidt de waterloop door al het vuilnis een lucht van verrotting, maar 's winters maakt die stank plaats voor een aangename geur van opengesneden watermeloen en zeealgen, als de geur van de visnetten die als een tapijt op het zand tegenover oma Tecla's huis in Mataró liggen. Op sommige namiddagen stijgt er tegen zonsondergang als de weerschijn van een vuur een roodachtige stofnevel op; misschien veroorzaakt door kinderen of opgeschrikte ratten. Enkele meters stroomafwaarts wordt de kloof breder en minder hoog en eindigt dan abrupt op de rotsige, met brem bezaaide helling boven de Avenida Virgen de Montserrat, die op zijn beurt slingerend uitmondt boven het Parc de les Aigües en de Guinardó. Tegen de avond stroomt er een briesje de kloof in dat het vrolijke bellen van de fietsen meedraagt die over het asfalt van de Avenida glijden, en de stemmen van de mensen die van hun werk komen en zich zonder te trappen van boven uit de wijk Horta naar beneden laten rollen, waarbij de vrouwen lachend het stuur loslaten om met beide handen hun hoofddoek of de punt van hun rok vast te houden en de mannen met een hand in hun zij complimentjes naar hen roepen.

'Heb jij niet ook iets gehoord?' vraagt David die op een knie naast Chispa op de grond zit. 'Het kwam van ergens daarboven. Ga jij bij de deur liggen en waarschuw me als de roodharige thuiskomt.'

Maar Chispa geeft er de voorkeur aan hem stroomopwaarts langs de bedding te volgen, strompelend over de rotsachtige grond die langzaam oploopt en breder wordt tot hij overgaat in de door varens en struikgewas overwoekerde hellingen. Ongerepte smalle stroken ragfijn witachtig zand en duinen zacht als een vissenbuik flankeren het stroompje, een straaltje voor irrigatie gebruikt water dat afkomstig is van de hoger gelegen tuingronden en rietvelden. David loopt er te mompelen: ratten, schorpioenen, torren, spinnen, hagedissen, sprinkhanen, padden en slangen, op een dag komt er een zondvloed en het woeste water zal alles wegvagen…

Dan hoort hij achter zich een droge tik van de fles die tegen de stenen slaat, gevolgd door het gerinkel van brekend glas.

Ik moet een schone zakdoek hebben, zoon. En een riem. En mijn broek moet opgelapt. Onze naaister blijft wel erg lang weg.

Uit zijn mond komt een sterke walm van chloroform. Davids doordringende blik worstelt zich tussen zijn halfgesloten oogleden door het tegenlicht heen, maar hij ziet slechts een spottend gelaat met verstijfde grauwe trekken die wel lijken te versmelten met de eenvormige afgesleten stenen in de rivierbedding. Met zijn baard van verscheidene dagen en de fles brandy onder zijn bovenarm bukt pappa zich over het troebele stroompje en vouwt de met bloed bevlekte zakdoek open. De bijna lege fles valt en klettert weer op de stenen.

Daar is ook al het eind van in zicht, wat jammer, zegt hij terwijl hij de fles snel oppakt. Om hem heen zijn wat half in de bedding begraven takken en kale, door de zon geblakerde boomstronken zichtbaar. Met opgetrokken rug kakt Chispa een soort groene puree uit. David gaat op een rotsblok zitten, laat zijn hoofd op zijn schouder zakken en hoort zichzelf zeggen: Ik zie je zo wazig, pappa.

Daar moet je het maar mee doen. Dat is al meer dan je verdient te zien.

In mijn dromen zag ik je anders.

Tja, meer is er niet, jongen. Je kunt het accepteren of niet. Doe je ogen dus maar goed open. Jij roept me niet op in je dromen.

Ik begrijp je niet.

Geeft niet. Ik zie in mijn dromen stapels spiegeleieren, maar alleen die van Velázquez zou ik graag willen eten.

En ook met zijn gedachten bij inspecteur Galván, die op datzelfde moment waarschijnlijk ergens op een hoek staat of achter het raam van een kroeg zit, spiedend of mamma voorbijkomt, maar die evengoed ergens hier in de buurt kan rondsnuffelen, bukt David zich, hij zoekt vijf puntige kiezelsteentjes uit en stopt die in zijn zak. De gele ogen van de tijger houden ons scherp in de gaten, maar we redden ons wel uit deze situatie, vader, je zult het zien.

Ik ben niet gevlucht omdat ik daarover inzat. Ook niet om mijn hachje te redden of vanwege de veiligheid van een stel kameraden of belastende papieren. Ik heb mijn kont niet als een varken opengehaald uit angst dat ze me te pakken zouden krijgen, voegt hij er met wegvallende stem aan toe. Hij komt nog niet overeind, maar schuift met apensprongetjes opzij, speurend naar wat water dat nog niet in het miezerige beekje tot stilstand is gekomen, blootsvoets en met zijn haar in de war, het hemd over zijn broek en de bebloede zakdoek vastdrukkend tegen de afschrikwekkende scheur in zijn linkerbil. Ik heb je moeder om niets van dat alles in de steek gelaten. Dat heb ik gedaan omdat ik heel veel van haar hield. En ik hou nog steeds van haar.

Zijn bewegingen doen David denken aan de laatste hagedis die hij op deze zelfde plek een paar dagen geleden met Paulino heeft gevangen: toen het beest met het kappersscheermes doormidden was gesneden, bleven beide helften met hun twee poten sprongetjes maken en stuiptrekkend kronkelen op een platte rots terwijl hij en Pauli zaten te kijken welke van de twee het eerst zou doodgaan, en dat was het deel met de kop. Het staartje bleef nog een hele poos kronkelen op Davids handpalm. Denken heeft je niks geholpen, arme hagedis. Wie besluit er nu over dat gekronkel, welke kop bedenkt dat nu je geen kop meer hebt?

Zij weet dat ik van haar hou, ondanks alles, zegt pappa weer, terwijl hij de zakdoek schoonspoelt in de herinnering van andere wateren, in de gezwollen snelle stroom van andere tijden, andere liefdes. Door de scheur in zijn broek is duidelijk dat de wond er lelijk uitziet.

Je bloedt erg, zegt David. Zo krijg je een ontsteking.

Onzin. Voor het vaderland vergoten bloed kan niet ontsteken, dat is immuun voor welke bacterie ook, want het is al verrot, door en door verrot.

Mama houdt er niet van als je zo praat.

Ik ben een verslagen man. Wat wil je. Een verslagen man houdt nergens meer de schijn van op. Ik sta mooi voor schut met mijn kont open en bloot en bloedend als een rund. Ik wilde best alles geven voor het vaderland, behalve mijn achterste… En nu we het toch over achtersten hebben, ik durf te wedden dat jouw vriend Paulino aardig omhoogzit met het zijne… Ik neem aan dat je dat door hebt.

Daar willen we het met niemand over hebben, zegt David. Hij merkt op dat pappa's kunstgebit niet erg goed past, af en toe klappert het. Kijk maar uit dat je je gebit niet verliest. En ik smeek je, loop niet verder stroomopwaarts. Echt, vader, hier zit je goed. Een halve mijl, een halve mijl, een halve mijl verder stroomopwaarts, voorbij de doodskop die in het zand ligt met een gat in zijn voorhoofd, bij de tuingronden, daar zou iemand die daar woont je kunnen zien.

Die zou me niet herkennen. Door wat er de laatste tijd is gebeurd, ben ik erg veranderd, jongen. Nu is mijn motto: de vervloekte waarheid zal je leren aan alles te twijfelen. En ik heb die verdomde doodskop met dat kogelgat erin gezien en volgens mij is het van een geit, zegt hij klakkend met zijn tong, zonder in de gaten te hebben dat zijn gebroken stemgeluid een bijzonder effect op David heeft. Het is een stem die niet zoals andere een weg naar de oren zoekt, in een rechte lijn dus, maar hij beschrijft eerst een grote boog om Davids koortsige, trotse hoofd als met de bedoeling het een beetje te laten duizelen. Maar David lijkt het best te vinden dat het zo is.

Enfin, besluit pappa terwijl hij opstaat met de zakdoek tegen zijn achterwerk gedrukt. Wat is er voor nieuws, jongen?

Je bloedt erg.

Vertel me iets dat ik niet weet, verdomme.

Wat zal ik zeggen. Je hebt pech gehad, pappa.

Daar heb ik zelf om gevraagd. Die verraderlijke snee in mijn bil is mijn verdiende loon. Hij denkt even na, trekt een fatalistisch gezicht, laat zijn peuk van zijn ene mondhoek naar de andere gaan en zegt dan: Mijn verdiende loon.

Maar waarom?

Omdat ik een keer iets slechts heb gedaan, in naam van verheven idealen, weet je wat dat betekent?

Het lijkt wel een raadsel...

Nou nee. Mettertijd zal het een sinister raadsel worden – een dorpspastoor, geknield in een greppel, over de tonsuur van zijn schedeldak loopt een mier rond, in zijn trillende nek wijst een vinger daarnaar, van wie is die vinger? – een nachtmerrie die menigeen uit zijn slaap zal houden, maar die nu alleen mij lastigvalt... Misschien was het wel het deksel van een sardineblikje dat ik zelf in het ravijn heb weggegooid, wie weet. Misschien heb ik daaraan wel mijn kont opengehaald.

Het was geen sardineblikje, zegt David. Het was een dik stuk scherp glas dat in de grond vastzat, waarschijnlijk een scherf van een spuitwaterfles.

Van een wodkafles was toepasselijker geweest...

Wat maakt het uit.

Joh, die lui van de Sociale Brigade moeten zich toch ergens op baseren om mij een bolsjewiek te noemen die aan zijn idealen vasthoudt... Ha ha. Maar goed, laten we het over jou en je moeder hebben. Wat hebben jullie vanavond te eten? Linzen?

Aardappelen met tevredenheid.

Prima. En wat doe jij, werk je al?

Ik help meneer Marimón, weet je dat niet meer? zegt David niet erg enthousiast. Meneer Marimón is de fotograaf van de parochie van Christus Koning. En thuis trap ik soms op mamma's naaimachine, simpele dingetjes; ik zet ook knopen aan en stik zakken op schorten van schoolmeisjes, op rokken en blouses voor poppen en ik verstel boorden en manchetten. En soms doe ik ook de bestellingen op de kleine markt en bij de stalletjes in de Travesera de Gracia.

Dat is mooi, jongen.

David kijkt naar de hand die de hals van de fles stevig vasthoudt. Je handen verraden je, vader. Ben je vergeten dat je handen altijd naar ether roken? En nu ik daaraan denk, zou je je wond niet kunnen verdoven zodat hij je niet meer zo'n pijn doet? Moeder zegt dat je een goede anesthesist was toen ze je leerde kennen en verliefd op je werd...

Nu ben ik dat niet meer. Wat heeft een anesthesist tegenwoordig nog voor nut? Vandaag de dag leeft iedereen met zijn mond open, zijn ogen dicht en zijn oren doof. Aan mijn diensten is geen enkele behoefte meer. En hoe gaat het met onze roodharige zonder vrees? Wat doet ze de hele dag daar in dat huis?

Nou, naaien en vegen en boenen en wassen en strijken, zegt David hakkelend. En roken en veel koffie drinken. Maar vooral wassen en naaien, wassen en naaien.

Rosa Bartra, je bent op de verkeerde weg, zingt pappa op naargeestige toon. Oei, au, wat doet dat een pijn...! En vertel eens, denk je er nog wel aan om oma Tecla af en toe op te zoeken?

Morgen ga ik. Maar oma zegt niks tegen me. En ze kijkt me altijd zo schuins aan. Net als die kip.

Oei, au, wat een klerepijn! kreunt pappa terwijl hij zich omdraait en naar de varens op de oever loopt met de zakdoek stevig tegen zijn bil gedrukt. Door zijn inspanningen om overeind te blijven, in die tamelijk penibele maar in zekere zin nog waardige houding, komt weer heel even zijn robuuste gestalte naar voren, de onoverwinnelijke kracht en elegantie die David hem tot aan de dag van zijn vlucht heeft toegedicht. Nu ziet hij hem op zijn ongedeerde bil op de oever van de bedding zitten terwijl hij met zijn hoofd in zijn nek een slok uit de fles neemt. Met wat ik nu weet kan ik me moeiteloos voorstellen hoe David gehurkt en met gebogen hoofd op de warme stenen zit, dat hij hem ziet zonder hem te willen zien en hem met zijn verpulverde, in de lucht vernevelde stem hoort zeggen: Je hebt nog steeds je moeder het boek niet gegeven dat die rechercheur van de straat heeft opgeraapt, terwijl hij de moeite heeft genomen het te kaften en bij haar aan huis af te leveren. Niet best, jongen.

Omdat ik een bloedhekel aan die smeris heb. Ik kan hem niet luchten.

Je hoeft hem niet uit te schelden. Hij probeert zijn peuk tevergeefs met vochtige lucifers aan te steken en geeft het dan op. Alles zit me verdomme tegen... En dan te bedenken dat inspecteur Galván een merkaansteker heeft, zo'n dure.

Die is nep, vader. Een nep-Dupont. Niks waard. Alles wat met die kerel te maken heeft, is hartstikke vals, alles wat hij doet en alles wat hij zegt is je reinste bedrog. Moet je nagaan, een aardige vent, hè? Nou, op een dag heeft Paulino Bardolet gezien dat hij op de Plaza Sanllehy een oude zieke duif die ineengedoken op de grond lag dood te gaan een rotschop gaf. David pauzeert en denkt even na voor hij verdergaat: En die arme duif was ook nog blind en kreupel.

Jij bent ook op de verkeerde weg, David Bartra.

Wat ik zeg, is waar!

Tuurlijk. Maar van dat blind en kreupel, dat is te veel. Dat was niet nodig.

Ik snap je niet.

Ik zal je een raad geven vanuit mijn rijke ervaring als vloekende treiterkop. Als je iemand voor schut wilt zetten, som dan niet een hele reeks waarheden op. Die wekken uiteindelijk altijd achterdocht. Je kunt beter alles verzinnen. Als het waar is dat je kunstenaarsbloed hebt, jongen, waar je moeder vroeger, nog voor ze je op de wereld zette van droomde, zul je ooit wel begrijpen wat ik bedoel.

Die met dat kunstenaarsbloed ben niet ik, zegt David mismoedig terwijl hij Chispa over zijn rug aait. Je bent alsmaar in de war, vader. Die straks geboren wordt heeft kunstenaarsbloed. Zegt mamma. Hetzelfde zei ze ook van die arme Juan, weet je dat niet meer? Van mij heeft ze dat nooit gezegd.

Oké, wat maakt het uit. Zit er niet over in. Tegenwoordig hebben kunstenaars niet veel nut, wat je moeder ook zegt... Nu moet ik ervandoor. Als je hier weer heen komt, neem dan lucifers voor me mee. En een schone zakdoek. Is dat jouw hond die overal achter je aan loopt met zijn buik over de grond?

Dat is Chispa. Hij was van meneer Augé. Herkende je hem niet? Nu is hij van mij.

Die arme drommel is nog erger versleten dan ik. Je zou hem moeten laten inslapen… Kijk me niet zo aan, jongen. Ze maken ze nu af zonder dat ze ze met strychnine hoeven op te blazen. Ik heb ergens gelezen dat de Duitsers een dodelijke injectie hebben uitgevonden. Ze geven ze een spuitje met benzine of zo, rechtstreeks in het hart en ze gaan zonder te lijden de pijp uit. Informeer er eens naar. Ga nu maar terug naar huis en maak je geen zorgen om mij. Ik droom de meest verschrikkelijke dingen, maar ik word gillend van het lachen wakker.

De roodharige is de laden van het dressoir aan het opruimen. David komt de slaapkamer in terwijl hij de zwarte schil pelt van een overrijpe banaan met boterzacht vruchtvlees, zoet als jam. Met een vies gezicht neemt hij er kleine hapjes van, een gemene blik op mamma's buik gericht: Ik heb je wel gehoord, smerig onderkruipsel.

Je zegt toch altijd dat je omvalt van de honger, broer? Eet dan en houd je mond.

Ik heb je wel gehoord.

Ik zei alleen dat je niet zo'n vies gezicht moet trekken. Mamma koopt ze omdat ze goedkoper zijn, maar je zou moeten weten dat hoe rijper een banaan is, hoe gezonder.

Wat weet jij daar nou van! Het enige wat jij moet weten is dat het niet uitmaakt of je je verstopt of heel zacht praat want ik hoor je toch wel en ik zie je als ik daar zin in heb, bromt David. Ik zie je met mijn machtige radioactieve supermuizenblik.

Alweer staan te mompelen terwijl de roodharige naast je zit. Wat ben je toch een klojo, lieve eerstgeborene!

Het is jouw schuld dat ze zo kwakkelt. Je bent haar bloedzuiger, parasiet.

En jij laat haar schrikken met je geleuter als een mafkees.

Wanneer kom je eindelijk uit je schuilplaats, strontvlieg?

Als zij zich flink sterk voelt en opgewekt en blij, en pappa weer thuis is en geen enkele smeris van de veiligheidsdienst ons meer in de gaten houdt en we allemaal weer gelukkig zijn en nooit meer aan de armoede denken of de honger, de kou of wat ook…

Je kletst alleen maar onzin.

Best. Bedankt dat je even met me gepraat hebt.

Ik vind het heerlijk om zo'n oenig embryo in de maling te nemen.

In elk geval ben ik je heel dankbaar voor je gezelschap. Hier ben ik soms doodsbenauwd door mijn gepieker over mamma's slechte gezondheid en haar problemen...

Dat is jouw schuld, weet je dat? Door jouw toedoen denkt ze alleen nog maar aan jou. Moet je haar zien.

Ze haalt schone lakens uit de onderste la. Dan schuift ze de bovenste open waar haar handen liefdevol op de blauwe wol blijven rusten. David werkt de bijna uiteenvallende banaan naar binnen en stamelt verder: Moet je haar zien, nu staat ze alweer je babykleertjes te aaien, je wollen mutsje en je sokjes, ze denkt alleen nog maar daaraan, ze ziet je al voor zich alsof je al aardig groot bent, ze sprenkelt al eau de cologne in je haar en kamt je heel precies, met een keurige scheiding opzij, ze doet de sjaal al om je hals en je broodtrommel in je schooltas...

'Wat sta je te mompelen, David?' vraagt mamma. 'Heb je het tegen de hond?'

'Niks, ik was hardop aan het denken.'

'Toch is er iets met je keel.'

'Ik heb een schorre keel. Chchchrrr...! En hij doet zeer.'

'Straks krijg je nog een keelontsteking. Je moet gorgelen met lauw water en zout... Waar ga je nu heen? Je hebt je huiswerk nog niet gemaakt.'

'Doe ik straks. Ik ga met Pauli asperges zoeken aan de overkant van de bedding.'

Je bent niet goed snik, broer! In deze tijd van het jaar zijn er geen asperges.

Ik bedoelde bramen, smerige foetus, gromt David (opeens hoort hij het fluitstemmetje van Pauli, die onderuitgezakt in zijn bioscoopstoel zit: Sodeju! Die van jou is zo hard geworden als een reep superchocola!). Ik ga bramen plukken in het ravijn, dat bedoelde ik: bramen.

Gelogen. Je gaat met Paulino Bardolet en zijn sambaballen naar de Delicias.

Houd toch je klep dicht, kontkrummel, of ik beloof je dat ik je op je snuit timmer zodra je het daglicht ziet...

'Wat is er, jongen, wat ben je nou aan het mopperen? Je staat toch niet te gorgelen met die banaan?'

'Nee, ik hang alleen maar de clown uit om je een beetje aan het lachen te maken...' Hij pulkt met een nagel tussen zijn tanden en haalt er een bananenvezeltje tussenuit. 'We zien je bijna nooit meer lachen...'

'Ach, dat is lief van je, schattebout. Kom, help me even een handje.' Met behulp van David, die naast haar meeduwt, krijgt ze de zware lade van het dressoir weer dicht. 'Dat dikke vriendje van je, Paulino, zit die nog op school?'

'Welnee. Hij zeept baarden in bij de ambulante kapperswinkel van zijn vader. In Asturië heeft hij bij zijn opa en oma koeien gehoed, maar hij weet heel veel, hij heeft twee jaar middelbare school gedaan. Hij heeft een oom die verkeersagent is en daar mag hij het pistool van schoonmaken... Die wil dat hij ook bij de politie gaat, maar Paulino wil liever sambaballen spelen bij een tropisch orkest. Hij speelt ontzettend goed sambaballen. Wil je het een keer horen?'

'Waarom niet?'

'Zeg mam, waar gaan we de wieg van de kleine Víctor neerzetten?'

'We hebben nog geen wieg.'

'En die van mij dan?'

'Geen idee waar die nu is. Ik heb hem jaren geleden aan een buurvrouw gegeven. Kom, help me nog even het bed opmaken voor je weggaat.'

Als op zaterdag de parterre van de Delicias propvol zit en je alleen nog achter een pilaar een plek kunt vinden, heb je kans dat je een stijve nek krijgt of met je hoofd op je buurmans schouder moet leunen. Alles heeft zijn voordelen, zal Paulino Bardolet misschien hebben gedacht, die zo'n storende zuil soms als voorwendsel aangreep om zich tegen zijn metgezel aan te vleien. Maar bij David gaat die truc niet op, want die gaat liever op de voorste rijen zitten, dicht bij de toiletten.

Sabu is een oerslim oplichtertje met een koperkleurige huid, de technicolor is fantastisch en de rode lippen van de prinses zijn om op te vreten. Te zijner tijd zou ik daar ook allemaal achter komen.

Wie zijt gij? vraagt de prinses in haar tuin, en Paulino beweegt zijn lippen zo dat zijn stem exact met de hare samenvalt en haar met een gesmoord stemmetje op het doek uitgesproken woorden precies meespreekt: Uw slaaf, antwoordt de uit zijn spiegelbeeld in het meer ontsnapte prins.

Vanwaar zijt gij gekomen?

Van gene zijde van de tijd, om elkaar te ontmoeten.

Sedert wanneer zoekt ge mij? fluisteren de prinses en Paulino eenstemmig.

Sedert de aanvang der tijden.

En tot wanneer denkt gij te blijven, nu ge mij gevonden hebt?

Tot het einde der tijden. Voor mij kan er ter wereld geen grotere schoonheid zijn dan de uwe.

'Wat ontroerend, hè David?'

'Flauwekul.'

'Vind je de film saai? Wat krijg ik als ik raad wat je in je zakken hebt door alleen maar aan de buitenkant van je broek te voelen?' fluistert Paulino terwijl zijn hand het donker in glijdt.

'Nu niet, Pauli. Mijn oren fluiten.'

'Toe nou, joh.'

Er komt een zacht gekreun over zijn gezwollen lippen. Het is niet voor het eerst dat hij zich op die manier in de Delicias laat kennen, met een loensende, door ontzetting bevangen blik en een straaltje bloed dat vanuit zijn neus naar zijn bovenlip sijpelt, zijn mondhoek bereikt en daar naar binnen loopt. Later, zo halverwege de film, weet ook de arrogante Conrad Veidt de schoonheid van de prinses te waarderen met zijn blauwe ijsogen en bewogen woorden die David, nu wel, de adem benemen.

...haar ogen zijn Babylonische kijkers, haar wenkbrauwen wedijveren met de schitterende maan van de ramadan, haar lichaam is kaarsrecht als de letter A... De rest gaat verloren doordat Paulino drie keer hoest en in zijn zakdoek spuwt. Zijn ademhaling klinkt als een blaasbalg. David schudt het koortsige, kale hoofd van zijn schouder en geeft hem een por in zijn ribben.

'Au, dat doet pijn!' Geschrokken schiet Paulino overeind.

'Is het weer zover, baby'tje?'

'Au au au, ik ga dood!'

'Zeik toch niet, ik heb je nauwelijks geraakt.'

'Leg je hand op mijn ribben, hier, onder mijn hemd. Maar heel zachtjes!'

'Dat had je gedacht.'

'Dat bedoel ik niet... Kun je die gebroken rib niet vinden? Voel je hem niet?'

'Ik voel wel wat een teer en snoezig meisjeshuidje je hebt, ellendige loenskop.'

'Waarom neem je me in de maling? Er is ook een tand van me afgebroken, weet je dat?'

'Hoezo dan, weer een lanssteek van die lul van een oom gehad?' fluistert David. 'Eikel, ik heb je toch gezegd dat je niet meer naar hem toe moest gaan.'

'Wat kan ik eraan doen! Mijn vader wil dat ik hem elke zaterdag scheer. Daar leer je van, zegt hij, en wees dankbaar dat je oom zich zonder angst beschikbaar stelt om levend gevild te worden.'

'Snijd hem zijn strot af. Dat had ik allang gedaan.'

'Als je het zo zou bekijken als ik, zou je dat niet zeggen. Met het laken onder zijn kin geknoopt lijkt hij wel een lijk dat zich laat scheren (en zijn zwarte scheur gaat open bij het staal van het scheermes als ik met mijn vingers in zijn neus knijp: een gouden tand en rioollucht). Hij blijft heel stil zitten met zijn ogen dicht en protesteert niet als ik een pukkeltje openhaal of als ik hem per ongeluk snijd. Hij loopt naar de spiegel en stelpt de wondjes geduldig met stukjes sigarettenvloei, maar dan doet hij de deur op slot, legt een plaat op de draaitafel en begint me af te ranselen. Dat is nog maar het begin, want daarna grijpt hij me bij mijn haar en bij mijn ballen, hier en hier, kijk maar, en dan zegt hij dat dat van mij een ziekte is, een vloek van de duivel, maar dat hij het toch nooit bij mij thuis zal vertellen, want als mijn ouders het zouden horen, zouden ze zich heel ongelukkig voelen, zegt hij – in het donker wordt Paulino's stem een brij van snot en bloed. Want wat jij hebt is een tegennatuurlijke schande en ik zal die met stokslagen en

trappen uit je lichaam drijven, zegt hij, al moet ik je vermoorden…
En dan dwingt hij me zijn tatoeage te zoenen van een kleine zeemeermin die grijnst als een walgelijke snol, zo eentje waar je al een druiper van krijgt als je er alleen maar naar kijkt…'

'Een tatoeage?' vraagt David. 'Waar?'

'Waar dacht je? Op zijn kont. Als je die zou zien (en zijn lul, lieve jongen, daar zit nog meer stront op als op de stok van een kippenren), elke zaterdag begint hetzelfde circus, en soms ook op zondag, als hij geen dienst heeft en met zijn zomerhelm en in zijn witte uniform het verkeer moet regelen op de kruising van de Gran Vía met de Rambla…'

De overbekende, altijd van vlakbij gefluisterde jammerklachten, de vossengeur van de angst, de warme adem die tegen zijn wang plakt, dat alles maakt niet dat David geen oog meer heeft voor de flonkerende uitbarsting van kleuren en muziek onder de blauwe hemel van Bagdad. Nu sluit de prinses haar ogen en leent ze haar rode lippen voor de verraderlijke kus van Conrad Veidt, en hij voelt een plotselinge rilling van genot in zijn ruggengraat, een honingrupsje dat langzaam vanonder zijn stuitje naar zijn hersenen kruipt en hij kan niet vaststellen of dat opstijgende genot veroorzaakt wordt door de fraaie mond van June Duprez die opengaat als een vurige roos of door de spelende, bevende hand van zijn vriend die voor de zoveelste keer in elkaar is getremd door dat zwijn van een ex-legioensoldaat. Want die stomme Pauli, denkt hij, die deze film al drie keer heeft gezien en hem uit zijn hoofd kent, let alleen maar op de scènes waarin Sabu voorkomt met zijn bruine onbehaarde borst en zijn lendendoek. En nu hij een beetje over zijn verdriet heen is, wil hij weer liever spelen: 'Wed den dat ik raad wat je in je broekzakken hebt?'

'Alweer?'

'Hè ja. Toe, laat me nou.' Zijn hand begint rond te tasten. 'Dit hier is een zakdoek, dit het blikje Juanola-zuurtjes, dit het pennenmesje met het groene heft – zijn stem wordt een hees gefluister –, dit een eindje drop… En dit? Wat is dit, een worstje, een wormpje…?'

'Je kietelt me, rotzak!'

'Die schram van Pili is nog steeds niet over.'

'Dat waren de nagels van Chispa. Dat komt doordat ik een korte broek draag,' klaagt David, wat hij ook om de haverklap en in dezelfde bewoordingen tegenover de roodharige doet. Hoelang nog, mamma? Ik ben toch al een grote jongen, dat zeg je altijd zelf, en nog steeds moet ik een korte broek dragen.

Hij staat je zo goed, zegt zij vanuit haar rieten stoel terwijl ze haar opgezette voeten in de teil warm water laat bijkomen.

Je hebt het gehoord, broer. Hij staat je zo goed!

Houd jij je mond, zevendemaandswurm, met jou praat ik niet! moppert David. Wat vind je, mamma? Ik ben al veertien…

In ieder geval nog deze hele zomer, dat is lekker koel voor je, zegt zij terwijl ze met gebogen hoofd en haar bril op haar neus zit te naaien. Waar zouden we het geld voor een lange broek vandaan moeten halen? Je kunt er misschien een van pappa vermaken, suggereert David. Pappa heeft er maar twee en daar wil ik van afblijven; bovendien is dat niet te doen. Nou, dan trek ik wel een rok aan! Daar hebben we er zat van, maar je broertje hier in mijn buik zegt dat je dan eerst die derrie van je knieën af moet halen. Hij liegt, dat is geen derrie maar zand uit de bedding! Weet je het zeker? Natuurlijk, luister toch niet naar dat speenvarkentje, je hebt toch wel door dat hij nog geen greintje verstand heeft?

Zeg dombo, weet je dan niet dat wij al hersenen hebben als we pas vier weken zijn, en dat we dan ook al dromen, meestal dat we vliegen?

'En dit, dit hier… hi hi,' lacht Pauli in het donker. 'Is dit misschien de staart van Chispa?'

'Maak geen grapjes over mijn hond, hè!'

'Oké, sorry.'

De telkens onrustiger hand die zo licht als een spin van de ene naar de andere dij trippelt of geniepig rondkruipt en stilhoudt bij zijn kruis, doet hem niets. De reuzenhand van de Geest uit de fles zet Sabu bij de ingang van de tempel neer.

'Straks mis je het beste nog,' zegt David met dromerige stem, starend naar het doek. 'Sabu gaat de tempel binnen van de Godin-Die-Alles-Ziet.'

'Nu jij. Je raadt nooit wat ik in mijn zakken heb.'

'Hoepel op met je gefrunnik! Zeiksnor!'

'Hè, toe nou.'

Ten slotte neemt David de uitdaging aan, want hij weet toch precies wat zijn vriend in zijn zakken heeft, daar hoeft hij niet eens voor te voelen: het buisje bruispoeder, de zakdoek met opgedroogd snot en bloed, een klosje zwart naaigaren, het scheermes dat hij van zijn vader heeft gekregen, misschien een afgesneden hagedissenstaartje en plukjes jaloezie en angst. Paulino laat zich op zijn stoel onderuitzakken en doet zijn ogen dicht. Omkaderd door duisternis kaatst het enigszins kromme doek flarden verblindend licht en voorspellende dromen de zaal in.

...er wordt gezegd: al getuigt Allah van meer verstand en mededogen, lang geleden was er een koning onder de koningen. Deze Heer der tijden en volkeren was een machtig Onderdrukker en de aarde was als pek in het aangezicht van zijn onderdanen en slaven...

Sabu luistert met wijdopen ogen naar de profetie van de wijze oude man en David sluit de zijne om hem beter te kunnen volgen.

...en het volk riep: Stellig zullen wij hem zoeken tussen de wolken. Maar indien de rechters niet de moed hebben ons van deze tiran te verlossen, hoe zal een man zonder gewicht dat dan tot stand brengen? En de sterrenbezweerder antwoordde: Hebt vertrouwen, gelooft in Allah, want ooit zult gij in het blauw van de hemel een jongeling ontwaren, de nietigste van allen, en gezeten op een wolk zal hij vanuit het firmament de tiran met de pijl der gerechtigheid vernietigen.

Vlak voordat de film is afgelopen, neemt een geheel in duisternis veranderde, vrijwel van contouren ontdane man die naar aceton ruikt op het stoeltje direct naast hem plaats. De geest van meneer Augé, denkt David, want sommigen beweren dat de oude plaatsaanwijzer in de gevangenis zit en anderen dat hij in het ziekenhuis op sterven ligt. Hij houdt de lantaarn in zijn ene hand maar knipt hem niet aan. In zijn andere heeft hij een bruine, verkreukelde envelop.

'Verstop deze onder je hemd en haal hem er pas uit als je thuis bent.'

'Is hij van pappa?'

'Stel geen vragen en geef hem aan je moeder,' zegt de schim.

'U bent meneer Augé niet... Wie bent u?'
'Geen vragen,' herhaalt de schim, die zich omdraait en verdwijnt.
'Met wie praat je?' vraagt Paulino Bardolet.
'Met niemand.'

Amanda

Oma Tecla zit in een groezelige fauteuil naast haar bed en mamma borstelt haar haren. Oma moet knap zijn geweest. Dikke, opvallend roze lippen, heldere ogen, het rechter halfdicht, dun gelig haar, de schaduw van een snorretje boven haar mondhoeken. Haar kin rust op haar borst en ze glimlacht, maar met een frons, alsof ze haar eigen glimlach afkeurt. Haar rechter gezichtshelft is verzakt en haar oog aan die kant torst een ooglid dat meer weg heeft van een uitgedroogde amandelschil. Desondanks zie je dat ze knap moet zijn geweest. Op het net opgemaakte bed ligt de bos margrieten die mamma heeft meegenomen.

'Ik krijg geen wijn meer bij mijn eten, kind.'

'Nee toch?' zegt mamma. 'Ik zal het er met de zusters over hebben.'

Op haar schoot kennen haar gerimpelde handen geen rust, alsof ze voortdurend een kluwen draden pogen te ontwarren. Mamma heeft David uitgelegd dat oma denkt dat ze nog altijd de visnetten zit te ontwarren die ze vroeger met katoenen garen voor haar huisje aan het strand van Mataró zat te boeten. In dezelfde kamer in het tehuis liggen nog drie oude vrouwen op evenzoveel veldbedden, maar David wil niet naar ze kijken. Als mamma binnenkomt, heeft ze altijd een opbeurend, vriendelijk woord voor hen.

'David, blijf daar niet staan zonder een woord te zeggen. Zeg eens iets tegen oma.'

'Hallo. Hier ben ik, oma. Ik ben het, David.'

Er komt geen enkele reactie. Hij probeert het nogmaals: 'Oma, ik heb een hond, die heet Chispa.'

Weer niets. Hij weet dat oma Tecla een beetje kierewiet is. Soms praat ze heel veel, andere keren doet ze geen mond open. Altijd is er wel een moment tijdens die bezoekjes, meestal wanneer mamma haar borstelt en de knot met haarspelden vastzet, dat oma even opveert alsof ze zich plotseling iets herinnert: 'Rosa, heb je de stokvis in water gelegd?'

'Ja, Tecla.'

'Minstens twee dagen in water. En eerst de huid eraf. Denk eraan.'

'De huid eraf, ik zal eraan denken.'

In mamma's blanke, soepele handen de gewichtloze borstel die de grijze lokken laat glanzen, een haarspeld tussen haar tanden, de blote armen die op en neer gaan, de fruitgeur in de oksels van de roodharige, gebogen over oma's hoofd, geconcentreerd, vol geduld en toewijding.

'Doe mijn knot maar iets hoger,' zegt oma. En bijna zonder overgang krijgt haar stem een heel treurige toon en stelt ze opeens de merkwaardige vraag: 'Waar is Amanda, onze gevaarlijke patiënte? Is Amanda vandaag weer niet gekomen? Wat is er toch met mijn kindje, waarom bezoekt ze me niet meer?' Ze begint te huilen, mamma probeert haar te kalmeren en zij vervolgt snikkend: 'Ik heb altijd al geweten dat de dingen nu eenmaal zijn zoals ze zijn, Rosa, maar ik heb er uit fatsoen niets over gezegd. Laat Amanda het je maar vertellen.'

Er is nooit iemand met de naam Amanda in de familie geweest, ook niet in de buurt of onder de kennissen van oma in Mataró, voorzover mamma weet althans. De nonnetjes die haar verzorgen en 's nachts die naam horen roepen, wisten aanvankelijk niet wat ze moesten doen of denken maar nu besteden ze er geen aandacht meer aan. En het heeft geen zin haar ernaar te vragen, te informeren naar die bewuste Amanda. Het moet een dwaling van haar geheugen zijn, as van een droom of van een lang vervlogen emotie, wellicht de geur van een jeugdherinnering of heimelijk verlangen. In ieder geval is David gefascineerd door die telkens hernieuwde verwachtingen van oma omtrent Amanda.

'Toe nou, Tecla, niet huilen. Kijk eens wie je is komen opzoeken,' zegt mamma terwijl ze liefdevol haar nagels begint te knippen. 'Kom wat dichterbij, jongen, zeg eens iets tegen haar.'

'Hallo, oma. Ik ben het, David.'

Nooit reageert ze op hem. Ze lijkt hem niet te zien of te horen, haar waterige ogen gaan dwars door zijn borst. Geconfronteerd met die blik die hem niet bereikt, voelt David zich helemaal niet lekker in zijn vel zitten, en misschien was dat wel de eerste keer dat hij zich bewust was van dat vervelende gevoel. Hij doet twee stappen achteruit en vraagt mamma: 'Waarom ziet ze me niet?'

'Natuurlijk ziet ze je. Ze weet waarschijnlijk niks te zeggen, dat is alles.'

'Nee, oma wil me niet zien. Ik weet dat ze me niet wil zien.'

'Je moet geduld met haar hebben, jongen. Die arme vrouw is gewoon de kluts kwijt. Probeer nog eens iets tegen haar te zeggen, toe.'

David zet weer twee stappen, gaat voor oma staan en herhaalt: Hallo, oma, ik ben het. David. Het antwoord is stilte, vloeibare blikken die hem niet raken. Even later vraagt oma plompverloren: 'Ken je het sprookje van de kleren van de koningin?'

'Van de koning,' zegt David. 'Dat was een koning, oma.'

Alsof ze hem niet hoort, vervolgt ze: 'Dat hebben ze me verteld toen ik een kind was, maar ik herinner het me nog. In dat sprookje ziet iedereen de koningin door de straten van het dorp lopen met heel mooie kleren aan, en alleen een meisje op de fiets ziet dat ze naakt is...'

'Een jongetje,' valt David haar in de rede om haar te verbeteren. 'En niet op een fiets. En het is geen naakte koningin, oma, maar een koning zonder kleren.'

'Wie is dat?' informeert oma.

'Uw kleinzoon David,' glimlacht mamma bedroefd terwijl ze met een in eau de cologne gedrenkte zakdoek zachtjes over oma's voorhoofd en slapen wrijft. 'Wat lekker fris, en wat ruikt die eau de cologne lekker, hè Tecla?'

'Hoe kom je er toch bij om op een herenfiets te rijden, kind?' vraagt oma. 'Je zult nog vallen en je bezeren.'

En zo gaat het maar door. En bij de volgende bezoekjes, weer met mamma mee, meer van hetzelfde, oma telkens erger afgetakeld en in de war en David meer ondersteboven en doorzichtiger. En later horen ze altijd, wanneer mamma en hij afscheid hebben genomen en over de gang weglopen, haar stem nog een hele poos die dreun herhalen, Amanda, waarom komt Amanda niet? Nu ongetwijfeld gericht tot haar bejaarde kamergenotes die even ver van deze wereld weg zijn als zij.

Er zijn nachten waarin een uit de richting van het ravijn afkomstige wind woedend tegen de voorgoed gesloten deuren en luiken van het huis van de KNO-arts beukt, gepiep in verroeste scharnieren en dood hout teweegbrengt en geruis van gebladerte meevoert, van bomen die jaren tevoren door de bliksem zijn getroffen of door de zich uitbreidende stad zijn weggevaagd; je hoort dorre bladeren opwervelen, schepen toeteren in de mist, gefluit uit elke verijsde hoek van de wereld. En de slapeloze wateren van weleer die eens de bedding hebben uitgesleten, trekken weer traag en geluidloos voorbij met in hun stroom dode ogen en afgerukte handen, armen en benen van plastic en poppenkleertjes, oude schoenen en opengereten radio's.

David wordt gillend op zijn veldbed wakker en onmiddellijk nestelt die paniek zaaiende gil zich in zijn oren om niet meer te verdwijnen. Het maanlicht valt door het hoge raampje en werpt zijn schijnsel op dokter P.J. Rosón-Ansio's oor. David komt op een elleboog overeind in zijn bed, doet zijn oogleden half open en staart naar Joe Louis die hem vanaf de muur aankijkt, in dekking achter zijn bokshandschoenen en zijn dikke donkere lippen.

Mijn oren zijn ook aan gort, die fluiten ook, zegt Joe Louis. Volhouden, joh.

Dan monstert David het grote rozige oor en de verklarende bijschriften, elk in die mooie cursieve rode letter en met een pijltje naar een gedeelte van het gehoororgaan, maar geen ervan biedt enige informatie over zijn vreemde wijze van waarnemen, geen enkele verklaring voor die vervloekte pijnlijke kwaal.

Met zijn ogen nog half dicht ziet hij de specialist uit Córdoba zijn vroegere laboratorium binnengaan in zijn witte jas, met zijn stierenvechtersmuts op, het spiegeltje op zijn voorhoofd en over zijn arm de dubbelgevouwen cape die de hoornstoot in zijn buik verhult.

Heeft u daar die vreselijke hoornstoot gekregen? hoort David zichzelf vragen.

Over welke vreselijke hoornstoot heb je het? reageert de KNO-arts met snijdende torerostem.

Die van de stier.

Welke stier, jongen? informeert de arts terwijl hij hem streng aankijkt.

Die is goed. De stier die u in de arena te grazen heeft genomen. U was een torero uit Córdoba die ze de KNO-arts noemden, en in de arena van Badajoz heeft hij u zo op de hoorns genomen.

Dokter P.J. Rosón-Ansio fronst zijn voorhoofd en zijn treurige zwarte borstelwenkbrauwen ontvouwen zich als vleugels.

Torero?! M'n tante! Ben je niet goed snik, jochie?! Dacht je nu echt dat een stierenvechter met een greintje hersens zich de KNO-arts zou laten noemen?! Ga toch weg, een beetje respect graag! Laat me je vertellen dat ik geen enkele hoornstoot van welke stier ook heb gehad.

Oh nee? Neemt u me niet kwalijk…

Het zit zo dat ik dienst had genomen in het republikeinse leger en door de nationalisten in de arena van Badajoz gevangen was gezet, waar ze me deze cape en muts hebben gegeven en mijn handen hebben afgehakt en later, op 18 augustus '36, heeft een officier van generaal García Valiño zijn mitrailleur op mij en nog honderden andere ongelukkigen leeggeschoten. Dus laat je grappen achterwege en toon wat meer respect!

Met een plotseling woedend gebaar ontdoet de keel-, neus- en oorarts zich van zijn cape en muts, gooit ze op de grond en richt het voorhoofdsspiegeltje op het half slaperige, half verbijsterde gezicht van David om dan te vragen: Heb je mijn gemzenleren handschoenen hier ergens zien liggen?

David wil al zeggen dat de handschoenen waarschijnlijk nog op de salontafel in het onbewoonde gedeelte van het huis liggen, dat pappa die zelfs een keer wilde passen toen hij daar een glas brandy zat te drinken toen de prinsemarij kwam en hij nog op het nippertje kon ontkomen, en ook dat inspecteur Galván dacht dat die handschoenen van pappa waren toen hij ze laatst zag; maar hij ziet dat de arts zijn verminkte polsen haastig in de zakken van zijn doktersjas stopt, krijgt medelijden en zwijgt, hij praat liever niet meer over handschoenen. Staande naast het bed steekt de KNO-arts de twee stompen zo diep in zijn zakken dat de stof scheurt, terwijl hij hem vriendelijk-nieuwsgierig aankijkt.

Gaat u me nu eindelijk onderzoeken, dokter? vraagt David.

Laten we eens kijken, eens even zien...

Onderzoekt u me alstublieft goed. Ik zou zo graag gezond zijn, zo gezond als een vis, want ik moet nog heel veel doen in mijn leven, en dat rotgesuis...

Ahum. Eens kijken. Probeer dat gesuis eens te beschrijven. Hoe klinkt het?

Ik weet het niet... Ik verbeeld me dat het klinkt als ontsnappend gas uit een open kraantje van een lantaarn.

Heb je dan weleens het gefluit van ontsnappend gas uit een lantaarn gehoord?

Eigenlijk niet, nu ik erover nadenk...

Waarom denk je dan dat het zo klinkt?

Daarom waarschijnlijk, omdat ik het nog nooit gehoord heb. Soms stel ik het me ook voor als het geluid van heel fijne regen, of ook wel als een motor die heel, heel in de verte rijdt.

Hmm. Wanneer ben je begonnen tegen jezelf te praten?

Vanaf dat ik die krekel in mijn hoofd heb gekregen.

Je weet heel goed dat het geen krekel is. Vertel me maar precies wat er gebeurd is.

Eerst was het net of de zee in mijn oren ruiste, zegt David met toenemende opwinding nu hij zijn verhaal mag vertellen. Zoals wanneer je een schelp tegen je oor houdt en je de zee echt hoort. Ik dacht niet dat het iets ergs was, dokter, ik was ook helemaal niet geschrokken of zo. De zee in mijn oren! Maar wat me de tweede keer overkwam, was erger. Ik zal het u vertellen. Die dag stond ik samen met Pauli onder in het ravijn, daar waar het afval ligt, voorovergebogen en met in elke hand de helft van een gebroken grammofoonplaat die ik net had gevonden, *Liefdeswiegelied* van Rina Celi, en ik vond het jammer dat er niets meer te doen was aan die kapotte stem, die zingt Als ik je stem hoor die klinkt als de liefdes wiegelied enzovoort, de twee helften van de plaat pasten goed, maar lijmen kon je wel vergeten, verdomme, Ook niet met contactlijm? vroeg Paulino, of met tweecomponentenlijm?, nog niet met tiencomponentenlijm, bolle, zei ik, en het was zonde want ik wilde hem aan mijn moeder geven, die dat stomme liedje altijd zingt en bovendien leek de plaat hartstikke nieuw...

Je was aan het vertellen over het gesuis in je oren, zegt dokter P.J. Rosón-Ansio met de kin op zijn borst en gefronst voorhoofd.

O ja. Het is niet zoals bij Dick Fulmine, verklaart David snel. Was het maar zoals in die strip, waarin dat geluid hem waarschuwt voor gevaar...

Niet afdwalen. Hoe ging het verder met die plaat?

Nou, die moest ik loslaten omdat ik opeens toch een kramp kreeg! Ik had een halve plaat in elke hand en ik voelde dat de gesmoorde stem van die zangeres binnen in mijn armen omhoogkroop en in mijn oren ging zitten, ergens in het slakkenhuis, zoals bij dat oor dat u daar in het roze hebt hangen. Ik liet de stukken van die vervloekte plaat los en perste mijn handen tegen mijn oren, godverdomme, wat is dit?!, schreeuwde ik, wat een idiote dingen gebeuren er in mijn oren! Zou er een bij in zijn gaan zitten, of een krekel? Zou het de sirene zijn die voor het volgende bombardement waarschuwt? De duikvlucht van een Spitfire? Het atomische gefluit boven Hirosjima? Maar al lang voordat ik dat allemaal hoorde, bereikte me het gefluit van een ander soort bom. Toen ik klein was. Het gefluit van die vallende bom was het eerste dat in mijn oren is beland, dokter, en het is nooit meer weggegaan. Sinds die dag zijn de geluiden niet meer verstomd. Soms is het of ze in mijn oren over een lap zijde krassen, of lijkt het op het geluid van een golf die zich zachtjes van het strand terugtrekt en weer de zee in rolt. Of het gebrom van een ventilator. Inmiddels ken ik alle geluiden. En daarna, een hele tijd later, is er op een dag een krekel in allebei mijn oren gaan zitten, of nee, een zwerm bijen. Op sommige dagen heb ik een volière in mijn kop, dokter. En dat is nog het gunstigste geval, als die ellende nog min of meer dragelijk is, want soms treedt er plotseling een verandering op, de toon wordt hoger, onverwachts, en dan heb ik een vreselijk kabaal in mijn hoofd, een nachtmerrie gewoon. Dat overkomt me nooit wanneer ik bijvoorbeeld midden tussen het gekrijs op de Campo de la Calva loop, als ik met al mijn vrienden in de Calle Verdi ben of als Paulino in de bioscoop tegen me zit te zaniken of als ik zijn sambaballen hoor of muziek op de radio; die plotseling hogere toon komt nooit als ik er het meest bang voor ben en ik hem verwacht, bijvoorbeeld als ze voetzoekers afsteken tijdens het feest van Sint-Jan of als ik in de tram of de metro zit, en ik snapte niet waarom dat zo was, tot ik het op een dag doorhad, dat was toen mijn baas, de fotograaf voor bruiloften en doopfeesten, een hele poos tegen me stond te schreeuwen omdat ik een paar van zijn foto's had zoekgemaakt en meteen sloot ik me op in de rode stilte van de donkere kamer en daarbinnen besefte ik het: die pestkrekel houdt zich niet af en toe stil, maar het is simpelweg zo dat een harder geluid zijn gesjirp opheft, verstikt. Daarom ben ik doodsbang voor de stilte 's nachts, dokter. Nu bijvoorbeeld voel ik me ellendig. En daarom ben ik begonnen tegen mezelf te praten.

Ahum. Jij denkt dat je tegen jezelf praat, maar meestal is dat niet zo, oordeelt de KNO-arts. Zelfs de grootste slimmerik wordt door dit soort gehooraandoeningen op het verkeerde been gezet. De oorzaak schuilt misschien in de halswervels, al geloof ik niet in diagnoses die wat al te gemakkelijk aansluiting bij de realiteit zoeken. Er zit een mysterieuze component in deze kwaal en die moeten we niet veronachtzamen. Ik zal je een paar heel eenvoudige hals- en schouderoefeningen laten zien.

Is het ernstig, dokter?

Het is niet erfelijk. We zouden ook een gecontroleerde stiltetherapie in de trommelholte kunnen overwegen, maar dat zijn foefjes die bij onderzoek weinig bevredigende resultaten hebben opgeleverd...

Wat heb ik, dokter?

Er groeit een giftige bloem in je oren, jong. Er is geen middel bekend tegen die geluiden en suizingen, je moet ermee leren leven, ermee om zien te gaan, er trucjes voor verzinnen. Je moet ze om de tuin leiden, in verwarring brengen, anders krijgen ze jou eronder. Doe net of je ze niet hoort. Probeer andere stemmen en ander geroep waar te nemen, andere winden en echo's te registreren. Verstik het gesis van de slang met een ander, dragelijker geluid. Want je zult altijd, tot je doodgaat en het lood der ledigheid in je oren wordt gegoten waarmee je de eeuwige stilte zult krijgen, die geluiden bij je dragen, ze zullen je dagen en nachten doorboren zoals wormen de grond onder het groene gazon ondermijnen. Je zult je met hand en tand moeten verzetten, jongen. Denk daar steeds aan als je naar mijn oor aan de muur kijkt. Welterusten.

Het volgende bezoek van inspecteur Galván is even onverwacht als merkwaardig, ten eerste vanwege het tijdstip, het is al bijna nacht, en ten tweede omdat hij zegt dat hij onderweg is om snel iets af te leveren, haar alleen maar even wilde groeten, maakt u zich niet ongerust, luidt zijn excuus als hij zich doodgemoedereerd en zonder enige haast voor haar installeert. De ontmoeting speelt zich af op het kleine voorterrein tussen de nachtdeur en het ravijn, mamma heeft net het wasgoed van de lijn gehaald en voordat ze de mand oppakt, doet ze haar badjas dicht over haar buik en kijkt hoe de inspecteur naar haar toe loopt. Haar peenkleurige pasgewassen haar en de witte badjas tekenen zich af tegen de eerste schaduwen van de nacht, maar het opmerkelijkste, volgens het latere commentaar van een buurvrouw die net langsliep, was misschien wel het optreden waarop ze de politieman vergastte, het ronduit gewaagde gedrag dat zo verrassend was voor een zo discrete vrouw als zij. Zij houdt de wasmand op haar heup en de inspecteur biedt aan die van haar over te nemen, maar dat wimpelt de roodharige af, ze blijft op de treden staan, draait zich om en kijkt haar bezoeker met de handen in haar zij aan.

'Kunt u lakens opvouwen?'

De man blijft haar aanstaren, speurt naar een trek op haar gezicht die hem de heimelijke strekking van haar vraag kan onthullen.

'Het verheugt me dat u in zo'n vrolijke stemming bent, mevrouw...'

'Best, dat verheugt u. Maar kunt u lakens opvouwen?'

Opnieuw zwijgt de inspecteur en kijkt hij onderzoekend naar haar vragende, rustige, bijna lachende uitdrukking.

'Uiteraard,' zegt hij ten slotte. 'Dat heeft mijn moeder me geleerd.'

'Dan vindt u het vast niet erg om me een handje te helpen,' zegt zij en ze bukt zich over de mand. Ze haalt er een laken uit, reikt de inspecteur twee punten aan en loopt achteruit terwijl ze de andere twee vastpakt. 'Over de misdaden van meneer Bartra hebben we het wel een andere keer, als u daarvoor bent gekomen. Vindt u niet?'

Het laken wordt met kracht door beiden strakgetrokken, golft en spant zich weer, dan wordt het telkens verder opgevouwen, waardoor zij steeds verder naar elkaar toe lopen, elkaar naderen tot hun handen elkaar raken. Minstens vier keer. Er zaten vier lakens in de mand.

Misschien deed hij het gewoon uit nieuwsgierigheid vanwege die rare tekenen van dementie, omdat hij een grap wilde uithalen of wie weet uit medelijden, ik zal nooit weten waarom hij het deed, maar het voorgevoel van de volgende dag dat steevast opduikt voor zijn grote goudgele ogen, die heimelijke impuls van zijn hart waar hij tot het einde van zijn dagen door zou worden geplaagd, dat verlangen om onvermijdelijke gebeurtenissen te vervolmaken, er op vooruit te lopen door er een verbetering in aan te brengen, een onderstreping om ze duidelijker te maken, dat brengt hem ertoe zich op een zondag van de voorbije junimaand vastbesloten naar het verpleeghuis te begeven en met een bos margrieten in de hand voor oma Tecla te verschijnen.

'Hallo oma. Ik ben Amanda.'

De oude vrouw ligt verzwakt op bed en neemt hem van daaruit een paar tellen op. Ze doet haar ogen dicht en glimlacht flauwtjes. Dan richt ze haar blik op de geschaafde knie en zwijgt.

'Je kleinzoon beweert dat je niet met hem wilt praten,' zegt David.

'Ik heb helemaal geen kleinzoon. Waarom ben je me niet eerder komen opzoeken?'

'Je kleinzoon beweert dat je niet van hem houdt.'

Haar blik blijft op de knie met schrammen en vol jodium rusten.

'Je bent van je fiets gevallen. Ik heb het je wel gezegd. Ik heb je gewaarschuwd.'

'Het is niets,' antwoordt David. Hij constateert dat twee van de drie oude dames die de kamer met haar delen niet op hun bed liggen.

'Kijk, ik heb margrieten voor je meegenomen.'

'Je bent weer van die vermaledijde fiets gevallen, ik weet het zeker. Lieg maar niet.'

David denkt even na voor hij antwoordt. 'Oké, dat is zo.'

'Wat is er met hem gebeurd?'

'Met wie?'

'Met de fiets. Met die herenfiets!'

Weer denkt David na over zijn antwoord. 'Oh,' zegt hij ten slotte. 'Er is een band lek en het zadel is kapot, maar dat heb ik al in orde gemaakt. Niks bijzonders, oma.'

'Is het niks bijzonders als het zadel van een fiets kapotgaat?'

'Dat wel.' David denkt snel na en vervolgt: 'Het zadel en het kettingrad en de trappers en weet ik wat. Ik kon er op tijd afspringen, maar de fiets knalde tegen het prikkeldraad en zo is het leer van het zadel gescheurd.'

Hij strooit kwistig met die bijzonderheden omdat hij heeft gemerkt dat hoe meer hij de gebeurtenis met details opsmukt, hoe meer aandacht hij van oma krijgt.

'Wees de volgende keer voorzichtiger, voor hetzelfde geld liep je nu mank. Je bent erg stout, Amanda.'

'Welnee, ik kijk heus wel uit.'

'Kletskoek, dat weet je best! Denk aan het gezegde: een manke krijg je makkelijker te pakken dan een leugenaar.'

'Volgens mij is het andersom…'

'Spreek me niet tegen!' schreeuwt ze ondanks een zekere benauwdheid. 'Die geintjes heb je alleen maar doordat je op een fiets rijdt die niet voor jou is bedoeld. Want het is een herenfiets. Dat weet je toch wel, kindje, dat je op een herenfiets rondrijdt?'

'Ja, oma.'

David verroert zich niet en laat oma naar hem kijken. Hij voelt zich niet langer doorzichtig, anoniem of weerloos tegenover haar blik, en hoewel hij wel aanvoelt dat zijn grootmoeder het niet lang meer zal maken en hij diep getroffen is door haar uitgemergelde gezicht in het kuiltje van het kussen, kan hij een vaag gevoel van volkomenheid, een plotseling besef dat er een toekomst is niet onderdrukken. In feite ligt oma al dagen op sterven en hij had nooit kunnen denken dat oude mensen zo dood konden gaan, kwebbelend, warrig en genietend van wie weet wat voor fantasieën en herinneringen.

'Kom eens hier naast me zitten.' Ze strijkt over zijn gezicht en haren, pakt zijn hand en zegt: 'Je haar is erg lang.'

'Ze hebben me gezegd dat hoe langer ik het laat groeien, hoe minder mijn oren suizen.'

'Onzin. Ik weet niet wat er van je geworden is, kindje,' zegt oma op aanstellerige toon. 'Sla je ogen niet neer, kijk me aan! Waar ging je heen op de fiets van je vader, op dat veel te hoge zadel en met voor iedereen zichtbaar wat meisjes niet horen te laten zien? Geef antwoord.'

'Ik weet het niet meer, oma.'

'Nou, ik wel.' Er komt een blauwachtig waas voor haar ene oog dat half gesloten is en ze vervolgt: 'Er klonk muziek van een orgeltje aan de andere kant van de bedding, of aan het eind van de straat, dat zou ik nu niet meer weten. Op mijn leeftijd vergeet je de helft van alles en de rest blijk je gedroomd te hebben, dat zeggen de nonnetjes tenminste… Mijn hele leven heb ik niets anders gedaan dan netten boeten die in de zon op het strand lagen te drogen. Die waren niet kapotgemaakt door de dolfijnen, nee, maar door de propellers van dat grote vliegtuig dat voor het huis in zee was gestort. Op die dag was jij op de fiets naar de muziek van het orgeltje gaan kijken…'

'Oma, muziek kun je niet zien.'

'Val me niet in de rede! Ik weet heus wel wat ik zeg. En nog iets: dat bloesje dat je aanhebt vind ik helemaal niet mooi. Je hebt dat blauwe, dat is fijner en nog bijna nieuw. Blauw is een vertrouwenwekkende kleur, de beste in een tijd als deze, denk daaraan… Wat voor kleur heeft de fiets?'

David kijkt naar een zwart zweertje op oma's bovenlip. 'Die is rood.'

'Verf hem in een andere kleur. Neem die raad van me aan. Je rode alpino kun je wel dragen, een alpino is een alpino, maar let op dat oranje en rood alleen voor bepaalde dingen kunnen. Geel, verf de fiets geel en je zult nooit meer vallen of je bezeren en er zal je niets ergs meer gebeuren.'

'Met mij gebeurt toch niks ergs, oma,' grijnst David. 'Ik heb atomische benen en heterodyne ogen. Ik ben een superheterodyn meisje, weet je?'

'Toe, zeg, niet zo opscheppen.'

De schaduw op haar lip is geen zweertje maar een vlieg, die nu wegvliegt. Haar gezicht is vaal geworden en af en toe heeft ze de hik. Oma heeft haren op haar oren. Zouden de aanblik en de nabijheid van deze kleine ongerechtigheden weerzinwekkend overkomen op Amanda of wie hier ook zou moeten zijn, zou dat spookmeisje haar neus dichtknijpen vanwege de enigszins zurige lucht van oma's nachthemd, vraagt David zich af, nu mamma vandaag niet naast haar zit om haar hals en slapen in te wrijven met reukwater?

'Waar denk je aan, Amanda?'

'Nergens aan.'

'Je verveelt je.'

'Nee, oma.'

'Je mag best weggaan, als je je verveelt. Maar sprenkel eerst nog een paar druppels eau de cologne op mijn zakdoek en geef me die even.'

'Natuurlijk. Laat mij het maar doen, oma.'

Ik weet niet of mijn broer op tijd in de gaten had dat niet hij maar zijn fantasie oma Tecla bezocht: het was simulatie, een mengeling van kinderlijke ondeugendheid en vriendelijkheid, de kortstondige belichaming van een luchtspiegeling die begonnen was als spel, een daar bij haar zijn zonder er te zijn, de ene waanvoorstelling ter wille van de andere.

Op eigen initiatief en zonder dat mamma erachter komt, zal hij nog een paar keer gekleed als Amanda naar het tehuis gaan. Sommige zondagen zal hij er samen met mamma heen gaan, maar tijdens die bezoekjes, in de huid van David, voelt hij zich minder dan niemand, want dan volhardt oma erin hem niet te horen of te zien. Zonder weer bij het weinige bewustzijn te komen dat haar nog rest, krijgt oma eind mei, kort voordat inspecteur Galván op het toneel verschijnt, opnieuw een embolie en overlijdt ze.

Drie dagen later vindt David, wanneer hij in de volle zon met Paulino op hagedissen jaagt, tussen het afval in het ravijn de kapotte trappers en het zadel van een fiets. Het is een puntig smal zadel van een herenfiets en het leer is gescheurd. Op het metalen onderstel en de stang zit roest dat afgeeft aan zijn handen, maar ondanks de scheur glans het leer nog en ook de glimmende bruine kleur zit er nog op.

Laten we wat in de tijd teruggaan, broer. Dat knipsel uit een tijdschrift dat je aan de muur van je kamer hebt gehangen, die foto van de jacht-vlieger bij zijn neergestorte toestel, waar komt die vandaan en wat heeft hij met mamma te maken?

Dat zou je toch moeten weten, smerig kikkertje. Je beweert toch dat je altijd overal met haar mee naartoe gaat, je pocht toch altijd dat je steeds zo vlak bij haar hart en haar geheimen, bij haar hevige verlan-gens en angsten zit? Zie je nou dat je de hele dag alleen maar het bloed van de roodharige opzuigt en dat je niets in de gaten hebt? Zie je nou dat je een minkukeltje bent, een pummeltje, en dat je ten slotte net zo'n leugenachtige onheilsprofeet zult worden als die smeris die ons achtervolgt?

Wat ik nu zie zijn kleine vuurtjes in het donker, David die papieren verbrandt in de rivierbedding vol stenen als de schemering valt. In op-dracht van mamma? Dat gebeurde de avond voor die dag waarop we toelieten dat de inspecteur helemaal tot achter in de villa doordrong en waarop hij de foto van de jachtvlieger zag en als commentaar iets zei als: Zeg, mevrouw, u zou het niet moeten goedvinden dat uw zoon de muren van zijn kamer opsiert met oorlogstaferelen en met doden. De verbranding was inderdaad in opdracht van mamma.

De dag daarvoor zit de roodharige, nadat ze de klerenkast in haar kamer heeft schoongemaakt, aan het eind van de middag op de rand van haar bed met drie schoenendozen propvol bundeltjes brieven en ansichtkaarten, oude schoolschriften, kranten- en tijdschriftenknip-sels plus een stel ovale gelige foto's van grootouders, overgrootouders en familieleden die we nooit zullen leren kennen. Ruim twee uur is ze geduldig in de weer met het opnieuw bekijken, herlezen en dan ver-scheuren van foto's en papieren, met een vermoeid en melancholiek gezicht en nu en dan met gespannen, verwoede gebaren: sommige pa-pieren worden compleet versnipperd. Dan stopt ze alles weer in de dozen, drukt het nog eens aan met haar vuist. De derde doos moet nog, maar ze is moe, maakt die niet eens meer open en roept David.

'Hier, jongen, neem dit allemaal mee en verbrand het buiten er gens.'

'Wat is het? Ben je bang dat de rechercheur het vindt? Denk je dat pappa erdoor in de problemen kan komen?'

'Ik denk dat dit huis toe is aan een grondige schoonmaak. Dat denk ik.'

Vuur dat papier verteert: een telkens weerkerend beeld in de familieherinnering. Oma Tecla die in het huis aan zee in Mataró documenten, notitieboekjes en bankbiljetten verbrandt, pappa die in het ravijn boeken en tijdschriften, mappen, legitimatiebewijzen en pamfletten verbrandt, en ook tante Lola en oom Pau op de binnenplaats van hun huis in Vallcarca... Vuurtjes in het donker, vuren en ernstige gezichten die een duivels licht weerkaatsen. David bukt zich met zijn rug naar de oostflank van het ravijn, het doosje lucifers in zijn hand en boven zijn hoofd de uitgedroogde kronkelende wortels van een dode vijgenboom die boven de grond uitsteken. Hij heeft net een hoop gemaakt van de versnipperde inhoud van de twee dozen en daarop gooit hij de derde, die mamma niet heeft aangeraakt. Voor hij de lucifer afstrijkt, pakt hij een paar stukjes gelijnd papier op die waren weggedwarreld en uit nieuwsgierigheid probeert hij de bijna onleesbare restanten van woorden te ontcijferen, flarden van begeerten en gevoelens die zijn afgekapt door de scheuren in het papier en die twee verschillende handschriften vertonen, een in blauwe en het andere in paarse inkt: *je weer te zien... eindeloze nacht... de spichtige, sympathieke vliegenier... die zoenen... the invisible worm... de enige hoop... die vlaggen kunnen me gestolen worden, dat dierbare land kan me gestolen worden... That flies in the night...* Geen regel is geheel te lezen en David geeft het op.

Net als hij de brandende lucifer bij het papier houdt, verandert het gebruikelijke gebrom in zijn oren in het geronk van een jachtvliegtuig dat in een spin omlaag valt. Het vuur laait op en direct ziet David de nonchalante blik van de piloot voor de vlammen hem bereiken en opslokken; de man komt overeind op wat het omslag van een zorgvuldig opgevouwen geïllustreerd tijdschrift lijkt te zijn dat zich nu door de hitte ontvouwt terwijl zich een sterke kerosinegeur verspreidt. Op het gevaar af dat hij zijn vingers schroeit, redt David het knipsel van verbranding en snel blaast hij de geblakerde randen uit van een loodkleurige lucht waarin een zwarte rookkolom opstijgt. Vóór hem verandert de hoop woorden in as terwijl hij naar de geallieerde piloot kijkt die inmiddels voor de romp van zijn Spitfire staat waaruit de vlammen oplaaien: absoluut niets wijst erop dat hij voelt dat zijn laatste uur heeft geslagen, geen verwonding, geen angst, geen neiging om te krimpen teneinde de kogels te ontlopen. Het leren vliegeniersjack is geweldig. In zijn mondhoek heeft hij een kort ivoren sigarettenpijpje en de huid van zijn handen, uitdagend in zijn zij, vertoont een zwarte glans, er slaat wat rook af; hij houdt de leren handschoenen nog vast die hij net heeft uitgetrokken. Met zijn ontspannen uitdrukking en opstandige, kalme blik in de lens lijkt hij zich niets te willen aantrekken van het daar verwoeste land, van de sinistere omgeving bezaaid met puin en van het dreigende geweld dat in dat tafereel schuilt: zijn gevangenneming, de mitrailleurs die elk moment vuur kunnen spugen op zijn borst. De afbeelding, een foto in zachte tinten, wekt niet de indruk dat er sindsdien veel tijd is verstreken. Vermoedelijk neergehaald op Frans grondgebied – op een geknakte wegwijzer staat: ROUBAIX, 12 KM – en vastgelegd door een oorlogsfotograaf op het moment van gevangenneming, staat hij bij zijn gehavende vliegtuig achter een hek in zijn schitterende dichtgeknoopte leren jack met de vliegbril op zijn voorhoofd en werpt hij degene die naar hem kijkt een spottende blik toe, met beroet gelaat en een glimlach die de glimlach is van iemand die nog vliegt, denkt David als hij de foto tussen zijn borst en zijn hemd bergt, iemand van wie wel het vliegtuig is getroffen maar niet zijn strijdbare geest die nog in de hoogste sferen vliegt, boven de wolken en buiten bereik van het bliksemend onweer en het afweergeschut, waar de zon eeuwig schijnt…

'Zo heb ik die oorlogsvlieger gevonden.'

'Donders, wat opwindend!' roept Paulino als hij de foto te zien krijgt. 'Ongelofelijk wat jou allemaal overkomt sinds je buis van Eustachius kaduuk is. Mag ik hem even onderzoeken?'

Ik zou niet over je kunnen praten zonder met je te praten, broer. Het kost me veel moeite om jouw stem en de mijne te ontwarren en het lukt me maar af en toe, als jouw woorden onverhoeds en uit de hoogte toeslaan en zich waarachtig en dringend doen gelden en een getuigenis afleggen die uniek is, omdat ze de exacte echo vormen van een tijd die voor altijd een denkbeeldige schuilplek voor ons tweeën zal zijn.

Daar hebben we hem weer. Daar komt hij aan.

Ik heb een bloedhekel aan die smeris, zegt David. Hij doet of hij van de prins geen kwaad weet, maar hij speelt een smerig spelletje!

En wat zegt mamma? Ik durf te wedden dat zij er anders over denkt, broer. Hoe denk jij dat ze hem ziet?

Wat zij ziet is een veertigjarige politieman die behoorlijk knap is en zich soms gedraagt alsof hij verstrooid is en niet erg blij met wat ze hem hebben opgedragen, een lange man die kalm praat en soms aardig probeert te zijn. Zo ziet zij die smeris, volgens David. Een onaantrekkelijke vent, zwaarmoedig en eenzaam, stuurs in de omgang, een lastpost die misschien wel doden op zijn geweten heeft, maar hij lijkt me niet zo'n beest als zoveel anderen, heeft ze me een keer gezegd, je hoeft niet bang voor hem te zijn.

'Heeft die fijne moeder van je dat echt gezegd?' zingt Paulino Bardolet terwijl hij met zijn sambaballen schudt.

'Ja. Toen begon ik over die geschiedenis met de tram, maar zij noemde dat een jammerlijk toeval en ze zei dat ze het was vergeten.'

'De roodharige kan met iedereen goed opschieten.'

'Dat ze het was vergeten, moet je nagaan! Grrr...!'

Sommige gezichten moet je, als je ze niet wilt vergeten, met wantrouwen bezien, zo luidt een reactie, maar van wie en waarvandaan? De rookstem van onze vader in het ravijn? De stem van oma Tecla die mamma vanaf haar sterfbed een advies geeft? De kikkerstem van Chester Morris of van Paul Muni in het duister van de Delicias? Die van David zelf ter voorkoming van grotere rampen?

Hoe het ook zij, inspecteur Galváns tronie behoeft misschien niet zo'n boosaardige en behoedzame benadering. Maar mijn broer voelde het al zo sinds de eerste keer dat hij voor de nachtdeur stond en hij geconfronteerd werd met 's mans ijsblauwe blik en schuimende stemgeluid, een hoeveelheid speeksel ter compensatie van een niet-aflatende schorheid. Ook nu weer, midden op straat: 'Hé, jongen. Ja, jij met die lange haren. Kom eens hier.'

Stijf en bedaard, met een meelijkwekkend minzame blik, lange pauzes tussen zijn vragen, achteloze stiltes die misschien beangstigender zijn dan de vragen zelf, zo monstert de inspecteur de schuwe gezichten van de mensen op zoek naar tekenen van het verleden, sporen van vijandigheid; maar of hij die tekenen nu bespeurt of niet, hij laat geen enkel gevoel blijken dat van invloed is op zijn zelfverzekerde optreden. Altijd in zijn bruine, behoorlijk verkreukelde pak, met versleten schoenen in twee kleuren en de knoop van zijn zwarte stropdas losjes onder de naar voren springende adamsappel, soms wuift hij zich met zijn hoed koelte toe, en zijn haviksprofiel snuffelt in kroegen naar het alcoholische, breedsprakige spoor van Víctor Bartra, dat beslist heel eenvoudig te vinden is, natuurlijk, dat valt niet te ontkennen, iedereen heeft immers weleens die praatjesmaker van een Bartra aan deze zelfde tapkast zien zitten, schaterlachend en brandy hijsend, al te veel scheldend, iedereen heeft hem weleens roekeloos tekeer horen gaan tegen van alles, ik zou het u niet kunnen zeggen, tegen dit en dat en zus en zo, maar dat is lang geleden, ja meneer de inspecteur, tot ziens, het beste. Het was de zomer van de bom op Hirosjima en de hele ochtend viel er een smerige motregen die de grijze dakterrassen en de braakliggende grond doorweekte en het witte wasgoed dat over de bremstruiken aan de overkant van het ravijn was gedrapeerd bruin kleurde; je zult zien dat het klimaat en de atmosfeer gaan veranderen, zeiden de vrouwen tegen elkaar, het schijnt dat het van invloed is op je zwangerschap en op de menstruatie van onze dochters, kijk maar eens naar je hond, jongen, die fijne warme glinsterregen is fataal voor het arme dier, die vreet aan zijn ziel en aan zijn botten, moet je zien hoe hij zich onder de tafel voortsleept.

'Kom te voorschijn en bijt van je af, Chispa.'

Hijgend laat de hond zijn kop tussen zijn poten zakken.

'Tijdverspilling, kind. Hij heeft niet eens meer de kracht om dood te gaan,' zegt mamma. 'En daar zou hij me toch echt een plezier mee doen. Moet je zien wat een smeerboel hij in huis maakt, wat een ellende het arme beest me bezorgt.'

'Straks hoort hij je nog! Moest je niet naar de markt voor kleren? Als het ophoudt met regenen, gaan we met je mee, mam. Toch, Chispa?'

Elke dag wast David de ogen van zijn hond uit met afgekookt tijmwater, geeft hij hem een lepel gecondenseerde melk, borstelt hij zijn vacht en fluistert hij hem lieve leugentjes in, wat ruik je lekker, wat zie je er vandaag goed uit, dapper hondje, morgen gaan we naar de markt en in het Parque Güell rennen, en zolang je bij mij bent, hoef je niet bang te zijn dat je doodgaat, hier zijn we veilig, hier zal nooit de giftige paddestoel of de smoorhete schokgolf van de atomische bom komen, ons ravijn is een prima schuilplaats.

'Dat je dat gelooft, lieve jongen!' zegt Paulino. 'Er zijn al miljoenen megamuizen door de lucht in aantocht die alles zullen vernietigen! Er zal geen spoor van je hond overblijven! Mij kan niets gebeuren, want ik ben een superheterodyne jongen...'

'Houd je snavel, bolle. Snap je niet dat hij je misschien wel hoort?'

'Ach gut, je hebt een hart van goud, joh.'

'En jij een kont van porselein en die zullen ze een dezer dagen aan diggelen slaan.'

'Stil, stil, zeg dat niet, morgen moet ik oom Ramón weer scheren.'

'Je bent toch zeker niet van plan om daarheen te gaan? Zo stom ben je toch niet?'

'Wat kan ik doen? Verdomme, als ik niet ga, ben ik mijn leven niet zeker.'

'Je zit klem en daar moet je iets aan doen, Pauli.'

'Ja, maar wat? Zeg maar wat ik moet doen.'

'Snijd hem een oor af met je scheermes! Douw zijn helm in zijn reet!'

'Je bent gek. Zal ik je eens wat zeggen, jochie?' Op het ritme van zijn sambaballen begint Paulino te zingen: 'Ga jij maar verder over de gele tegels, ik ga mijn eigen weg...'

'Je bent echt een eikel.'

Mijn broer David. Een klein hoofd, grote ogen, rond en honingkleurig, een zachte kinlijn, stroblond haar en een hart van goud. Hij staat op de hoek tegenover de kleine Camelias-markt en houdt Chispa's riem omzichtiger vast dan hij met zijn eigen navelstreng zou doen, laat staan met de mijne als mamma hem dat in geval van nood zou vragen. God verhoede het. Paulino stopt de sambaballen als twee borsten achter zijn hemd. De hond gaat hijgend op de natte stoep aan zijn voeten liggen. Iets verderop staat inspecteur Galván op de rand van het trottoir in zijn rechte houding met de regenjas over zijn schouder en de handen in zijn broekzakken het drukke gedoe gade te slaan van de vrouwen, onder wie de roodharige, bij de kramen met goedkope kinderkleding. Het miezert niet meer maar de middaglucht is zo vochtig dat het nog benauwder is.

'Kijk,' gromt David. 'Daar staat hij weer.'

'Zijn ogen puilen uit van dat gestaar naar je moeder...'

'Moet je zijn kop zien. Hij trekt een gezicht of hij net een dreun heeft gehad.'

'Net iemand die vulpennen en nephorloges verkoopt,' zegt Paulino die hem voor het eerst ziet.

'M'n reet. Hij is dag en nacht in de weer om mijn moeder te bespioneren. Hij loopt als een hondje achter haar aan. En vanwege haar heeft hij een man vermoord, ik heb het gezien.'

'Allemachtig!'

Ik kan Paulino Bardolet alleen maar zien als een soort tonnetje op poten en met een kaal hoofd, een aanhankelijke sfinx, een beetje scheel en met blanke zeephanden.

'Het staat op zijn gezicht te lezen,' zegt David.

'Pas op, daar komt hij aan!'

Zijn groene trenchcoat vol bandjes, gespen en knopen, die David zo mooi vindt, ruikt een beetje naar Ceregumil, dat vitaminedrankje.

'Hé, jongen. Ja, jij met die lange haren. Kom eens hier.'

'Wat wilt u? We hebben niets stouts gedaan, sahib.'

De rechercheur steekt een sigaret aan met zijn aansteker. 'Begin niet weer met die onzin. Kom, vertel me eens iets.'

'Waarom biedt u er mij niet eentje aan, sahib?'

'Als je braaf bent.'

'Dank u wel, sahib.'

'Ik heb niet gezegd dat je er één krijgt.'

'Nee, sahib. Tot uw orders, sahib.'

'Genoeg met die flauwekul.' Hij staart naar de sigaret tussen zijn vingers, alsof hij zijn eigen vingers en de sigaret even niet meer herkent. 'Vertel eens...'

'Kapitein Vickers galoppeert aan het hoofd van zijn lansiers naar de heuvels van Balaklava,' zegt David. 'Een halve mijl, een halve mijl, een halve mijl. Wat wilt u nog meer weten?'

'Zijne Koninklijke Hoogheid Surat Khan,' vult Paulino volkomen serieus en terloops aan, 'de machtige emir van alle stammen in Suristan, wordt dankzij een welgemikt schot van kapitein Vickers uit de klauwen van een tijger gered.'

'Die draait deze week in de Delicias,' legt David uit.

'Tot zover jullie grappen. Ik wil iets weten,' zegt de inspecteur terwijl hij naar opzij kijkt om de roodharige weer in beeld te krijgen en haar bewegingen aan de overkant van de straat te kunnen volgen. 'Houdt je moeder van koffie?'

'Hoe zegt de sahib?'

'Of ze koffie drinkt. Of ze die mag drinken, nou goed?'

'Dat heeft u me al gevraagd, weet u niet meer?'

'Dan vraag ik het nu nog eens.'

David kijkt hem aan, weet niet wat hij moet antwoorden. Ongetwijfeld weet die diender dat de roodharige kwakkelt, dat ze problemen met haar bloeddruk heeft gehad en misschien is hij wel van plan haar op een lekker kopje koffie te trakteren. Hij kijkt nog steeds naar de overkant, maar David merkt dat zijn lippen al bewegen nog voordat hij iets zegt en dat het puntje van zijn tong daar telkens overheen glijdt, alsof hij de restanten van een bepaalde smaak probeert te vinden of weg te werken. Zijn bovenlip is krachtig en fraai gevormd, er zit een piepklein verticaal litteken op, een donker plooitje dat zijn mond iets minachtends geeft. David geeft nog steeds geen antwoord en Chispa, die gevloerd op de stoep ligt, laat alle lucht ontsnappen die hij in zijn buik of waar dan ook heeft, het lijkt wel of hij lacht. De lucht komt door zijn mond naar buiten en klinkt als een pruttelend koffieapparaat, een gefluit dat geleidelijk zachter wordt en in een soort miauwen overgaat.

'Hoort u dat? Mijn hond miauwt als een kat. Mrrrauw…'

'Ik vroeg je iets.'

'Ja, maar wat een vraag, zeg! Zo'n vraag stelt toch geen enkele politieman, dat heb ik al eens gezegd…'

'Geef antwoord.'

'Goed dan, zij zegt dat ze van de dokter geen koffie en suiker mag. Maar in de praktijk drinkt ze wel koffie als ze die heeft, en anders cichorei, net als iedereen. Zo eenvoudig is dat. En de oude prut gebruikt ze nog een keer, want zo rijk zijn we niet. De memsahib is dol op lekker warme churros, slagroom en dergelijke, dat heb ik u al verteld… En neemt u me niet kwalijk, maar nu moet ik mijn hond laten piesen… Nee, maar wat doe je nou, lieverd, je mag toch niet aan de schoenen van de politiesahib snuffelen!'

Het gejank van het dier is nauwelijks te horen als de inspecteur hem een zacht schopje geeft, meer om hem weg te schuiven dan iets anders, maar Davids stem klinkt kwaad en schel terwijl hij aan de halsband trekt: jemig, ziet u niet dat die zielenpoot bijna blind is?, en het silhouet van de roodharige naaister is bevallig, vriendelijk en zwanger, als ze bij de kraam rustig wat coupons staat te bekijken, daar heb je mijn moeder, lang, bleek, puffend van de hitte maar goedlachs in de dunne bloemenjurk die ze al zoveel zomers draagt, de zoom aan de voorkant iets hoger, de zwarte paraplu houdt ze onder haar bovenarm geklemd, onder haar paarse hoofddoek springen bij haar slapen een paar rode lokken uit, al die dingen zijn door inspecteur Galváns vasthoudende blik al stuk voor stuk met fotografische precisie geregistreerd wanneer David zich omdraait en wegloopt, terwijl Chispa op de grond opnieuw als een blaasbalg lucht laat ontsnappen.

De leugen van de roodharige

Een hardnekkig geraas ontrolt zich als een band in de oren, verdrijft de slaap en vervangt die door onrust. Op zijn bed ligt David met zijn handen in zijn nek en zijn ogen naar het plafond gericht, hij roept andere geluiden op en doet zijn best zich verwoestende orkanen voor te stellen en zich in te denken hoe ze fluitend door palmbomen razen die machteloos hun kruin buigen voor brullende golven, Warschau onder de bommenregen of de aardbeving van San Francisco die donderend in de Delicias weerklinkt, steeds een octaaf hoger om de heksenketel te overstemmen waarin zijn hoofd inmiddels is veranderd. Ten slotte vangt hij het geronk van de neerduikende Spitfire op, een gezoem dat zich deze nacht doordringender en heviger een weg baant dan gewoonlijk. Hij knipt de bureaulamp op de stoel aan en kijkt naar de muur tegenover zich. Het bovenraampje staat open en de benauwde nacht komt met het gesjirp van de krekels in het ravijn de kamer binnen.

Hallo, vriend.

Zoals altijd kijkt hij eerst bewonderend naar het leren pilotenjack, de vliegbril en de halsdoek, maar direct daarop verlegt hij zijn aandacht naar de houding van de vliegenier, oog in oog met de dood. Midden in de geblakerde vlakte, omgeven door rokend oorlogstuig en ongetwijfeld door lijken, blijft de piloot met de handen in de zij staan, het sneeuwwitte sigarettenpijpje tussen de tanden geklemd, het jack ongeschonden, de bril op het voorhoofd en de flappen van de muts omlaag aan weerszijden van zijn slanke maar gespierde hals. Achter hem breekt de getande lijn van de horizon die het beeld oproept van een afgebrokkeld fort, de zwarte rookzuil stijgt nog steeds hemelwaarts vanuit een massa verwrongen schroot. Als een collega van zijn squadron daar in de buurt zou vliegen en hem vanuit de lucht kon zien, zo denkt David, zou hij een manoeuvre vlak boven de grond kunnen maken, een salvo af kunnen vuren en hem zo van de twee Duitse soldaten kunnen verlossen die hem in gekromde houding, gespannen met hun mitrailleurs onder schot houden, een aan elke kant van hem, gedeeltelijk zichtbaar, niet helemaal in beeld en met hun rug naar de camera. Er komt een metaalachtig gekraak uit de romp, een laatste klacht van blik en verslagenheid. Wederom spelt David de naam op de zijkant van de cockpit: THE INVISIBLE WORM. De neergehaalde jachtvlieger heeft zijn hoofd iets naar opzij en zijn wimpers half toegeknepen, als om zich te beschermen tegen een rooksliert die in zijn gezicht waait.

Hello boy, zoiets zegt hij.

Hebben ze je nog niet doodgeschoten?

Ze denken er nog over na. Die moffen hebben een beetje trage harses. Als ze nog even langer wachten, ontploft de brandstoftank en zijn we er alledrie geweest. Wat zeg je daarvan?

Prima. Doodgaan terwijl je anderen om zeep helpt, dat is tenminste iets.

Die ogen die elke nacht vanuit een verafgelegen en verwoeste wereld toezien hoe hij slaapt, stralen ondanks alles vertrouwdheid en moed uit en er zit altijd een sprankje spotzucht in. En dat is vreemd, want hoe vaker hij naar de gevangene kijkt, hoe meer David ervan overtuigd raakt dat de Duitsers van plan zijn hem nu meteen met kogels te doorzeven. Het hele tafereel ademt een spanning die op de fatale afloop duidt. Die pokkensmeris had gelijk, die man is dood. Het vliegtuig achter hem had zich bijna met de neus in de grond geboord.

Vorig jaar heb ik een vliegtuig op het strand zien neerkomen, mompelt David.

Echt waar?

Oma heeft het ook gezien, maar ze kon het niet geloven, of ze was bang om het te geloven, ze heeft het altijd ontkend. Maar ik heb het met mijn eigen ogen gezien. Het was een B-26-bommenwerper.

Dat diffuse witte wolkje dat boven het hoofd van de piloot drijft is het gevolg van de zojuist, waarschijnlijk door de hitte, in duizend stukjes versplinterde voorruit van de cockpit. Het door vlammen omgeven staartroer is losgeraakt en valt eraf, maar het is nog niet op de grond beland. Ik heb het over je jachtvliegtuig, verklaart David, niet over de bommenwerper. Ik zou zweren dat het navigatielicht aan stuurboord nog knippert onder de stormachtige hemel. Dat witte wolkje boven je hoofd betekent misschien dat de soldaten zijn begonnen te schieten; als dat zo is, zul jij dood zijn wanneer die nevel is opgelost. In de verte klonk als in een grot het gedreun van het afweergeschut.

De grote verschroeide handen die rustig op zijn heupen liggen, met in een ervan nog de gehavende leren handschoenen, doen hem denken aan een andere, nog zwartere hand, die stijf en met geblakerde nagels tussen twee witte schuimkragen in de buurt van de golfbreker bij het strand in Mataró dobbert. In een van luchtspiegelingen zwangere zee heeft de vloed die buiten de tijd drijvende hand als een door de vissen aangevreten vogel op het strand willen afleveren, maar uiteindelijk heeft de zachte golfslag van het terugtrekkende water hem weer zeewaarts gevoerd. Vlak voor David hem uit het oog verliest, duikt de afgehakte hand met de palm open weer uit het water op, wenkend, als om aandacht te vragen. Dat is meer dan anderhalf jaar geleden, het begon allemaal toen hij geleund tegen de zijkant van een boot naast de in het zand opgehoopte visnetten een boek zat te lezen over Bill Barnes, de luchtavonturier. *Maar de vreugde was van korte duur, want plotseling trok Cy Hawkins wit weg toen hij zag dat Bills toestel even schommelde en ten slotte als een dodelijk verwonde vogel neerviel.* Nog maar twee weken geleden is David van school gestuurd, mamma weet nog niet wat ze nu met hem aan moet, en wat mij betreft, ik kom nog niet eens in haar gedachten voor: pappa laat zich nooit meer thuis zien, hooguit eens in de zes maanden. Hier in Mataró ligt opa Mariano nog steeds heel ziek in bed, hij zal wel nooit meer opstaan en dus ook nooit meer in een vissersboot kunnen stappen. Hij wil pappa niet zien en niets over hem horen. Oma Tecla slaat af en toe wartaal uit maar heeft nog genoeg energie om voor opa en het huis te zorgen. Ze wonen in een vervallen visserswoninkje in de Calle San Pedro pal aan het strand en mamma gaat vaak bij hen op bezoek samen met David, die ze daar soms een paar dagen achterlaat om hen te helpen of hun althans gezelschap te houden. David zegt dat opa en oma op een goede dag hebben besloten hun blik voorgoed op de zee te richten en de wereld de rug toe te keren, en dat ze enkel de namen van de vissen en de verschillende winden kennen en niets maar dan ook niets afweten van wat er elders gebeurt, laat staan van waar pappa is of wat hij doet of laat, want dat weten ze liever niet.

Het is 29 maart, een zaterdag, David bevochtigt zijn duim en slaat de bladzijden ongeduldig om, want hij moet zich er zo snel mogelijk van vergewissen dat de verminkte en verschroeide hand die in de branding drijft niet van Bill Barnes is maar van de razende zelf-moordpiloot die tegen zijn vliegtuig is gebotst toen hij met branden-de motor en afgebroken roer een vermetele waterlanding inzette, en precies op dat moment schrikt hij op van een ander geronk in de strakblauwe hemel. Een bommenwerper waarvan hij het imposante silhouet direct herkent, want hetzelfde heeft hij op dozijnen bouw-platen staan, scheert op nog geen kilometer van de golfbreker over de zee. Het is een Marauder B-26 van de RAF. Met de stuurboordvleugel schuin naar beneden cirkelt hij boven een vrachtschip dat in noorde-lijke richting koerst. David komt overeind en kan zijn ogen niet gelo-ven. Wat doet een bommenwerper uit de Tweede Wereldoorlog voor de kust van Mataró? Op een bepaald moment meent hij een harde knal te horen, al zou hij niet kunnen zeggen of die van het vliegtuig of het schip komt. Op de zijkant van de romp van de bommenwerper staat een tekening van een meisje in badpak en de tekst FOREVER AMANDA. Ronkend alsof er een ratel in de motoren vastzit, beschrijft hij nog een rare boog zodat hij tussen de zon en Davids verbijsterde ogen komt te vliegen, en juist dan springen de ruiten uit de stuurhut. Wanneer het toestel nog iets verder overhelt, ziet David duidelijk het bebloede gezicht van de piloot, diens arm die net boven het woord AMANDA slap uit het zijraampje hangt en ook de vlammen en zwarte rook in de cabine. Direct daarop komt het vliegtuig iets omhoog maar dan duikt het plotseling omlaag en stort in zee, niet ver van het

koopvaardijschip, dat rustig doorvaart. Eenmaal in het water veroorzaakt de bommenwerper een zuil van rookflarden, als signalen van
indianen, en het duurt even voor hij zinkt.

David kijkt om zich heen op zoek naar iemand die de wonder-
baarlijke gebeurtenis ook heeft gezien. Rond die tijd is het strand verlaten. Oma Tecla's hand pakt de zijne vast en trekt hem mee naar huis.
Heb je dat gezien, oma?! Heb je dat vliegtuig zien neerstorten?!
Ik heb niets gezien. En jij evenmin. Kom, naar binnen.

Later ziet hij vanaf de boulevard – ze laten hem niet meer dichter
in de buurt komen – de verbrande lichamen van vijf bemanningsleden op het zand liggen. Ze zijn door de vissers uit zee opgepikt en
worden nu in de bak van een legertruck gelegd en afgedekt met de-
kens. Onder een daarvan steekt de laars van een lichaam uit, de helft
is met de halve voet afgerukt. De stemmen van een jonge onderofficier en van een paar vissers worden door de wind meegedragen. Er
ontbreekt er één, zegt de militair, die vliegtuigen hebben zes bemanningsleden. Weet u dat zeker? vraagt een visser. Die zal wel door de
stroom zijn meegevoerd. Maar erg ver zal hij niet wegdrijven. Dat
weet je maar nooit, mengt een andere visser zich in het gesprek, het
gedrag van een lijk op zee is niet te voorspellen. En wat vindt u van het
gedrag van de kapitein van het vrachtschip? vraagt de onderofficier.
Die deed net of hij niks in de gaten had, hij heeft geen hand uitgestoken en is gewoon doorgevaren… Zou het een gecamoufleerd oor-
logsschip zijn?, vraagt de oude man.

De politie maant de nieuwsgierigen die over de boulevard dichterbij komen, door te lopen, er is niets te zien, loopt u door, gaat u weer
naar huis, sluit ramen en deuren en zwijgt u over de zaak. De dagen
daarna staat het bericht over het neergestorte vliegtuig in geen enkele krant en ook op de radio wordt niets gemeld. De bewoners van Mataró stellen elkaar vragen. Zouden de geallieerden eraan komen, zouden we een omslag krijgen? Doe niet zo idioot, man, doe wat de
autoriteiten zeggen en houd je mond, hier gebeurt niks. Je bent zelf
een idioot, zul je bedoelen. Kijk uit, hè, want mijn neef zit bij de Fa-
lange, die is tweede korporaal bij het burgerkorps in Arenys… Als de
avond valt slentert David over het strand met zijn Bill Barnes-boek

onder zijn arm. Een agent van de Guardia Civil loopt naar hem toe.

Ga naar huis, joh.

Waarom?

Omdat dat beter is.

Waarom is dat beter, meneer de agent?

Omdat ik het zeg! Wegwezen!

David loopt van het strand naar boven de boulevard op, waar een tweede agent met zijn geweer op zijn rug water uit een bron drinkt. Hij is heel jong, heeft groene ogen en een stervormig litteken waardoor zijn kin een fraaie rimpeling vertoont. David gaat met gebogen hoofd en de handen op zijn rug naast hem staan.

Pardon, meneer de agent, ik moet u iets belangrijks vertellen.

Heeft mijn collega je niet gezegd dat je naar huis moet gaan?

Maar ik heb het vliegtuig zien neerstorten. Ik heb het gezien.

Wat zeg je nou? Er is hier helemaal geen vliegtuig.

Het is gezonken, hier vlakbij. Het is een...

Spaar me je praatjes, jochie. Smeer hem!

...een Marauder B-26-bommenwerper met zes bemanningsleden en twee stermotoren Pratt & Whitney R-2800-5 Double Wasp van 1850 pk, zegt David in één ruk, plotseling bevangen door een merkwaardig soort melancholie. Onder zijn stevig op de grond van de boulevard geplante voeten voelt hij een ver beven dat vanonder uit het zand komt of van de bodem van de zee. Het vliegtuig was geraakt, gaat David door, het was waarschijnlijk bezig Berlijn te bombarderen en is daarna vol kogelgaten en in vlammen over half Europa gevlogen, met maar één motor, zes lijken in de cabine en een geblokkeerde stuurknuppel...

En nu in looppas naar huis als je niet wilt dat ik je meeneem naar het bureau!, dreigt de agent.

Hebben ze het zesde lijk nog niet gevonden? Laat ik u dan vertellen dat ik net een verschroeide hand voor de kust heb zien drijven.

Dat zul je wel hebben gedroomd, jongen, reageert de agent. Je zegt dat je wát hebt gezien? Waar zeg je?

Hier vlakbij, aan de vloedlijn, een afgehakte mannenhand, hartstikke pikzwart...

Ja ja, best, schiet nou maar op, naar huis. Ik wil je hier niet meer zien, begrepen? Hij loopt het strand op naar zijn collega maar draait zich nog een keer om. Heb je me niet gehoord? Opdonderen! Op een hoekje van het bed ligt Chispa te draaien en te kreunen, geplaagd door een andere nachtmerrie, misschien nog spookachtiger en onverklaarbaarder dan die van hem. David aait met zijn voet over zijn rug en de hond wordt rustiger.

Aan de vloedlijn praten de twee agenten met elkaar en gaan dan uiteen, de een naar links, de ander naar rechts van de golfbreker, met het geweer over de schouder en de blik gericht op de kalme golfslag en het schuim dat tot op het strand komt, terwijl ze proberen hun laarzen droog te houden. Wat is dat nou, verdorie, waarom houden ze zich van de domme, ze zoeken toch…?

Oma, heb je dat Engelse vliegtuig echt niet in zee zien storten? En heeft opa het ook niet gezien?

Hier heeft niemand iets gezien en ik verbied je om overal over dat Engelse vliegtuig te gaan kletsen.

Vlak voordat hij in slaap valt, kijkt hij nog eens goed naar de piloot en ziet hij achter hem op de vernielde stoel in de cockpit een roos, de lange steel in tinfolie gewikkeld en de bloemblaadjes door de nabijheid van het vuur samengetrokken, als een vale miniatuurvuist die door zijn eigen woede wordt verteerd.

Vlak boven het pad dat langs het ravijn loopt hangt de hele middag een roodachtige stofnevel roerloos zwevend in de lucht, en uit die nevel duikt onverwachts de inspecteur op, stram en met de handen in zijn broekzakken. Met langzame tred begeeft hij zich naar de nachtdeur, terwijl David al op de treden is gaan zitten en het pennenmes achter zijn riem stopt.

'Sahib, voor een kwart peseta laat ik u een hele vreemde foto zien van mijn vader in Montserrat met een kaars in zijn hand, voor een halve peseta vertel ik het verhaal van de bommenwerper die voor de kust van Mataró in zee is gestort, en voor de spotprijs van één peseta zeg ik in welke winkel mijn moeder nu schoenen zit te passen die een kurken zool moeten hebben omdat dat prettiger voor je voeten is…'

'Ze is dus niet thuis,' zegt inspecteur Galván.

'Ook vandaag heeft u weer geen geluk, sahib.'

'Als ze verder niets hoeft te doen, zal ze zo wel thuiskomen.'

'Wie weet. Ze heeft een boek meegenomen, dat ene dat ze op straat was verloren en dat u haar zo vriendelijk bent komen brengen, dus misschien zit ze nu wel ergens rustig op een bankje te lezen, maar ja, waar?'

Terwijl hij hem aanhoort, maakt de inspecteur de strop van zijn das losser en zet hij een voet op de derde tree. David ziet dat er in de linkerzak van zijn colbert iets zwaars zit wat deze flink doet uitpuilen.

'Als u iets voor mijn moeder heeft meegenomen, kunt u het wel aan mij geven.' Hij pauzeert even en vervolgt dan: 'U heeft vast iets lekkers voor de memsahib bij u. Klopt dat?'

De waarheid bestaat nog niet, maar David verwoordt hem al. Ik weet geen betere manier om dat merkwaardige vermogen van mijn broer te beschrijven, zijn boosaardige trefzekerheid, die pijlen van zijn intuïtie, gedompeld in het gif van voorgevoelens en doorwaakte nachten die hem een extra paar ogen bezorgen, iets als een tweede kans om te kijken en te voorzien wat komen gaat, zoals hem een keer overkwam toen hij met de bende vechtlustige immigranten uit El Carmelo door de wijk struinde: nog voordat hij de steen tegen het glas van de lantaren had gegooid, zag hij de duizend scherven al op de grond liggen.

Wat die bobbel in zijn broekzak ook is, een blik gecondenseerde melk, een paar blikjes sardines in olie of een pond kristalsuiker, de rechercheur zegt niets en kijkt hoe Chispa met de tong uit zijn bek aan Davids voeten gaat liggen hijgen.

'Mijn ogen gaan dwars door de muren en de donkerste nacht heen, sahib, ik ben net Garou-Garou, de Murendoordringer en bovendien heb ik Bela Lugosi's duistere ogen van Londen,' zegt David op zangerige toon als hij hem ziet twijfelen. 'Het is een blik perziken op sap.'

De inspecteur staat te bedenken wat hij zal doen, wachten of weggaan. Hij steekt een sigaret aan met zijn vergulde Dupont. Gefascineerd volgt David de exacte duimbeweging over de aansteker, het draaiende schroefwieltje en het geluid van het dichtklappende deksel, plonk!

'Wow, wat een toffe aansteker!'

'Zeg je moeder maar dat ik morgen terugkom.'

'Als u geen nieuws over mijn vader heeft, hoeft u niet te komen.' David spuwt een rochel uit die in het stof naast de schoen van de rechercheur belandt.

'Zeg jij nou maar gewoon dat ik langs ben geweest.' Hij loopt al weg, maar draait zich nog even om, steekt een vinger naar hem uit en zegt: 'En maak er geen raar verhaal van. Als je het bij de waarheid houdt, kunnen we voortaan vrienden zijn. Oké?'

'Ja, bwana.'

Hij ziet hem met langzame pas en ontstemd verdwijnen over het sintelpaadje, opnieuw het rode stof in dat nog als een spiraal in de lucht hangt.

Van het donkere onbewoonde gedeelte van het huis, op de vlucht voor de angst die hem altijd overvalt tussen de krakende meubels, de afgebladderde muren die salpeter en slechte voortekenen uitzweten, de spiegels vol verweerd kwik en de beschimmelde gordijnen waar spinnen op rondkruipen en neuzen van schoenen onder uitsteken, loopt David op zijn tenen terug naar zijn kamer. Hij weet dat mamma daar nu het bed opmaakt of de vloer veegt en hij zint al op een van zijn grollen met haar. Maar hij denkt niet alleen aan haar: Houd je maar goed vast aan je moederkoek, giftig kikkertje, want jij zult ook aardig schrikken.

Heb je niet door dat je haar de stuipen op het lijf jaagt met die stomme streken van je en dat ze zo een miskraam kan krijgen, idioot? Jij bezorgt haar meer krampen en ellende.

Als hij op de drempel van de kamer staat, steekt hij zijn armen in de lucht en schreeuwt al bijna met de stem van de weerwolf: Grrr…! Mister Talbott wil de roodharige opeten! Grrrrrrr…! Maar opeens blijft hij onbeweeglijk staan, want hij ziet haar helemaal in gedachten verzonken naar de aan de muur geprikte foto van de piloot staren; ze zit op de rand van het bed, de bezem ligt op de grond en ze heeft haar handen roerloos op haar schoot; uit haar melancholiek naar opzij gebogen hoofd en de minieme beweging van haar lippen, alsof ze bidt, spreekt iets waardoor David ontregeld raakt, verlamd. Het is niet de altijd latente vrees dat er weer iemand is overleden, het is de volkomen beweginloosheid van haar lichaam, het onhoorbare geprevel van haar lippen en vooral die blik die de grenzen overschrijdt van simpele nieuwsgierigheid en die een verbond sluit met iets wat, als het echt vervat is in waar ze naar staart, verder gaat dan de eenvoudige afbeelding en de belangstelling die een oorlogsfoto teweeg kan brengen, verder dan het oorlogsschroot en het verwoeste landschap, de zwarte rook, de puinhopen en de dood.

Heb je haar een schop verkocht, uilskuiken? mompelt David binnensmonds.

Ik heb me niet bewogen, broer.

Is ze tegen jou aan het praten?

Ze heeft het niet tegen mij. Nu niet.

Ze zingt anders zachtjes voor je, zoals altijd als ze bedroefd is.

Ze zit niet voor mij te zingen.

Ten slotte geeft David het op. Hij gaat twee stappen achteruit, schraapt zijn keel en gaat zonder gedoe naar binnen. 'Voel je je niet goed, mam?'

Ze schrikt toch op, is een beetje verlegen, alsof ze betrapt is. 'Ik zat te kijken…' Ze maakt de zin niet af, maar vervolgt dan: 'Ik zat te denken hoe saai dat moet zijn om zo lang op het omslag van dat tijdschrift te staan zonder je te kunnen bewegen… Denk je ook niet? Kom, jongen, geef me een zoen.'

Ze slaat haar handen om hem heen en geeft hem een zoen terug, haar ogen nog steeds op de piloot gericht. Naast haar heeft ze op bed wat vuile kleren liggen. Ze raapt de bezem op en komt overeind door daarop te steunen, pakt enigszins gehaast een broek van David en bekijkt die terwijl ze de zakken binnenstebuiten keert. 'Wat heb je toch in je zakken waardoor ze altijd kleverig zijn, David?'

'Oh, dat. Dat komt door de hagedissenstaartjes. Het is geen bloed, weet je dat? Het is iets anders… Die beesten hebben geen druppel bloed.'

'Ben je niet een beetje te groot om nog steeds zulke spelletjes te spelen?'

'Ik doe het voor Pauli...'

'Moet je je handen zien,' zegt zij terwijl ze op zijn huid wijst vol vlekken van de ontwikkelaar. 'Kijk toch wat een nagels. Kun je dat geel niet op een of andere manier van je nagels af halen? En nog iets – ze wijst op de aan de muur geprikte foto van de vliegenier –, ik had je gezegd dat je alles moest verbranden. Alle papieren die in de dozen zaten.'

'Dat heb ik ook gedaan. Alleen dit heb ik bewaard. Vind je dat erg?'

'Het was verstandiger geweest als je alles had verbrand. Ook die foto.'

'Maar waarom dan?'

'Daarom. Ik weet wat ik zeg, jongen.'

Nu gaat David op het voeteneind zitten, hij kijkt naar de piloot en vraagt zich af of het wel een goed idee is om te zeggen wat hij wil zeggen: 'Waarom heb je gelogen, mamma? Waarom heb je tegen die smeris gezegd dat die foto van mij was?'

'Heb ik dat gezegd?'

'Herinner je je dat dan niet meer?'

'Nou ja, jij hebt hem toch uit het vuur gered? Jij hebt besloten dat je hem wilde bewaren in plaats van hem te verbranden met de rest, zoals ik je gezegd had.'

'Maar die foto was niet van mij. Waarom heb je de inspecteur gezegd dat hij van mij was?' vraagt David. 'Hij zat in de schoenendoos vol met allerlei paperassen die ik van jou moest verbranden en ik had hem nog nooit gezien, ík heb hem daar niet bewaard of uit een tijdschrift geknipt of wat ook...'

'Al goed, best, wat geeft het?' onderbreekt ze hem ongeduldig. 'De politie hoeft niet alles over je vader te weten.'

'Waren het dan spullen van pappa, wat er in die doos zat?'

'Ja.'

'En die foto ook? Had hij hem uitgeknipt?'

'Pappa kende die man.'

'Echt waar? Kende hij persoonlijk een vlieger van de RAF?'

'Ja.' Met haar rug naar David zit mamma nog steeds met een treurig gezicht naar de versleten kleren te kijken. 'Lieve help, dit hemd is helemaal op...'

'En heb je daarom tegen die smeris gelogen, omdat je niet wilde dat hij het te weten kwam?'

'Omdat je vader al genoeg problemen heeft. Zijn dossier is al dik zat.'

'En waren ze vrienden, pappa en die piloot? Waar hebben ze elkaar leren kennen?'

'Pfff. Heeft hij je nooit verteld dat hij en zijn vrienden piloten de weg hebben gewezen om de grens over te komen en dat ze hun hier de nodige papieren gaven om naar Lissabon of Gibraltar te kunnen?'

'Echt waar? Vertel.'

'Ik dacht dat oma je dat vorig jaar in Mataró al had verteld...'

'Toen was ze al helemaal in de bonen, die arme oma.'

'Nou, laat pappa het je maar vertellen wanneer hij weer thuiskomt, als hij tenminste ooit nog thuiskomt... En nu genoeg vragen. Ga je handen wassen en aan tafel. En je kunt die foto daar maar beter weghalen, pappa vindt het vast niet prettig als iedereen hem kan zien... Wil je nou doen wat ik zeg, lieverd?'

'Mam, ik wil talen leren. Dat wil ik.'

Even later zit David in de hal-eetkamer voor een bord gekookte kikkererwten en valt er een druppel bloed op zijn bord. 'Pappa voelt zich niet goed,' zegt hij terwijl hij snel zijn vingers tegen zijn neus drukt. 'Nu, op dit moment, voelt hij zich helemaal niet lekker.'

'Klets geen onzin en houd je hoofd achterover.'

Mamma maakt een servet nat in de kan water.

'Hij verliest heel veel bloed...' zegt David weer.

'En jij verliest straks alles, als je niet doet wat ik je zeg. Leg dit in je nek en blijf een poosje zo zitten. Liefst met je mond dicht. Het is niets, wees maar niet bang.'

'Wie is er nou bang? Chispa, kom hier, dapper hondje.'

David en Chispa banen zich verbonden door de riem en omzwermd door bijen in de brandende zon langzaam een weg stroomopwaarts door de bedding, trappend op peuken en rommel, modderige keien en zandstroken als zwaarden, waterstemmen, voorspellingen en voorgevoelens. Een halve mijl, een halve mijl, een halve mijl verderop, al buiten de stad, daar waar de uitgedroogde rivierloop breder wordt en minder steenachtig maar veel zanderiger en vochtiger door de nabijgelegen tuingronden. David hoort duidelijk het afstrijken van een lucifer. Hij draait zich om en ziet hem het sigarettenstompje aansteken, hij zit op een rots, klagelijk, in zijn ene hand de fles en de lucifer, in de andere de bebloede zakdoek die hij tegen zijn ene bil gedrukt houdt.

Straks ontsteekt het nog, zegt David. Waarom doe je er niet een beetje brandy op?

Brandy is voor een ander soort wonden. Zulke dingen zou je nu wel mogen weten, jongen.

Heb je nog geen betere plaats gevonden om je te verstoppen?

Hier zit ik; in deze put van schande, infectie en vuil ben ik beland, bromt pappa met een door roest aangeslagen stem.

David denkt even na terwijl hij Chispa met de tong uit zijn bek ziet komen aanlopen.

Pappa, is het waar dat het gedrag van het lijk van een piloot op zee niet te voorspellen is?

Als je het lijk bedoelt waar ik aan denk, op zee weet ik niet, maar thuis was zijn gedrag prima te voorspellen. Vraag maar aan je moeder.

Ik bedoel het lijk van de vliegenier dat de vissers niet hebben gevonden.

Ik ook. Dat lijk bedoel ik, ja.

Terwijl hij praat, kijkt hij over zijn schouder naar opzij, met een beweging waar behoedzaamheid uit spreekt maar tevens trots, alsof hij ergens anders een andere stem hoort, verder weg dan die van hem en dan zijn eigen stem. Hij is blootsvoets en de slippen van zijn hemd hangen uit zijn broek. De wortels van de dode vijgenboom die uit de steile flank naast de bedding komen, vormen boven zijn hoofd een kroon van donkere slangen die de lucht in krinkelen.

Mamma heeft tegen me gelogen, zegt David.

Die hond is niets meer waard. Je zou hem een spuitje moeten laten geven.

Begin jij nu ook al?

Kijk dan naar hem. Heb je geen hart, jongen? Denk eens een beetje na.

Ik denk met mijn hart. En zij heeft tegen ons gelogen, tegen mij en tegen die kip. Voor het eerst dat ik haar hoor liegen, ik zweer het. Ze heeft hem ook niet om het huiszoekingsbevel gevraagd, maar dat is nog het minste...

Je moeder liegt nooit, zegt pappa knorrig. Maar tegenwoordig is de waarheid zo laag-bij-de-gronds, net als het troebele laagje water in deze bedding onder de ochtendnevel, dat zie ik elke dag en ik kan je vertellen dat daar niks poëtisch aan is, en daarom moet je soms wel liegen om je verloren waardigheid terug te krijgen. Ik hoop dat je me begrijpt.

Mamma heeft tegen die kip gezegd dat ik de foto van de piloot uit een tijdschrift had geknipt. En dat heb ik niet gedaan.

Dat heeft zij gedaan, zegt pappa met een hooghartig gezicht. Zij in eigen persoon.

Oh ja? Nou, dan heeft ze twee leugens verteld, want later zei ze dat jij het had gedaan.

Heeft ze dat werkelijk gezegd? informeert hij terwijl hij de door-weekte zakdoek openslaat, weer zorgvuldig opvouwt en door de scheur in zijn broek tegen zijn bil duwt. Verdomde snee, hij blijft maar bloeden. Als je hier de volgende keer komt en wakkerder bent, neem dan een paar schone zakdoeken voor me mee... Je moeder zag die foto een keer bij toeval op het omslag van het tijdschrift *Adler*, dat lag in een politiebureau, en ze heeft hem eraf gescheurd, stiekem in haar tas gestopt en mee naar huis genomen.

En waarom heeft ze dat gedaan? Voor jou?

Voor mij? Ik snap je niet...

Zij zegt dat jij die piloot kende. Graaf eens in je geheugen, pappa.

Het geheugen is een kerkhof, jongen, zegt de vluchteling met een grafstem. In elk geval herinner ik het me niet... David had bedacht dat die stem misschien uit zijn maag vol brandy kwam en het geluid van een in alcohol gedrenkte ratel maakte, maar nee; hij kwam uit zijn aantrekkelijke mond met stevige lippen en klonk onttakeld en kleur-loos, slap en snel en lichtelijk spottend. Hoe zou ik luitenant Bryan O'Flynn kunnen vergeten?, gaat pappa verder. Een lange blonde vent, heel aardig en goed van de tongriem gesneden. Hij had een tatoeage op zijn arm: een hart met daarin een wormpje. Hij was een Australiër van Ierse afkomst en had altijd een halve glimlach om zijn mond, wat mamma heel grappig vond. Zijn handen zaten vol sproeten en hij zei steeds *itsmailaif* en...

Wat betekent dat?

...hij vloog in een Spitfire.

Acht mitrailleurs op de vleugels, een eenzitter, kan in vier minuten en acht seconden naar 3500 meter klimmen, maximale vlieghoogte 10.000 meter, topsnelheid 587 kilometer, laadvermogen 2610 kilo, somt David direct op.

Zo zo, je bent goed op de hoogte.

Dat weet toch iedereen, pappa.

En wie heeft die dappere luitenant aan de muur van je kamer geprikt, jij of mamma?

Ik. Waarom vraag je dat?

Je vond het zeker een interessante vent, hè?

Ik vind zijn leren jack wel mooi. Maar dat is niet het enige... Hij weet dat ze hem zullen doodschieten maar toch lacht hij. Wie kan er nou lachen als je weet dat ze je overhoop zullen knallen?

Ze hebben hem niet doodgeschoten, zegt pappa nadat hij een slok uit de fles heeft genomen. Hij kon ontsnappen.

Hoe weet je dat?

Ik heb altijd wel gedacht dat de dingen zijn zoals ze zijn, maar ik heb er uit eerbied niets over gezegd.

Eerbied waarvoor, pappa?

Voor mijn ouders. En voor de vrouwen. Je moet voorzichtig zijn. Vrouwen zitten hun hele leven met een of andere emotionele puzzel in hun hoofd, dus je moet op je tellen passen... Ach, ach, ach, wat doet die vervloekte snee zeer. Wanneer houdt dat bloeden eindelijk eens op, bij de baard van Lucifer?

Je hebt wel veel afstand van ons genomen, pappa. Waarom?

Omdat ik moet nadenken, jongen.

Je denkt veel aan mamma, is het niet? Je bent nog steeds verliefd op haar, hè?

Liefde is voor mannen die niet achteromkijken. En ik doe niets anders dan achteromkijken, want daar zit die verrekte kont... Maar vertel eens wat over je moeder. Hoe gaat het met onze roodharige naaister, wat doet ze zoal?

Ach, je weet wel, confectiewerk voor de markten op de Camelias en de Travesera. Jurkjes tot op de enkels, plissérokjes, bolerootjes en zo, goedkope poppenkleertjes. Die maakt ze van patronen van de poppenfabriek zelf, echt troep.

En hoe gaat het met de baby die op komst is?

Slecht. Die foetus kakelt aan één stuk door. Ik heb hem zelfs eens horen schreeuwen.

David stopt zijn oren dicht met zijn handen, maar het gesuis houdt niet op. Hij heeft twee repen pure chocola in zijn broekzak die nu waarschijnlijk al smelten, hij heeft ze van huis meegenomen voor het geval hij pappa zou tegenkomen, maar durft ze hem nu niet aan te bieden. Het is wel duidelijk dat hij daar nu geen behoefte aan heeft. Het enige wat hij nodig heeft, is een borrel.

Chispa ligt aan zijn voeten schor en ongecontroleerd te snuiven, als een blaasbalg waar stinkende lucht uit stroomt. Een wolk bijen vliegt boven het ravijn, zoemend op wisselende toonhoogten, telkens weer terugkerend in hun dwangmatige formatie. Maar samen met zijn hond aan de wandel is zijn meest directe en aanhoudende gewaarwording altijd een soort onderzeese misselijkheid, de indruk dat hij onder het dode water loopt dat hier ooit doorheen is gegaan en de kanten heeft opgeslokt, komend van ver, bomen en slijk meeslepend, dode dieren en soldaten. Chispa kan niet meer van de hitte en vermoeidheid, wat David merkt, hij bukt zich en neemt hem in zijn armen. En als hij weer overeind komt en de warme tong zijn gezicht likt, neemt hij de terugweg en zegt bij zichzelf: die slager van een smeris zou dit moeten zien, hij zou moeten zien hoeveel hij van me houdt en hoe hij me nodig heeft en dat hij allesbehalve dood wil, en mijn vader zou het ook moeten zien als hij hier met zijn opengehaalde kont, zijn met bloed bevlekte zakdoek en zijn fles onder de wortels van de vijgenboom zat. Dan zouden ze kunnen zien hoe levenslustig hij is en hoe hij me gezelschap houdt en snapt met wie ik praat, ook al ziet hij die niet, hoe hij naar me luistert en met zijn zachte ogen kijkt naar wat die smeris noch de roodharige of wie dan ook kan zien of horen… Niettemin zal David diezelfde middag worden overvallen door enige twijfel omtrent Chispa's wil om te blijven leven, als hij hem aan de rand van de kloof ongekend droef en vasthoudend de diepte in ziet kijken alsof de bejaarde hond werkelijk de mogelijkheid overwoog om in één keer een eind aan zijn lijden te maken door de afgrond in te springen. Maar zijn de hersens van zo'n mormel, hoe groot de pijn en treurnis ook zijn, vatbaar voor de gedachte aan zelfmoord? Vlak daarvoor had hij nog gevloerd op de treden voor de nachtdeur liggen dommelen en zijn botten in de zon gewarmd, maar plotseling was hij opgestaan en in een rechte lijn, heel langzaam en met schuddende kop naar het ravijn gelopen. De vogels die op de waslijn zaten, waren daar rustig blijven zitten toen ze hem zagen, zo versleten zag het arme beest eruit. Hij bleef bij de rand staan en strekte zijn hals, zijn voorpoten brachten wat aardkluiten en steentjes aan het rollen en daarop boog hij zich nog verder over de afgrond. Misschien dacht hij niet aan zelfmoord toen hij naar beneden keek, broer, maar het is wel zeker dat hij aan een ander leven dacht. Absoluut zeker. Hoe kun je nou weten wat een hond denkt, stomkop? Dacht je nu echt dat hij zou springen? Wat ben je toch een eikeltje!

'Wat sta je te brommen, David?' vraagt mamma, die aan tafel zit te naaien.

'Niets. Maar mijn oren suizen weer… Geloof jij dat het mogelijk is dat Chispa zelfmoord zou willen plegen door in het ravijn te springen?'

'Tja, wie weet. Toen ik eens bij je tante Lola was, heb ik gezien dat een hond van de Puente de Vallcarca sprong.'

'Maar Chispa is blind,' zegt David, 'die kan zich niet oriënteren. Hij weet niet waar de rivierbedding is, hij kan niet eens alleen terug naar huis komen…'

'Misschien, jongen. Maar we moeten rekening houden met de mogelijkheid dat die arme drommel een eind aan zijn lijden wil maken. En ik denk dat het goed zou zijn als jij dat besefte, met al je medelijden… Je weet dat inspecteur Galván heeft aangeboden om ons ermee te helpen.'

'Niks daarvan! Hoe kom je erbij dat mijn hond er een eind aan wil maken of dat iemand hem moet afmaken? Dan had hij me dat wel laten merken.'

Mamma steekt de speld in het kussen en strekt met een pijnlijk gezicht haar rug. Toch glimlacht ze.

'Misschien, lieverd. Maar kijk, als iemand echt dood wil, zegt hij dat meestal tegen niemand. Wil je me alsjeblieft de teil met water en zout brengen?'

Met mijn knuistjes stevig tegen mijn oogkassen, nog in foetushouding en eerlijk gezegd zonder al te veel zin om me een weg te banen naar de bloedige glans van deze wereld, vind ik het fijn om David op zijn veldbed te zien liggen als hij het balsemende motorgeronk van de Spitfire tot zijn gekwelde oren probeert te laten doordringen. Het plafond van zijn schemerdonkere kamer is net opengegaan en hoog in de oneindige blauwe ruimte met langgerekte roze gekleurde wolken die langzaam voorbijglijden boven het onverschrokken, arrogante hoofd van de goed in zijn cockpit verschanste piloot, met de kraag van zijn jack omhoog, zijn muts en zijn bril, zijn blik op de horizon gericht en zijn aantrekkelijke scheve glimlach. Het vliegtuig helt lichtjes naar een kant over en de zon weerkaatst verblindend in de voorruit, dan draait het majestueus en verzinkt in het rood met smaragden ochtendlicht.

Hier beneden, in deze naargeestige doodlopende steeg hangt een zwarte vlinder stil fladderend met zijn fluwelige vleugels boven de margriet voor het huis, spiedend naar de verholen intimiteit van de morgendauw.

Hij doet de dagdeur open, zijn handen zitten onder het bloed, in de linker houdt hij een gevild konijn bij de achterpoten. Tegenover hem, pal voor de drempel, de trenchcoat open en de zwarte stropdas losjes om de boord, kijkt inspecteur Galván hem streng aan. 'Is je moeder thuis?'

'Ook dit is weer niet uw geluksdag, bwana.'

'Weet je waar ze is?'

Het hoofd gebogen en de ogen neergeslagen maar de arm met het bloederige konijn uitgestrekt, omhooggehouden als een trofee, of eigenlijk alsof hij het rechtstreekse en onomstotelijke bewijs wil leveren van een wreedheid die hem niet vreemd is. David probeert zijn poeslieve glimlach uit. 'Nee, u heeft geen mazzel, helaas. Maar ik zal de memsahib zeggen dat u hier was. Wilt u verder nog iets?'

'Dat je je gedraagt, pias. Je moeder had wel iets beters verdiend.'

'Mijn moeder, meneer, heeft u dat dan nog niet gehoord...? U zou het toch moeten weten, want u loopt haar immers overal achterna.'

'Dat gaat jou niet aan. Waar is ze heen?'

'Dat zal ik u vertellen. Mijn moeder, meneer, heeft een miskraam gehad. Ze is gevallen toen ze in de keuken dit konijn de nek wilde omdraaien. En door de regen...'

'Wat vertel je nu weer voor onzin?'

'Dat hoort u toch, bwana. Ze is hevig bloedend opgehaald door een ambulance. Op dit moment zal ze wel met spoed worden geopereerd en een bloedtransfusie krijgen, onder verdoving met zo'n maskertje. Ik heb het konijn in mijn eentje koud moeten maken, een karateslag in zijn nek, zo, kijk. Klaar! Dat kan ik heel goed, één klap, keurig, snel en zonder medelijden, weet u? Je moet je niet door medelijden laten meeslepen als je een konijn doodt, dat zei oma Tecla altijd. Daarna heb ik het gevild en zijn ingewanden eruit getrokken.'

Zonder te knipperen kijkt de inspecteur hem aan. Zijn meest onverstoorbare gelaatshelft, met het ietwat zijdeachtige patina en de mistroostige trekken, waarin het staalblauwe oog iets kleiner is en dieper ligt dan het andere, lijkt ten prooi aan een zenuwtic. Hij denkt een paar tellen na.

'Wat moeten we toch met jou aan, jongen?'

'Ik weet het niet, bwana. U moet maar zien.'

'Je bent al bijna vijftien. Wat gaat er in godsnaam met jou gebeuren?'

'Ik vind uw regenjas heel mooi, weet u dat? Echt, ik meen het. Hij is tof. Als ik zo'n regenjas had, deed ik hem niet eens uit als ik naar bed ging.'

Hem recht aankijkend alsof hij op het punt staat aan te vallen, terwijl de diender daar nog steeds als een houten klaas geposteerd staat, heeft David de gelegenheid om de grote revers en de lussen te bekijken, de vele knopen en gespen waar hij zo weg van is, en nu registreert zijn neus, of misschien een hint van zijn fantasie de geur van de groene waterdichte stof, het aroma dat de natte pijnbomen na een regenbui over het ravijn verspreiden wanneer hij en Pauli met een scheermes in de hand vruchteloos op een hagedict loeren.

De inspecteur ontdoet zich van de trenchcoat, schudt hem uit, slaat hem over zijn schouders en verzinkt weer stil in gedachten, zijn handen waarin hij zijn hoed bij de rand vasthoudt gekruist voor zijn buik. Hij lijkt eraan gewend om zo te blijven staan en iemand zwijgend aan te kijken, alsof hij verwacht aan diens gezicht iets bijzonders te zien, iets wat te maken heeft met het goede of slechte dat je van zo'n ellendeling van de Sociale Brigade kunt denken, of met iets ongepasts wat je misschien hebt gedaan of gezegd. Zo dicht bij iemand en toch zo ver weg, zo boven op je en om je heen met zijn waterige blik en tegelijkertijd zo buiten je, zo afstandelijk dat je nooit weet of achter zijn houding de gebruikelijke bedreiging schuilgaat of misschien een heimelijk verlangen je vriendschap en bescherming te bieden.

Deze man is een politieagent die zich soms gedraagt alsof hij het niet is, zou de roodharige korte tijd later zeggen. Om die reden – had pappa haar kunnen antwoorden – is hij nog minder te vertrouwen, liefje.

Het konijn is van onder tot boven opengesneden maar nog niet helemaal schoongemaakt; bloederige ingewanden hangen er nog uit.

'Zou je dat vervloekte konijn onder mijn neus weg willen halen?' vraagt de inspecteur.

David laat zijn hoofd nog dieper zakken en haalt zijn arm naar achteren, maar niet ver genoeg om de inspecteur de aanblik van het week geworden, dampende vlees te besparen.

'Tien lullige centen geeft de voddenman ons voor de vacht. Omdat we arm zijn, want anders... Op een dag luis ik hem erin. Ik ken een jongen uit El Carmelo die katten vangt, hij draait ze hun strot om en verkoopt ze als konijnen.'

'Nee maar. Nog zo'n veelbelovend type.'

'Bent u al iets te weten gekomen over die man die zich in de Calle Legalidad heeft opgehangen? Weet u al wie het was en waarom hij het gedaan heeft? Ik wel, ik heb een paar vrienden in de Calle Verdi die ul les weten...'

De inspecteur legt hem het zwijgen op, hij steekt zijn vinger naar hem uit, maar noch het gebaar noch zijn stem verraadt enig ongeduld: 'Ik heb je laatst nog gewaarschuwd. Weet je nog wat ik gezegd heb?'

'Ja, bwana. U zei dat ik het verkeerde pad op ga,' fluistert David.

'Maar u wilde al weggaan, toch? Of heeft u een huiszoekingsbevel bij u?' Hij kijkt niet omhoog maar ziet wel dat de rechercheur een sigaret opsteekt met zijn Dupont-aansteker, plonk!, en hem weer in zijn zak stopt. 'Want als u het huis nog een keer wilt doorzoeken, mag u wel opschieten, mamma kan zomaar aan die miskraam bezwijken. En nu ik eraan denk, het zou me niets verbazen als dat ook door de atomische bom komt, zoals mijn oma die noemde, het is namelijk zo dat mamma zich precies sinds de dag waarop er een foto van die reuzenpaddestoel in de krant stond niet goed voelt, vast door die radioactiviteit. Die dag was de temperatuur tot tienduizend graden gestegen. Meneer Roig, de vader van mijn vriend Jaime, die drogist is en veel verstand van scheikunde heeft, zegt dat de bom net een scheet van giftige lucht is en dat hij bij ontploffing een soort slijm uitstoot als van een vertrapte slak, dat eerst opstijgt en zich in de wolken nestelt en dan met de regen uit de hemel valt, waardoor op de hele wereld veel mensen zullen doodgaan, om te beginnen iedereen die tbc, astma of bronchitis heeft...'

De inspecteur laat hem praten en rookt rustig door. Hij kijkt minachtend onverschillig hoe zijn lippen bewegen maar lijkt niet naar hem te luisteren. David praat met zachte stem, zonder van de wijs te raken; urenlang zou hij zo kunnen doorgaan, het ene nonsensverhaal aan het andere vastknopend. Het opengesneden konijn, dat hij stevig in een vuist omhooghoudt, verspreidt een warme, indringende walm en de inspecteur kijkt beiden beurtelings aan, de kletsmajoor met het gebogen hoofd en het gevilde konijn.

'Nu is het welletjes. Hoofd omhoog. Vooruit, omhoog. En kijk me aan, ik eet je heus niet op. Heb je het je moeder namens mij gegeven? Zeg, durf je me niet aan te kijken als ik tegen je praat? Kijk me aan!'

'Mijn ogen en mijn oren doen pijn, bwana.'

'Heb je haar het zakje gebrande koffie gegeven dat ik laatst heb meegebracht?'

'Ja, bwana.'

'Zei ze nog iets?'

'Ze zei: wat denkt die man wel, we zouden het niet moeten aannemen, maar het komt goed uit.'

De inspecteur kijkt hem zwijgend aan terwijl hij zijn hoed opzet. Van de in de open konijnenbek zichtbare tandjes glijdt een druppel bloed, die tussen zijn schoenen valt. De arm die het konijn vastheeft, is duidelijk moe, maar het hoofd houdt de gekunstelde persiflage van onderdanigheid vol, de ogen koppig op de grond gericht.

Nu, vele jaren nadat hij me zelf van die ontmoeting heeft verteld, zie ik in zijn blik die over de mozaïekvloer strijkt nog steeds die spottende, brutale kwaadaardigheid fonkelen die hij tot aan zijn dood zou koesteren, en ook de bebloede tandjes van het gevilde konijn dat hij met zijn vuist als een vlag omhooghoudt terwijl inspecteur Galván rechtsomkeert maakt en over zijn schouder een laatste verdrietige, kille blik op David en diens prooi werpt.

Paulino Bardolet stormt met tranen in de ogen de duisternis van de bioscoopzaal in en zoekt tussen de stoeltjes de gouden glans van Davids haar. De film is al een hele poos bezig.

…de slachting bij Chucoti staat als een wond die nimmer zal helen, gegrift in het geheugen van de lansiers van het 27ste regiment van de Lichte Brigade.

Opeens verschijnt er een vlam op het lieve gezicht van Olivia de Havilland, de vlam breidt zich uit, slokt haar grote donkere ogen en haar mond op, de film sterft weg en de Delicias is gehuld in duisternis. Zodra hij naast David zit en deze in een geur van jodiumtinctuur hult, gaat zijn bevende hand op zoek naar die van zijn vriend, die hem ontwijkt.

'Je bent te laat, joh,' zegt David.

'Ik mocht niet eerder weg van mijn oom.'

'Alweer die oud-legioensoldaat geschoren?'

'Ja, ik moet nu ook elke donderdag.'

'En steeds om dezelfde reden, zodat je dienstmeisje kunt spelen en zijn koppel kunt schoonmaken en zijn zomerhelm en zijn uniform?'

'Wat kan ik eraan doen!' snottert Paulino.

'Eigen schuld, dikke bult. En dan moet je zijn gorillakop inzepen en hem scheren... En ook nog dankbaar zijn. Geweldig hoor, sukkel. Je zegt dat hij je dat laat doen om met een scheermes om te leren gaan? M'n zolen! In jouw plaats zou ik hem een flinke jaap in zijn halsader geven, en hop, laten bloeden als een rund. Dat zou ik doen.'

'Ik mag ook zijn pistool uit elkaar halen en het dan een poosje houden. Het is een echte Star... Nou, ze zouden toch tenminste het licht wel weer aan mogen doen,' vervolgt hij, maar op dat moment is de pauze afgelopen en David zegt: Stil, laat me de film zien, en hij geeft hem een por in zijn zij. 'Niet daar, alsjeblieft, volgens mij heb ik een gebroken rib. Au, au, wat doet dat zeer!'

'Niet altijd overdrijven, Pauli.'

Maar al snel bespeurt hij naast zich het angstige trillen van Paulino's neusvleugels, het snorkende geluid van zijn ademhaling en de rancuneuze uitstraling van zijn afgeranselde jukbeenderen en opgezette lip, en hij kan wel raden – want hij durft nog niet naar hem te kijken – dat zijn wenkbrauw openligt en dat zijn gezwollen ooglid het oog bijna geheel bedekt. Nu straalt er een haast verblindende zilveren glans van het doek af, afkomstig van de wijde vlakte tussen de heuvels van Balaklava, en de galop van de lansiers van het 27ste regiment verspreidt zich over de vrijwel lege zaal. De zeshonderd ruiters rijden door de Vallei des Doods. Paulino krimpt ineen op zijn stoel en bereidt zich voor op Davids onderzoekende blik en diens verwijten; hij mompelt: 'Het doet geen zeer meer. Houd maar op met je gespot.'

In de schaduw zoekt David de hand van zijn vriend, die hij eerst ontweken had, en blijft dan even stil zitten. Kapitein Vickers rijdt aan het hoofd van zijn lansiers naar de heuvels van Balaklava. Een halve mijl...

'Laten we nu meteen met je vader gaan praten.'

'Geen denken aan!' zegt Paulino. 'Dan slaat oom Ramón me dood.'

'Help jij hém dan om zeep, klojo. Steek je scheermes in zijn borst en vlucht naar de Kale Berg. Doorboor hem met een lans, net als die smeerlap van een Surat Khan!'

Een halve mijl, een halve mijl, een halve mijl. De zeshonderd rijden door de Vallei des Doods.

'Wat een prachtfilm, hè David?

'Maak hem af! Maak hem af!'

De Spitfire in vlammen

Zonder de lichtelijk spottende trek van zijn lippen te halen neemt luitenant Bryan O'Flynn zijn handen van zijn heupen, hij springt behendig over het prikkeldraad, gaat op het voeteneind van Davids bed zitten en slaat zijn benen langzaam en elegant over elkaar. De gele gordel van de parachute zit nog om zijn linkerdij gebonden.

Als ik mijn handschoenen niet zo snel en ondoordacht had uitgetrokken, zegt hij klagelijk met een blik op zijn zwartgeblakerde handen, waren ze niet ontveld.

De warmte van deze augustusnacht lijkt hem niet te deren, hij doet zijn jack niet uit, houdt de vliegbril op zijn voorhoofd en het sigarettenpijpje tussen zijn lippen. Zijn broek is gescheurd en verspreidt een aangename olielucht. Van dichtbij ziet hij er anders uit. In de overblijfselen van de cockpit achter hem snort nog iets op het dashboard van de Spitfire.

Mijn nagels zijn ook bruin, zegt David solidair.

Dat is niet hetzelfde. Jij weet niet hoe de Luftwaffe huishoudt, jongen.

En mijn vader heeft ook een scheur in zijn broek.

Wat niet hetzelfde is, joh. O nee.

Hij moest ook vluchten. Net als u, houdt David vol. Bent u zo aan de Duitsers ontkomen, net als u nu deed, door over het prikkeldraad te springen en rustig weg te lopen over de verwoeste velden van Frankrijk?

Well, in mijn geval lag het wat gecompliceerder. Dat kan je vader je wel vertellen. Hij heeft me de weg teruggewezen naar Biggin Hill, mijn operatiebasis. Maar je moet niet denken dat hij veel meer heeft gedaan, behalve je arme moeder ergens een slecht geweten over bezorgen... Vraag het hem maar.

Mijn vader is al lang geleden van huis weggegaan.

Oh ja? Luitenant O'Flynn schuift de bril iets hoger op zijn voorhoofd en vervolgt: Weinig zitvlees, die lieve vader van je. *Well*, dan zul jij in je eentje moeten uitmaken wie hier *the hero* is en wie *the villain*, jongen.

De politie is naar hem op zoek, bromt David, en zijn slaapdronken blik blijft steken bij het jack dat nauw om het slanke bovenlijf sluit. Hij ruikt, misschien in zijn droom, een andere geur, zoetiger, van verschroeid leer of gepofte eikels. Er slaat nog wat damp van de handschoenen die in O'Flynns linkervuist zijn geklemd.

Waarom staat er bij u aan stuurboord THE INVISIBLE WORM geschilderd? wil David weten. Staat dat op alle Spitfires van uw squadron? Luitenant O'Flynn kijkt naar zijn geblakerde handen en geeft geen antwoord. David steunt met een elleboog op zijn kussen en zijn wang op zijn handpalm, hij werpt een onderzoekende blik op het zwijgende gelaat en de katachtige bewegingen van de piloot, die zijn ogen half heeft toegeknepen. Waarom bent u er niet met uw parachute uit gesprongen?

Ik dacht dat ik wel kon landen. En dat is me bijna gelukt.

Wat is er dan gebeurd?

Eerlijk gezegd hebben ze me niet neergehaald. Het spijt me dat ik je moet teleurstellen, maar er was geen sprake van neerstorten of een spiraal des doods. Ik ben onder heel belabberde omstandigheden geland en het toestel sloeg over de kop.

Laatst, herinnert David zich na een poosje, is mijn moeder bij me op bed komen zitten, waar u nu zit, en ze bleef een hele tijd naar u kijken.

Dat heb ik gemerkt.

Ze zat helemaal in elkaar gedoken naar u te kijken, alsof ze zat te bidden.

Well, laten we zeggen dat ze nog wel iets anders deed, jongen.

Wat bedoelt u?

Ahum, *well*. De piloot is op zijn hoede en schenkt David zijn befaamde scheve glimlach. *Right or wrong, it is my life*. Je moet intussen toch weten dat ik een held van de raf ben.

Nou en? Mijn vader ook. David denkt even na en kiest dan voor een zachtere toon: Maar ja, als iemand hem nu zou zien...

Oh yes, hij sleept zich daar ergens voort met die lelijke wond aan zijn achterste, ongeschoren, blootsvoets en met de fles aan zijn mond, tja, inderdaad, een hopeloos geval.

Hij komt er heus weer bovenop.

Oh sure, hij laat zich niet zo snel uit het veld slaan. Maar je moet ons natuurlijk niet met elkaar vergelijken, hè? Ik ben een toppiloot. Althans, dat zegt men... Geloof je me niet? In de slag om Engeland heb ik het opgenomen tegen niemand minder dan Werner Mölders, de crack van de Luftwaffe. Geloof je me niet?

Wat David het meest opvalt is dat de piloot praat alsof het hem heel weinig kan schelen wat waar is en wat niet. Chispa is ook wakker geworden of droomt dat hij dat is, hij ligt bij de muur onder het oor van dokter P.J. Rosón-Ansio en komt nu aangesukkeld om aan de verschroeide broek vol vetvlekken van de vlieger te snuffelen.

Dat is mijn hond, zegt David. Vindt u hem leuk?

Oh no, alsjeblieft, vraag me niet of ik die *dog* leuk vind. Je moet weten dat mijn grootste wens niet is om me weer bij mijn squadron aan te sluiten en te gaan vliegen, maar om terug te gaan naar mijn huis in Chelsea en daar wacht net zo'n hondje op me als dit.

Zou u Chispa mee willen nemen?

Oh please, laten we het hier niet verder over hebben. Weet je, ik zit helemaal in de kreukels door die dreun, mijn handen zijn ontveld en ik heb erg weinig zin om te praten, ik ben niet *in the mood*, snap je? Dus je moet het maar goedvinden dat ik me nu even om mijn vliegtuig bekommer, of wat ervan over is.

Het is een Spitfire MK IX – David drenkt de op zijn verhemelte slapende woorden in speeksel en spuwt ze zachtjes door een mondhoek uit. Spitfire betekent vuurspuwer. Motor Rolls Royce Merlin 61 met twaalf cilinders, vier 7,7 mm Browning-machinegeweren met elk 350 patronen, twee 20 mm Hispano-kanonnen, een vierbladige Rotolpropeller, gepantserde voorruit en schuifkoepel.

Nu is het niet meer dan een berg oud roest, zoals je ziet, zegt de luitenant. En terwijl er een buitenmaatse grijns van zijn gezicht druipt: *Well, it is my life.* Ik neem aan dat je moeder daarvan onder de indruk is geraakt...

Dat was niet het enige. U moet het me vertellen.

Ik? Wie begrijpt het hart van een vrouw? *Well,* nu moet ik ervandoor. Welterusten. Hij neemt afscheid maar zegt nog terwijl hij opstaat: Weet je? Ik had in mijn cabine drie zijden pyjama's die ik in Bordeaux had gekocht en ik wil ze er graag uithalen als ze niet zijn verbrand, en ook nog een witte roos...

Als luitenant Bryan O'Flynn weg is, klautert Chispa op het veldbed en nestelt zich aan Davids voeten, opgerold in het kuiltje waar nog enige menselijke warmte in zit, de geur van het avontuur of zoiets. De piloot neemt zijn plaats op het desolate slagveld weer in. Zijn rebelse blik over de uitgestrekte Vallei des Doods reikt tot onze verafgelegen heuvel in de bezette stad.

'Goedemiddag, mevrouw Bartra. Heeft u een paar minuten voor me?'

Er zijn nog geen drie dagen verstreken sinds zijn laatste poging, en daar is de politieman weer. De atmosfeer is nog steeds benauwd warm, af en toe maken een paar vredige regendruppeltjes de straten nat en versmelten daar met het goedaardige kabbelen van verlatenheid. Maar de stilte op de aangevreten straathoeken heeft niets vredigs. Pal naast de natte maar piekfijne margriet, zijn trenchcoat over een arm geslagen en zijn waterdichte hoed in de hand, is inspecteur Galván strak naar de deur blijven staren tot die opening.

'Wat is er van uw dienst?'

'Ik ben vanochtend langs geweest, maar er was niemand thuis. Het gaat om de kwestie met uw man.'

'Zegt u het maar.'

De inspecteur kijkt omhoog naar de grijze lucht terwijl hij de regenjas naar zijn andere arm overbrengt. 'Gelukkig is het opgehouden met regenen,' zegt hij.

'Het lijkt erop.'

Mamma doet een hand achter haar rug alsof ze haar werkjas wil losknopen en uitdoen. Maar ze doet niets van dat alles, ze duwt haar buik verder naar voren door op haar nieren te drukken. Dit is de derde of vierde keer dat ze zich op een verhoor voorbereidt, op dezelfde plaats en tijd, met dezelfde vermoeide gelatenheid en dezelfde koele, lankmoedige kordaatheid. David is niet thuis en zij denkt dat dat maar beter is ook. Met een hand steunt ze tegen de deurlijst en met de andere, die ze op haar buik heeft gelegd die pijn begint te doen, voelt ze dat ik schrik. 'Keer om, alsjeblieft.'

'Wat zegt u?'

'Ik heb het tegen mijn kind. Ga jij nou liggen, anders val je nog, gekwelde ziel.'

Ze heeft haar ogen naar beneden gericht, op haar gezwollen enkels waar Chispa's warme snuit naar vertrouwd gezelschap snuffelt, waggelend op zijn vier poten en met zijn vacht vol klitten. De inspecteur bukt om hem te aaien. 'Hallo, vriend. Hier ben ik weer, om je bazinnetje aan haar hoofd te zeuren. Ik zie wel dat ze nog niet heeft besloten om je uit je lijden te verlossen...'

'Probeert u mijn zoon maar te overtuigen.'

'Die jongen? Hem kan niemand ergens van overtuigen,' gromt de inspecteur terwijl hij weer overeind komt.

Tussen zijn bemodderde schoenen en mamma's groene sloffen lijkt Chispa staande te slapen. Hij richt zijn kop op, de inspecteur buigt de zijne en wijst met een vinger naar hem, waarop de hond op de grond gaat liggen. Achter de roodharige en rechts van haar kan de inspecteur in de schemerdonkere hal-eetkamer de twee rieten stoelen en de ronde tafel onder het raam onderscheiden. Na een korte stilte waarin ze haar handen aan haar werkjas heeft afgeveegd, zucht ze en doet ze haar ogen dicht. 'Sinds zes maanden heb ik niets meer van mijn man gehoord, dat heb ik u al gezegd.'

'Ik weet het. Ik zou u ook liever niet meer lastigvallen, zeker niet in uw toestand. Maar er is een bevel tot aanhouding en gevangenneming.'

'Hij heeft niets verkeerds gedaan.'

'Ik spreek geen oordeel over hem uit, mevrouw. Dat valt niet binnen mijn competentie.'

'Luistert u, inspecteur, misschien begrijpen we elkaar. U bent beleefd tegen ons geweest, u hebt zich in ieder geval niet ruw of neerbuigend gedragen, en daar ben ik u dankbaar voor... Maar u verspilt uw tijd.'

'Mogelijk. U zult het niet geloven' – er verschijnt een spoor van een glimlach om zijn lippen – 'maar tijd verspillen is een deel van mijn werk.'

'Dat kan ík me niet veroorloven.'

De inspecteur denkt een paar tellen na. 'Nu ja, in elk geval moeten er in deze kwestie een paar zaken worden verhelderd... Te uwer informatie, met name.'

'Ik begrijp niet waar u op doelt.'

'Laten we eens zien. Kent u de vriend van uw zoon, dat dikkerdje met dat kaalgeschoren hoofd dat een beetje loenst?'

'Die komt hier vaak. Waarom vraagt u dat? Wat heeft die met mijn man te maken?' Terwijl de inspecteur bedenkt wat hij zal antwoorden, vervolgt ze: 'Ik snap het al. U denkt zeker dat we misschien bevriend zijn met de familie en dat Víctor zich bij hen thuis verstopt...'

'Nee, daar dacht ik niet aan.'

'Die jongen is de zoon van de kapper van de Plaza Sanllehy.'

'Er is helemaal geen kapperszaak op de Plaza Sanllehy,' zegt de inspecteur.

De roodharige glimlacht. 'Dat heb ik ook niet beweerd. U bent altijd zo bijdehand, is het niet? Meneer Bardolet is een kapper zonder winkel. Hij scheert de zieken in het Cottolengo Padre Alegre en in de Esperanza-kliniek, en ook de oude mannen van het tehuis in de Calle San Salvador. Het is een oude, schichtige man die zo goed en zo kwaad als het gaat zijn brood probeert te verdienen nadat hij twee jaar in de bak heeft gezeten, jullie zullen wel weten waarom...'

'Mij is niet bekend waarom die meneer gevangen heeft gezeten en ook niet of hij dat verdiend had,' zegt hij langzaam en beheerst, maar onmerkbaar gekwetst. 'Ik ben geen rechter, mevrouw Bartra, ziet u me daar niet voor aan, alstublieft. Nee,' – hij schudt zijn hoofd, denkt even na en gaat dan verder –: 'Nu ja, laten we het hier niet meer over hebben. Mag ik u een raad geven? Als u op een of andere manier met uw echtgenoot in contact kunt komen, wat ik aanneem, laat u hem dan weten dat hij zich het best vrijwillig kan melden. Dat zeg ik u in vertrouwen. Hij zal er alleen maar baat bij hebben. De aanklacht schijnt niet zo ernstig te zijn.'

'Oh nee? Dat is een goeie!' Mamma glimlacht nu breeduit en haar stem is een streling, een windvlaag. 'Dat wilde ik nou net nog horen!'

'Bovendien,' zegt de inspecteur, 'weet ik dat de regering een decreet voorbereidt waarbij amnestie wordt verleend aan betrokkenen bij vergrijpen inzake militaire opstand.'

'Dus u, een agent van het regime, vindt het niet ernstig dat iemand er denkbeelden op na houdt die ingaan tegen de nieuwe staat, zoals jullie dat noemen. Hoe zit het nou? Wilt u beweren dat mijn man niet juist vanwege zijn ideeën wordt vervolgd? Of denkt u anders dan zij?'

'Ik ben slechts een ambtenaar, mevrouw. Wat ik denk, interesseert niemand.'

'Aha. Hoe dan ook, ik heb geen manier om met mijn man in contact te komen. Ik weet niet waar hij is. Allemachtig, hoe wilt u dat ik het hem zeg? Hoe dikwijls hebben we het hierover gehad, inspecteur?'

'Ik heb het dossier van uw man gezien. Sommige aanklachten werken op je lachspieren.'

'Hij moet toch wel heel wat op zijn kerfstok hebben, anders zouden ze u niet zo vaak hierheen sturen… Of doet u dat op eigen initiatief?'

De inspecteur lijkt de vraag niet te hebben gehoord. Na een korte stilte zegt hij: 'Het probleem, mevrouw Bartra, is waarschijnlijk het gedoe met die subversieve propaganda en zo, waar hij begin dit jaar zo druk mee was. Maar dat van vijf jaar terug, zijn gesmokkel en zijn activiteiten binnen het netwerk dat geallieerden hielp ontsnappen, ik geloof niet dat hij daarover hoeft in te zitten. Vandaag de dag kijkt de regering wel anders tegen die dingen aan.'

'Staat dat in zijn dossier, dat hij gesmokkeld heeft?'

'Och, daar moet u niet van opkijken, dat doen er zoveel,' zegt de inspecteur. 'En wel ergere dingen. We weten dat sommigen met als dekmantel het verzet je reinste schurken zijn geworden. Als ik u dat allemaal zou vertellen…'

'U kent Víctor niet. Wat staat er nog meer in het dossier?'

'De tenlastelegging is hier en daar erg vaag… Uw man heeft onder andere een clandestiene vergadering bijgewoond, hier in Barcelona, waar hij later een heel kletsverhaal over heeft opgehangen. Zijn bekentenis is een aaneenschakeling van leugens, pure dwaasheid, als je die leest weet je niet of je moet huilen of lachen. Het is een aardig pak getypte en handgeschreven vellen, een stuk of dertig, veertig, met een hoop onzin.'

'Waarom laat u me dat dossier niet eens zien, inspecteur?'

'Dat kan ik niet doen, mevrouw. Daartoe ben ik niet bevoegd.'

'Beweert u niet dat u dat niet kunt. Een rijksambtenaar, een politieman als u, zo efficiënt en doortastend, zou geen document kunnen meenemen van het hoofdbureau of van de rechtbank of van waar ook? Kom, doet u dat voor mij…'

'U zult er alleen maar angstiger door worden…' Hij kijkt haar strak aan en vervolgt: 'Nou ja, ik zal zien wat ik kan doen. Maar ik beloof niets.'

Weer verhuist hij de regenjas naar zijn andere arm en over mamma's schouder werpt hij een blik het huis in. Hij zou wel willen dat de roodharige zo attent was hem binnen te vragen, tjonge, wat zou hij dat graag willen, maar zij houdt de deur op een kier en blijft tegen het kozijn leunen; in een houding die ontspannen en vriendelijk is, maar tevens volstrekt duidelijk: u komt geen stap verder, althans voorlopig. Achter haar loopt Chispa weer langzaam de koele schemering van de woning in, naar de salontafel met coupons, een koffiekopje, een opengeslagen boek dat de inspecteur herkent en een asbak met een walmende sigaret. Hij ploft neer onder de tafel en wacht terwijl hij de politieman vals aankijkt.

'Hagedisje, wat ben je mooi, hagedisje. De natuur is goed voor je geweest en heeft je geen bloed gegeven, hagedisje, nog geen druppeltje,' declameert Paulino heimelijk, in zichzelf gekeerd, opgaand in zijn eigen zwakke stem, eerbiedig gebukt over een rotsblok en met in zijn hand het opengeklapte scheermes, waarmee hij zwaait, zijn pink wijst naar buiten, sierlijk en subtiel als een echte beroepskapper.

Hoog in de lucht, tussen de laaghangende stapelwolken, opent zich een parelmoeren nis en verschijnt een zonnezwaard dat diagonaal tegen de rivierbedding aan leunt. Boven het landhuis hangt de laagste wolk met in zijn buik een paarsrode gloed. Aangetrokken door de voetstappen en het vreemde gepraat, verschijnt inspecteur Galván in het ravijn met half dichtgeknepen ogen tegen een schittering waarvan hij niet weet of die afkomstig is van de geschoren jongensschedel of van het kappersmes.

'Wat loop je hier beneden te zoeken, jongeman?'

'Ik zit op David Bartra te wachten.'

'Heeft je vader je niet gezegd dat we je hier niet willen zien?'

'Ik heb een boodschap voor David...'

'Wat doe je met dat scheermes?'

'Dat deugt niet meer, het is waardeloos, kijkt u maar,' zegt Paulino met verstikte stem. 'Mijn vader had het in de vuilnisbak gegooid. Ik gebruik het alleen om staarten van hagedicten af te snijden.'

'En wat voor de donder zijn dat voor dingen?'

'Een zeldzaam soort hagedissen met een geelgroene buik en die veel slapen... Ibiza-hagedicten noemen ze die. Ze eten graag tomaten en alle soorten schoolboeken.'

'Hoe heet je?'

'Paulino Bardolet Balbín, om God en u te dienen.'

De inspecteur kijkt op zijn horloge, werpt een blik naar de villa en richt dan zijn aandacht meteen weer op Paulino. Zwijgend blijft hij staan. Zijn handen in zijn zakken, zo te zien heeft hij geen haast maar doodt hij de tijd.

'Wat is er met je gezicht gebeurd? Doe je hoofd eens omhoog, zodat ik je kan zien.'

'Er zijn hier niet veel hagedicten...'

'Geef antwoord. Wie heeft je gezicht zo toegetakeld?'

'Ik ben door een wesp gestoken. Of eigenlijk door twee of drie wespen tegelijk...'

'Jij bent het neefje van een voormalig legioensoldaat, die nu verkeersagent is... hoe heet hij ook alweer? Balbín.'

'Ja meneer, oom Ramón.'

'Dan ben je gestoken door een wesp met een zomerhelm, misbaksel. Dat durf ik te wedden.'

'Goed dan,' zegt Paulino, 'ik zal u de waarheid zeggen. Ik heb een pak slaag gehad van een stel Kabylen uit de Carmelo-buurt.'

'Waarom zou je oom jou toch zo hardnekkig afranselen, jongen? Misschien omdat hij je op het rechte spoor wil brengen, vanwege je weet wel wat?'

'Ik word heus nog geen vuile klikspaan als ik kwaad ben, kom nou!'

'Houd je brutale mond. Je weet donders goed waar ik het over heb, lamstraal.'

'Ik heb David beloofd dat ik nooit zou klikken...'

'En heb je het ook niet tegen je vader gezegd?'

'Bij ons thuis heeft mijn oom meer te vertellen dan mijn vader. Maar ik ben echt door een stel van die rotimmigranten geslagen, meneer de inspecteur. Daarom proberen David en ik hagedissen te vangen... Maar u moet niet denken dat we ze kwaad doen, hoor, we spelen niet meer met ze zoals vroeger' – Paulino praat op zijn gebruikelijke afgemeten toon verder als hij ziet dat de inspecteur is afgeleid, want die kijkt opnieuw op zijn horloge en dan naar de deur van het landhuis –, 'we hangen ze niet meer op en leggen ze niet meer met afgehakte pootjes op de tramrails, we pompen hun buik niet meer vol azijn met een pipetje, we laten ze ook niet meer roken... Die gemene dingen doen we niet meer, hoor, we snijden alleen hun staartje af. En als we veel staartjes hebben, koken we die in tijmwater met witte margrietenblaadjes, drie vleugels van zwarte vlinders, een van een gele vlinder en een zijderupsje, en van dat alles kun je een zalf maken die heel goed is tegen celweefselontstekingen en kneuzingen, en vooral tegen aambeien en okseltumoren. Dat recept heb ik van een heel oude verpleger van het Cottolengo gekregen toen ik zijn kin inzeepte, ik smeerde hem zonder dat ik het wilde helemaal onder het schuim, ik was afgeleid en ik kreeg op mijn kop van mijn vader... Die baarden in het Cottolengo zijn echt rottig, weet u, je moet een hele vaste hand hebben met je kwast, want het gezicht van die opaatjes is vertrokken door verlamming en zo, en ze bewegen aan één stuk door...'

'Zou jij niet op school moeten zitten?' vraagt de inspecteur ongeïnteresseerd terwijl hij opnieuw een blik op de nachtdeur werpt. 'Vertel eens, heb je mevrouw Bartra zien weggaan?'

'Nee, meneer.'

'Ik vroeg je waarom je niet naar school gaat.'

'Omdat ik voor kapper aan het leren ben. 's Zondags ga ik mijn oom scheren en blijf ik bij hem eten, mijn vader wil dat ik het vak leer. Maar mijn oom wil dat ik later politieagent word. Hij heeft geen kinderen, hij is niet getrouwd... Hij wil van mij een nuttig iemand maken die God en het vaderland dient.'

'En wat zegt je vader?'

'Dat dat prima is.'

'Kom naar boven en geef me je mes.'

'Ik heb het echt alleen maar bij me voor de hagedissen. Ik zweer het.'

'Doe wat ik je zeg.'

Paulino klautert de helling op en gaat recht voor de inspecteur staan die zijn opgezwollen, dichte oog bekijkt, het ooglid als een helse steenpuist die op barsten staat. Hij pakt hem het mes uit handen en bestudeert het gehavende blad. Behalve het blauwe oog heeft Paulino een neus als een ballon en snuift hij voortdurend bloederig vocht op.

'Twee jaar geleden,' zegt de inspecteur als hij het mes dichtklapt, 'gingen David en jij samen naar een openbare school in het Parque Güell. Heb je zijn vader daar weleens gezien?'

'Eén keer maar. David kwam bijna nooit naar school en ze hebben hem er al heel snel af gestuurd.'

'Waarom hebben ze hem eraf gestuurd?'

'Hij had zijn broek laten zakken bij de les vorming van de nationale geest. Hij zei dat zijn broek vanzelf was afgezakt, maar ik weet dat hij het expres heeft gedaan...'

'Zijn vader is gaan protesteren en heeft aardig wat stampij gemaakt, is het niet?'

'Nee, meneer. Dat was zijn moeder.'

'Mevrouw Bartra?'

'Ja, meneer. Ze heeft een inktpot naar het hoofd van de school gegooid en hem een ezel en een huichelaar genoemd. En David moest weg.'

'En wat is er daarna gebeurd?'

'Niets. Mevrouw Bartra heeft David toen thuis lesgegeven. De geluksvogel! 's Zomers had hij geen examens en ging hij naar het strand, met zijn opa en oma... Maar sinds zijn vader ervandoor is, is hij veranderd, ik weet niet wat er met zijn oren aan de hand is. Idioot gewoon! Het lijkt wel of hij antennes in zijn oren heeft, echt waar, volgens mij moeten die wel een sterkte hebben van vijfhonderd megahertz, op zijn minst. Als je binnen zijn magnetisch veld komt, vangt hij zelfs geluidjes op zoals wanneer je speeksel doorslikt, heeft hij me gezegd...'

'Zo is het wel genoeg,' bromt de inspecteur terwijl hij het mes weer langzaam openklapt. 'Ik wil je hier niet meer zien. Begrepen?'

'Ik doe niks wat niet mag.'

'Hoe zou je het vinden als ik je beval om hem nu direct open te knopen?'

'Wat, meneer?'

'Houd je maar niet van de domme. Je gulp.'

'In mijn korte broek zit geen gulp, meneer.'

De inspecteur wipt het mes behendig van de ene hand in de andere, een grijns om zijn ogen alsof hij een grapje maakt.

'En als ik je zei dat je hem er aan de zijkant uit moet halen? Snap je wat er dan met je zou kunnen gebeuren? Of heb je liever dat ik met mevrouw Bartra ga praten...? Rustig maar, ik zal je niets doen. Maar luister goed naar me: je kunt erop rekenen dat iemand hem op een dag in plakjes snijdt als je je leven niet betert. Begrepen?'

Paulino buigt zijn hoofd. 'Mag ik nu alstublieft mijn mes weer?'

'Hier. Ga naar huis terug en laat ze die artisjok verzorgen die je als neus hebt.'

'Ik heb mijn medicijn, meneer,' zegt Paulino en haalt zijn neus op, terwijl hij naar opzij wegloopt over het pad naar de Avenida Virgen de Montserrat. 'Ik heb mijn hagedissenstaartjes.'

'Ik zie dat u nog steeds verslaafd bent aan sigaretten,' zegt de inspecteur.

'En aan koffie. En aan suiker en witbrood, inderdaad meneer. Wij die niet aan het bewind verslaafd zijn, hebben vele zonden,' de stem van de roodharige klinkt duidelijk een beetje bits.

'Daar zou u geen grapjes over moeten maken, mevrouw Bartra.'

'Ik zou zoveel van wat ik doe niet moeten doen.'

'Dat is waar ook,' zegt de inspecteur terwijl hij een pakje van blauw cellofaan uit de zak van zijn colbert haalt, 'ik heb weer wat gebrande koffie meegenomen. Ik dacht dat u die altijd wel zou kunnen gebruiken.'

'Waarom doet u zoveel moeite? Ik denk dat ik het maar niet moet aannemen...'

'Het komt uit de bedrijfswinkel, dus voor mij is het goedkoop.'

Mamma kijkt naar het cadeautje, dan naar de rechercheur en dan weer naar het cadeautje. Ook vanmiddag zal ze hem niet vragen even binnen te komen, nog niet, al zal hem dat in de toekomst hoe dan ook lukken.

'Vooruit, neemt u het nu maar aan.' De inspecteur draait zijn hoofd opeens in de richting van het ravijn, alsof een stem daar plotseling zijn aandacht heeft getrokken. 'Ik heb genoeg.'

Ze neemt het pakje aan en stopt het in de zak van haar werkjas. 'Eerlijk gezegd komt het me inderdaad goed van pas. Tegenwoordig is alles schaars... Hoe zit het met het dossier van mijn man?'

'Ik zal nog wel zien hoe me dat lukt, u moet wat geduld hebben. Heeft uw zoon gezegd dat ik gisteren langs ben geweest, net als zaterdag?'

'Nee.'

'Aha. Ik geloof dat ik u iets moet zeggen over die jongen. Ik weet niet of u er enig benul van heeft hoeveel leugens en onzin hij in zijn hoofd haalt.'

'Och, hij heeft nogal veel fantasie...'

'Veel fantasie? Die jongen is een bedrieger, een ruziezoeker.'

'Soms heeft hij wel nare en vreemde ideeën, dat is zo. Dat kind moest te snel groot worden. Misschien lijkt hij een beetje een warhoofd, net als zijn vader, maar eigenlijk is hij dat helemaal niet. Het is een jongen die gelooft. In veel opzichten lijkt hij op mij.'

'Die gelooft? Bedoelt u dat hem is bijgebracht dat hij vroom moet zijn, naar de mis gaan...?'

139

'Welnee. Hij gelooft in een aantal belangrijke dingen. Maar hij is tamelijk zenuwachtig en onevenwichtig, dat wel. Een bijzondere jongen. Dat was hij al voor zijn geboorte. Zijn vader hield niet van hem, weet u? Die had destijds zijn zinnen op andere zaken gezet, en misschien voelde ik de baby in mijn buik daarom als... als iets verborgens. Hij gaf me de indruk dat hij zich wilde verbergen. Neemt u me niet kwalijk, ik weet niet waarom ik u dat allemaal vertel.'

'Dat geeft toch niet? Ik begrijp u wel.'

'U zult het niet geloven, maar al voor ik het ter wereld bracht, wist ik dat dit kind ons als een teken uit de hemel werd gezonden, als aankondiging van veel wat later zou gebeuren...'

'U gelooft toch niet in sterrenwichelarij, mevrouw Bartra?'

'Misschien. Interesseert dat u zo?' En zonder het antwoord af te wachten: 'Kinderen hebben nergens schuld aan, vindt u ook niet?'

'Ik durf te zweren dat er heel wat kwaadaardigheid in dat koppie zit, mevrouw Bartra.' De inspecteur aarzelt en vervolgt dan: 'Hij werkt bij een fotograaf van de parochie, nietwaar? Een zekere Marimón...'

'Wat is daarmee? Heeft u van hem ook een dossier?'

'We weten alleen dat hij met uw man bevriend was. Kent u hem goed?'

'Goed genoeg om hem mijn zoon toe te vertrouwen. Waarom?'

'Iemand heeft hem een jaar geleden aangegeven. Niets belangrijks, naar het schijnt had hij voor een anarchistisch blad gewerkt, als fotograaf...'

'Nonsens. Meneer Marimón fotografeert bij bruiloften en doopplechtigheden, zijn leven lang heeft hij niets anders gedaan. Ik heb hem maar een paar keer ontmoet, maar ik weet dat het een goed mens is...'

De inspecteur denkt even na. 'Hoe dan ook, ik denk dat uw zoon kort moet worden gehouden. Ik ben bang dat hij op een dag een stommiteit uithaalt.'

'Bedoelt u dat hij weleens streken heeft? Nou, ik ben niet van plan daar ook maar iets aan te veranderen,' zegt mamma kalm.

'Een vrouw als u zou dat niet moeten zeggen...'

'Een vrouw als ik zou niet met een rechercheur moeten discussiëren. Ik weet ook werkelijk niet waarom ik dat doe.'

'Heeft hij geen vriendinnetjes?' vraagt de inspecteur na een stilte, en direct heeft hij spijt van die vraag. 'Ik bedoel er is vast wel een meisje dat hij leuk vindt.'

'David? Er fietst hier weleens heel knap meisje langs; ik geloof dat hij haar wel leuk vindt.'

'Wie is dat?'

'Ik weet het niet. Ik heb haar nooit gezien.'

'Dat zal wel weer een van zijn hersenspinsels zijn.'

'Hoezo? U bent ook een rare!'

Even lijkt de inspecteur te willen reageren, maar hij verzinkt opnieuw in zwijgen. Uiteindelijk zegt hij: 'Ik constateer slechts dat zijn moeder zich kapot werkt. U probeert op een fatsoenlijke manier als thuisnaaister een paar peseta's bijeen te schrapen. Maar weet u wel wat uw zoon doet met de kleren die u maakt...?'

'Hij heeft het altijd leuk gevonden om zich te verkleden, als u dat bedoelt. Dat vond ik ook leuk toen ik klein was, toneelspelen, of in de tijd van het carnaval. Nu is het carnaval natuurlijk verboden. Mijn zoon wordt kunstenaar als hij groot is. Kunstenaars zijn andere mensen dan wij, weet u, die doen vreemde dingen. Bovendien heeft die arme jongen last van zijn oren.'

'Zijn vriend Paulino heeft me verteld dat hij de hele tijd tegen zichzelf praat.'

'David zegt dat er stemmen in zijn oren zitten.'

'En gelooft u dat?'

'Waarom niet? Ik praat zelf ook tegen het kind dat ik verwacht, inspecteur. Waarom zou ik niet geloven dat David met die geluiden en stemmen communiceert?' Chispa komt weer van binnen naar de deuropening waar hij ineengedoken een poot begint te likken. Inspecteur Galván wendt met een halve glimlach die bol staat van geduld het gelaat af en laat een zucht horen die hij niet kan bedwingen en die overgaat in gesnuif. 'Mijn zoon is heel intelligent, inspecteur... Waarom grijnst u?'

'Zomaar.'

'En dat bedoel ik als ik zeg dat hij gelooft.'

'Het is wel merkwaardig iemand daarover te horen praten die zelf niet in God gelooft.'

'Wie heeft gezegd dat ik niet in God geloof? Neemt u me niet kwalijk, maar nu wilt u toch al te slim zijn.' De roodharige glimlacht als ze verdergaat: 'Ik wil ook niet dat u me voor een nederig parochielid houdt... Me dunkt dat u zich eens te meer in mij vergist, inspecteur. Dag en nacht ben ik echtgenote en moeder, niets aan te doen, maar op de meest onverwachte momenten, bijvoorbeeld als ik op straat loop, kan de blik van een onbekende me aan het dromen zetten... Snapt u? Nee, waarschijnlijk niet.' Weer glimlacht ze alsof ze hem in het ootje neemt. 'U kent me niet.'

'Volgens mij ken ik u wél een beetje.'

'Nu ja, Ik heb geen tijd om te discussiëren.'

De inspecteur knikt zwijgend. 'Nog één ding voor ik wegga,' dringt hij aan, zij het op de kenmerkende bedaarde, een beetje gekunstelde toon, alsof zijn stem en woorden niet echt zijn maar de achterliggende gevoelens wel. 'Ik begrijp best dat u uw zoon verdedigt. Maar ik vind dat ik u moet vertellen wat er laatst is gebeurd. Dat engeltje beweerde met een stalen gezicht dat u een miskraam had gehad. Precies zo.'

'Heeft hij dat gezegd? Nee maar.'

'En dat u met spoed naar de kraamkliniek was gebracht, of naar de poli, ik weet niet meer wat voor verdomde wartaal hij uitsloeg.'

'Dat is niet zo mooi. Daar spreek ik hem nog over. Verder nog iets?'

'Vindt u het niet genoeg? Dat jong vertelt aan de lopende band leugens...'

'Hij is heel stout geweest. Maar toch, u moet niet denken dat er helemaal niets van klopte. Ik voelde me die dag heel beroerd en ik ben naar de dokter gegaan. Ik was misselijk geweest en had ontzettende hoofdpijn. Het is zo dat David de laatste tijd niet zo goed in zijn vel zit... hoe zal ik het zeggen? Een paar maanden geleden heeft hij een man gezien die zich had opgehangen aan een pergola in de Calle Legalidad, hij kende hem helemaal niet, maar het heeft hem erg aangegrepen. Het schijnt dat hij hem een dag eerder met zijn vrienden in de straten van Gracia was gevolgd, waarschijnlijk om zich vrolijk over hem te maken, ze zeggen dat hij huilend en als een slaapwandelaar rondliep, de arme kerel. Tja, dat heeft een enorme indruk op mijn zoon gemaakt. Maar u bent hier om over mijn man te praten, in de hoop iets meer over hem te weten te komen, en ik... Ooh...'

'Wat is er, mevrouw Bartra? Voelt u zich niet goed?'

Er is iets gebeurd, ik weet niet of het met mij te maken heeft, iets meer dan de gebruikelijke, kortstondige pijnscheut of duizeling; ik geloof dat ik nog steeds, zoals altijd en voor eeuwig dobberend in mijn warmwaterbubbel, de plotselinge verandering van het licht en van de bloedstroom voel, een omslag in het ademhalingsritme van de zwangere vrouw en in de kalme hartenklop van de middag. Ze gaat weer van haar stokje. Chispa, zoals steeds naast haar, komt overeind en gaat iets opzij, alsof hij het al weet. Een plotselinge temperatuurstijging van het vruchtwater en wellicht een zoveelste ondoordachte menteling van ondergetekende nopen haar ertoe zich met beide handen aan de deurpost vast te grijpen, doodsbleek, ze doet haar ogen dicht en zakt helemaal opzij. De inspecteur heeft nog net tijd om naar voren te stormen en zijn arm om haar middel te slaan zodat ze niet valt. Hij vangt haar in de lucht op en als hij merkt dat ze niet reageert, sluit hij de deur met zijn voet, loopt om de tafel in de hal-eetkamer heen en zet haar zachtjes op een van de rieten stoelen bij de salontafel. Het hoofd van de roodharige ligt scheef op een armleuning van de stoel, haar mond is half open en haar ogen zijn dicht. Het rode haar wordt bijeengehouden door een zwart lint, op haar borst is een knoop van haar werkjas open en ik hoor haar hart heftig bonzen. Dat alles weet ik precies en ik voel het nu nog, ik weet alleen niet meer zeker of ze die flauwte bij de margrietenstruik kreeg tijdens het derde verhoor of pas veel later, toen Chispa inmiddels een kogel in zijn hoofd had en al in ontbinding verkeerde in de rivierbedding en David op zijn wraakactie begon te broeden, zo ongeveer toen de rechercheur al een poosje twee- of driemaal per week langskwam, steevast met een cadeautje, blikjes gecondenseerde melk, een pond suiker, een reep chocola...

'Mevrouw Bartra. Mevrouw...' De inspecteur zegt haar naam, over haar heen gebogen met zijn scherpgesneden gezicht waarin de

scheefstaande kille ogen bijna onder de treurende oogleden schuil-
gaan, een gezicht waarin de roofvogel en het reptiel soms versmelten,
waardoor het echter niet somberder of dreigender wordt maar aantrekkelijker.

Een paar zachte tikjes op haar wang, hij pakt haar hand en wrijft die
een poosje energiek, nog steeds reageert ze niet, hij neemt haar pols op
en legt dan zijn grote donkere hand op haar buik. Hoewel hij dat waarschijnlijk met uiterste voorzichtigheid en de beste bedoelingen doet –
ik wil me nu, na al die tijd, niet door vooroordelen laten meeslepen –,
mag ik graag denken dat ik op dat moment ondersteboven en heel stilletjes in mijn koortsige grot zit, en daarom bespeurt die vermoedelijk
verliefde en waarschijnlijk moorddadige hand geen enkele hartslag,
niet het geringste levensteken. Ik mag graag denken dat ik tenminste –
want tot iets anders was ik niet bij machte – uit handen van die smeris
weet te blijven en hem misschien wel een beetje bang maak en laat
schrikken, zonder dat ik een vinger hoef uit te steken.

Maar hij blijft rustig en ijverig bezig, hij stelt alles in het werk om
haar bij kennis te brengen door haar eerbiedig bij de naam van haar
man te noemen en de rug van haar hand te wrijven, hij wil haar een
glas water geven maar weet dat het toilet en de keuken in het andere
deel van de woning liggen en kiest voor een directere, radicalere oplossing, een beetje brandy uit de flacon die hij in de achterzak van zijn
broek heeft zitten. Zachtjes laat hij zijn hand onder haar nek glijden en
hij brengt haar hoofd naar voren terwijl hij de tuit van de flacon aan
haar lippen zet, maar van drinken komt het niet. De alcohollucht vol-
staat voor haar om haar ogen open te doen. 'Lieve help. Is het weer gebeurd…'

'Voelt u zich beter?'

'Ik geloof van wel.'

'U hebt me laten schrikken.'

'Het is al over. Het kwam door de warmte. U hoeft niet te schrikken,
het overkomt me vaak.'

'U bent erg bleek. Neemt u een slokje brandy.'

'Dat zeker niet.' Glimlachend duwt ze de hand met de flacon van
zich af en ze probeert op te staan maar geeft het snel op. 'Zodra mijn
duizeligheid weg is…'

'Slikt u medicijnen? Kan ik iets voor u pakken?'

Nee nee, dank u. Ik neem plaspillen, maar niet om deze tijd... U kunt wel weggaan als u wilt. Ik voel me weer goed, maakt u zich geen zorgen.'

'Ik blijf nog een minuutje bij u, als u het goedvindt.'

De roodharige zwijgt en blijft met gesloten ogen in de stoel zitten. Na een tijdje doet ze ze weer open. 'Blijft u daar toch niet staan. Gaat u zitten. Het zal wel door de baby zijn gekomen, die is voortdurend... Al vind ik hem af en toe zo stilletjes dat ik er bang van word.'

'Zal ik een glaasje water voor u halen?'

Ze geeft geen antwoord en doet opnieuw haar ogen dicht. En die houdt ze ook dicht als ze even later aandringt: 'Gaat u nou zitten of gaat u weg, alstublieft. Hoort u me niet?'

De inspecteur gaat stokstijf op de andere stoel zitten, tegenover de roodharige die in slaap gevallen lijkt en dan, laat het me raden, broer, dan is het echt zo dat hij iets meer dan respect en bewondering voor haar voelt, hij zal met een bepaalde straffeloze intimiteit een hele tijd stil naar haar gladde, mooie voorhoofd blijven kijken, naar de hulpeloze slaap onder haar wasachtige oogleden, haar volle, treurende mond, het rode krullende haar en de blanke handen, verloren op haar buik.

In de vermoeide uitdrukking van haar gelaat nu ze niet meer naar hem kijkt, in de argeloze manier waarop ze uitrust en in de eenvoudige omgeving, die imitatie van huiselijke warmte die met moeite is bewerkstelligd in een ondergehuurde, armoedige woning, zullen de ogen van deze man een paar tellen heimelijk iets proberen terug te vinden, mag ik graag denken, wat zijn hart ooit in zijn leven is kwijtgeraakt.

Als ze haar ogen weer opslaat, misschien in de verwachting op de serieuze, zorgzame blik van de politieman te stuiten, ziet ze hem voor haar gebukt zitten en de hond strelen die aan haar voeten ligt, al kijkt hij in werkelijkheid naar haar opgezette enkels. De inspecteur komt overeind, pakt zijn flacon weer en stopt die in zijn zak. 'Ik ga weg als u me verzekert dat u zich weer beter voelt.'

'Ik voel me weer beter. Dank u.'

Toen ze die geweldige foto van hem met zijn neergehaalde legendarische Spitfire en zijn befaamde glimlach maakten, zegt pappa, die jou elke avond vanaf de muur van je kamer zo in de ban houdt, hadden luitenant Bryan O'Flynn en ik er al de nodige avonturen opzitten. Natuurlijk, daarom heb je die foto van dat tijdschrift bewaard. Als herinnering, zegt David.

Nogmaals, dat heb ík niet gedaan, houdt pappa vol, die met de hand waarin hij de fles geklemd houdt deerniswekkend over zijn warrige borsthaar wrijft. De aanblik die hij biedt, is er niet beter op geworden. Hij rookt het eindje van een oeroude sigaret op, geleund tegen een kurkdroge kastanjestronk die zo kaal en wit is als een ei, zijn blote voeten diep in de vochtige slang van zand en kiezelstenen. Om een of andere reden, waaraan het geruis dat zich in zijn oren heeft vastgezet niet vreemd is, gelooft David vast dat het water van de bergstroom hier weer net als lang geleden doorheen is gegaan. Zijn borst en hals glimmen van het zweet, maar de rest van zijn gestalte is vaag. Uitgespreid over een rozemarijnstruik ligt zijn overhemd te drogen in de zon. Dat was je moeder, onze roodharige naaister, herhaalt hij met bedrukte stem.

En waarom heeft ze dat gedaan?

Vraag dat maar aan haar.

Kende mamma hem soms ook?

Niet beter dan ik. Laten we zeggen dat ze uiteindelijk beter met hem is omgegaan, maar ze heeft hem niet beter leren kennen dan ik… Heb je geen schone zakdoek voor me meegenomen? Geen jodium, verband, gaas? Waar zijn verdomme je gedachten, joh? Je ziet toch hoe ik eraantoe ben, met die fles bijna leeg en mijn kont open en bloot, het bloed stroomt eruit, alsof ik het gul vergiet voor een waardiger toekomst en voor de overwinning van onze idealen. Nou ja, de oude lulkoek.

Zeg dat niet. Je bent een held.

Welnee, ga toch weg. De enige ware held is wie liegt over zijn bedoelingen. Met mij was dat nooit zo.

Wat doe je 's nachts, pappa, waar verstop je je? Waar ga je heen?

Van het ravijn naar La Carroña en van La Carroña naar het ravijn.

Nee, mamma zegt dat je daar niet zit. Waar ben je dan? Op dit moment weet ik niet meer waar ik ben. Dat komt ervan als je de godganse dag loopt te dromen. Je moeder zei altijd al: Víctor, jij leeft in een droom, je bent niet meer in staat de waarheid onder ogen te zien en dat is jouw probleem, dat is jouw dagelijkse verschaalde wijn. En dan antwoordde ik: nou, als ik zit te dromen, maak me dan niet wakker nu ik net een fles echte Baron Rothschild in mijn handen heb... We hebben een hoop pret gehad over mijn dromen, je moeder en ik. Maar je ziet het. In deze rivierbedding hangt een stank van aasgieren waar je steil van achteroverslaat, en die stank is mijn eigen adem vol dromen.

Je zat te vertellen over die RAF-piloot.

Die verduivelde Australiër, die beweerde dat hij een Ier was en die in Londen woonde, was een dappere kerel. De Duitse jagers hebben hem tweemaal op Frans grondgebied neergehaald, de eerste keer in juli eenenveertig. Hij kwam neer vlak bij het dorp Renty, in de streek rond Calais. Hij had geluk, hij nam de benen door de platgebrande velden en werd opgepikt door een van de mannen van het ontsnappingsnetwerk van Pat O'Leary. Die gaven hem medische hulp, kleren en valse papieren, hij werd naar Parijs geloodst en vandaar naar Toulouse, waar hij contact legde met de groep van Ponzán Vidal, die hem via een smokkelroute de Pyreneeën over hielp. In die tijd slaagden veel krijgsgevangenen die aan de Duitsers waren ontsnapt erin de Spaanse grens te bereiken, dankzij de geheime netwerken die in het bezette deel van Frankrijk waren opgezet. De Gestapo had wel zijn vermoedens, want veel van de piloten van wie het toestel was neergeschoten, werden niet gevonden, dus je moest voorzichtig te werk gaan. Ik was toen bij dat hele gedoe betrokken, en bij nog veel meer, maar dan aan deze kant van de Pyreneeën. Later ben ik naar de andere kant gegaan om direct met het netwerk mee te doen... Kun je me volgen? Eenmaal in Toulouse moest onze piloot twee weken wachten terwijl er een tocht naar Spanje werd voorbereid met twee gidsen die het terrein goed kenden en die hem naar Osseja in het oosten van de Pyreneeën zouden brengen, samen met een joods echtpaar en hun dochter van vijftien. In Osseja nam een jonge vrouw de operatie over en de twee gidsen gingen terug naar Toulouse. Van toen af vorderde de reis traag en moeizaam doordat die joodse man mank was, zoals O'Flynn me later vertelde. Onze vliegenier zeulde een koffer mee die hij geen moment losliet. Dwars door de bergen bereikten ze Ribas de Fresser en vervolgens begon de afdaling naar een geschikte schuilplaats, waar ik op hen wachtte. Kun je me volgen...?

Ik hang aan je lippen, vader.

Het was mijn taak om hen daarvandaan verder te begeleiden, het meisje dat hun gids was geweest, ging terug naar Frankrijk. We namen de bus naar Ripoll en vandaar een trein naar Barcelona, het joodse gezin nam afscheid, ik stapte met de piloot en zijn verdomde koffer in een taxi en zette hem af voor het Britse consulaat, waar ze hem weer van valse papieren moesten voorzien om in Gibraltar te komen of via Lissabon in Londen. Soms duurde het twee of drie dagen voordat zoiets in orde was en een deel van mijn werk bestond uit het zorgen voor een tijdelijk onderkomen voor de piloten, maar die keer, waarom weet ik niet, had ik daar niets voor geregeld. Om een of andere reden die me niet echt interesseerde, besloot luitenant O'Flynn het consulaat binnen te gaan zonder koffer en hij verzocht mij die thuis te bewaren, dan kwam hij hem wel ophalen zodra de papieren rond waren. Ik gaf hem ons adres en nog diezelfde avond kwam hij opdagen, maar nog zonder de papieren...

Hoe komt het dat ik hem niet heb gezien?

Het was in augustus. Jij zat bij opa en oma in Mataró... Ik brabbelde toen redelijk acceptabel Engels en we konden elkaar begrijpen. O'Flynn vertelde me dat hij bepaalde personeelsleden van het consulaat niet vertrouwde en liever had dat de koffer bij mij thuisbleef. Streng geheim. Kun je me volgen? zegt pappa als hij de zakdoek omdraait die hij tegen zijn achterwerk gedrukt houdt, op de wond die niet dichtgaat en dat ook nooit zal doen. Dan tast hij in zijn broekzakken. Verdomme, mijn sigaretten zijn op.

Je hebt een halve in de asbak in de keuken laten liggen, zegt David. Zal ik hem gaan halen?

Die sigaret is van je moeder en het is de laatste. Misschien kun je wat beter rondkijken. Je moet je ogen goed openhouden, jongen, er komen moeilijke tijden. Maar vertel eens. Wat doet onze onverschrokken naaister? Hoe gaat het met haar?

Elke dag hetzelfde. En het gaat niet goed.

Mamma dompelt haar voeten heel voorzichtig in de teil water, eerst de linker, dan de rechter. David heeft het water in de keuken warm gemaakt, in de teil gegoten, er een greepje zout bij gedaan, hem naar de hal-eetkamer gebracht en gehurkt mamma's schoenen uitgetrokken toen ze in de stoel zat.

Later staat ze in haar eentje in de keuken de nog gloeiende kolen van het fornuis op te rakelen, de hand met de laatste sigaret erin op haar buik, haar ogen staren in de ruimte, niet naar iets wat voor iemand zichtbaar is. Ze legt de sigaret in de asbak, strijkt met haar hand over de zwarte linten om haar rode haar en legt die dan weer op haar buik te rusten. Het zwangere profiel van haar gezicht en van haar lichaam en haar peinzende, zwaarmoedige houding bij het tegenlicht in de als een tunnel zo smalle, donkere keuken vormen voor mij het meest levendige en geliefkoosde beeld dat ik bewaar van de dagelijkse, onmiskenbare armoede waar zij tegen op moest boksen, het meest treffende en blijvende van alle beelden die ik weer uit mijn geheugen ben gaan opdiepen en reconstrueren. Ze heeft niet de piloot voor ogen zoals hij nog altijd in Davids kamer aan de muur zit geprikt, zijn beulen en zijn lot uitdagend toegrijnzend, maar om de een of andere reden ziet ze hem nog hier in de keuken, net zo dichtbij en glimlachend.

Kikkererwten, linzen, cassave, lammetjespap. Ik kan deze dingen opsommen en herinner me nog hoe ze ruiken met evenveel dankbaarheid en respect als mamma zou doen, ik kan ze liefkozen met mamma's handen en stem. Geweekte stokvis. De oude koffiemolen. Het varkensvet smeltend in de koekenpan, en zoveel dingen meer met hun merkwaardige hang naar vermomming, hun koppige neiging ergens anders te liggen dan waar ze horen: de suikerklontjes in de beschadigde sauskom, de linzen in een koektrommel, de cassave in een zinken bak, de knoflook in een cacaopot. Armoede, onthoud dat, broer, onze trouwe metgezel in die jaren, die de roodharige met zoveel moed aanvaardde en waar ze nooit tegen tekeerging, die armoede die duizend gezichten en verschijningsvormen heeft, betekent ook dat, onthoud het: dat ondanks de netheid en orde die zij daarin met de grootste behendigheid en daadkracht tot stand brengt, dingen nooit op hun plaats schijnen te liggen, ze zwerven altijd ergens rond en nemen gemeen hardnekkig de plek in die ooit aan andere dingen toebehoorde. En toch heeft geen van die voorwerpen die kennelijk het spoor bijster zijn, zo verstrooid in hun wereld van schamele schijn, zijn identiteit verloren, integendeel, ze lijken nabijer en noodzakelijker, vriendelijker in de omgang, net als de geblakerde, vage aanblik van de piloot, die zich ooit bevond waar hij thuishoorde, samen met mamma's misschien intiemste en best bewaarde herinneringen, en die nu, lang nadat hij zijn onbeschaamde grijns op de omslag van een in het Spaans uitgegeven Duits tijdschrift heeft vertoond, vriendschappelijk in de slaapkamer opduikt van een dromerige tiener in een uithoek van de Guinardó.

DIRECTORAAT-GENERAAL VOOR DE VEILIGHEID.

INFORMATIEDIENST.

Dossier *Víctor Bartra Lángara.*

Documenten F-7 (17-3-40) en F-8 (2-5-45). Samenvatting voor intern gebruik.

- Geboren 4 april 1901 te Huesca. Woonde tot zijn twaalfde in Mataró.
- Was seminarist en vervolgens 'dienaar' op het Jezuïetencollege in de Calle Caspe (vermoedelijke oorzaak van zijn hevige antiklerikalisme).
- Verdacht van deelname aan de ontvoering van en moord op de pastoor van de parochie San Jaime de Domenys (Tarragona) op 20 juli 1936. Niet bewezen.
- Tijdens onze bevrijdingsoorlog diende hij bij de geneeskundige dienst (als anesthesist) van het rode leger en raakte hij gewond aan het front in Aragón.
- Na afloop van de strijd verdween hij in de anonimiteit en werkte hij bij een garenspinnerij in de wijk Gracia, waar hij de arbeiders trachtte te overtuigen van ideeën van uitgesproken anarchistische aard en zijn

collega's aanzette tot ongehoorzaamheid jegens het toenmalige Spaanse bewind.

- Naar zeggen van buurtbewoners organisator van verschillende demonstraties met een onverholen Catalaans-separatistisch karakter tijdens de viering van de jaarlijkse patroonsfeesten in Gracia en de Guinardó.

- In maart 1940 aangehouden in een appartement aan de Calle Conde de Asalto waar een clandestiene vergadering was belegd met pseudoaltruïstische doelstellingen op het vlak van sport en gezondheid – in feite met een vermoedelijk anarchistisch karakter –, waarover hij ter verdediging aanvoert dat hij daarbij abusievelijk aanwezig is (zie bijlage F-7) omdat hij voor iets anders was gekomen. Onderworpen aan verhoor licht hij zijn vergissing toe met ogenschijnlijk overtuigende bijzonderheden.

- Nadat hij eind 1942 clandestien de grens naar Zuid-Frankrijk is overgegaan, wordt hem de uitvoering ten laste gelegd van missies ter ondersteuning van het Franse verzet, zoals het over de grens brengen van door de Duitsers neergeschoten geallieerde piloten. Uit gegevens, zoals observatierapporten, is geconcludeerd dat hij betrokken is bij een in Marseille gevestigde Engelse ondergrondse organisatie die bekendstaat als de *Garrow Organisation*. Woonde in Toulouse aan de Rue de Limayrac 40. Er bestaan aanwijzingen dat hij deze activiteiten afwisselde met die van gids bij grenssmokkel. Bekend is dat hij enige dagen in zijn huis onderdak heeft verschaft aan een Engelse vlieger die zich later via Lissabon en voorzien van valse papieren weer bij zijn eenheid heeft kunnen voegen. Vanwege deze activiteiten heeft genoemde een vergoeding ontvangen die geschat wordt op 2000 francs per persoon. Voor het bezorgen van papieren heeft hij in totaal 5000 francs gekregen.

- In anarchistische kringen wordt hij beschouwd als de schrijver van verscheidene boekjes die door de Spaanse vakbond CNT in Frankrijk zijn uitgegeven.

- In oktober 1943 poogt hij contact te leggen met de zogeheten 'Baskische Regering in Ballingschap' en een dag later staat hij op het punt gearresteerd te worden in een eetgelegenheid in Las Planas nadat hij een clandestiene vergadering heeft bijgewoond, die onder het mom van een barbecue is georganiseerd door het zogeheten *Sindicat d'Especta-*

cles Publics de la CNT, waarbij theatermensen, bioscoopoperateurs en plaatsaanwijzers zijn aangesloten, onder wie zijn vriend en kameraad Germán Augé.

– In 1944 treedt hij op voorspaak van de pastoor van de Capilla Expiatoria de las Ánimas (priester Masdexexart) toe tot de Gemeentelijke Hygiënische Dienst, met als taak de rattenbestrijding in en ontsmetting van bioscoopzalen en dergelijke. Als lid van de illegale Vakbond voor Openbare Vertoningen van de CNT belast hij zich met de verspreiding van opruiend pers- en propagandamateriaal dat verstopt zit in zakken die voor de verzending van filmspoelen worden gebruikt.

– Tot februari van dit jaar vooraanstaand lid van de MLR (*Moviment Libertari de Resistència*), als zodanig geroyeerd wegens insubordinatie en malversatie van 'revolutionaire middelen', zoals de contributie van leden wordt genoemd.

– Omstreeks maart van dit jaar heeft hij zijn woning verlaten.

'Als u wilt weten,' zegt mamma, 'of ik vind dat je beter in vrede kunt leven zonder vrijheid dan vrij en in een oorlogssituatie, dan is mijn antwoord nee, inspecteur.'

'Dergelijke vragen stel ik nooit.'

'Uiteraard, waarom zou u? Dat zijn de voordelen van een leven in vrede zonder vrijheid.'

'Ik ben niet van plan met u te redetwisten, mevrouw Bartra, vandaag niet. Maar ik zal u wel iets zeggen. Ik weet niet wie dit rapport heeft opgesteld, maar wie het ook geweest is, het is duidelijk dat uw man hem in de luren heeft gelegd.'

'Waarom zegt u dat?' vraagt mamma.

'Leest u de rest maar, en zegt u me daarna wat u ervan vindt. Het interessantste komt nu, in de stukken over vijf jaar geleden en met zijn verklaring.'

'Doelt u op zijn smokkelactiviteiten? In die onzin heb ik nooit geloofd.'

'Dat bedoel ik niet. Leest u nu maar, kom.'

'Heeft u een sigaret, inspecteur?'

'U zou niet zoveel moeten roken, mevrouw Bartra.'

F-7 (17-3-40)

Víctor Bartra Lángara:

Meerderjarig. Medewerker hygiëne. Woonachtig in de Guinardó. Financiële positie slecht. Dat alles te wijten is aan een veelheid van toevallige omstandigheden met als gevolg een misverstand. Dat hij twee weken geleden in een café aan de Ramblas een zekere madame Carmencita heeft leren kennen, leeftijd ongeveer 45 jaar, haar ware naam is hem onbekend, welke madame hem zowel aanzag voor een reclamemaker als voor een advocaat, onduidelijk bleef waardoor die verwarring werd veroorzaakt. Dat madame Carmencita hem voorstelde aan een meisje genaamd Florita García Nieto, die eveneens is gearresteerd. Dat deze Florita hem haar linkerarm liet zien met daarop een tatoeage die deed denken aan het Amerikaanse sigarettenmerk Lucky Strike. Dat madame Carmencita hem vertelde dat ze een idee had gekregen dat haar vriendin Florita wat geld zou kunnen opleveren, en ook aan hem in zijn hoedanigheid van advocaat, mits het idee hem haalbaar leek. Dat genoemd idee een campagne in Amerikaanse stijl betrof met reclame op de huid (die woorden gebruikte hij), dat verschillende van haar vriendinnen bereid zouden zijn met dergelijke tatoeages rond te lopen, zelfs aangebracht op intieme lichaamsdelen die hier en nu geen toelichting behoeven (dat waren zijn woorden), vooropgesteld dat de Lucky-vertegenwoordiger in Spanje bereid was daarvoor te betalen. Dat hem zijn mening over dat idee werd gevraagd. Dat de arrestant op dat punt begon te vermoeden dat madame Carmencita en Florita voornoemd, gezien hun uitdossing en hun intenties, benevens vanwege enige stiekeme aanrakingen en aanhankelijkheidsbetuigingen welke verder gingen dan raadzaam is volgens de goede manieren van onze robuuste aard en de eenheid van de mensen en het grondgebied van Spanje (ik beperk me tot transcriptie van het taalgebruik van de declarant), ik herhaal dat hij begon te vermoeden dat zijn twee gesprekspartners iets te maken konden hebben met het prostitutiebedrijf en aanverwante zaken, maar dat hij verkoos zich discreet op te stellen en zei: tja, het is een idee. Dat madame Carmencita hem daarop meedeelde dat ze een bijeenkomst met twintig of dertig van haar vriendinnen had belegd en dat ze hem vroeg of hij aanwezig wilde zijn bij die vergadering, welke plaats zou vinden in een appartement aan de Calle

Conde del Asalto nummer 13 en waar de punten bezoldiging en arbeids-
kwesties aan de orde zouden komen, waarvoor het advies van een advocaat nodig was. Dat hij niet veel belang in de uitnodiging stelde en die beleefd afsloeg maar dat hij na het nuttigen van enige glazen en verdere
toenadering tot genoemde Florita García Nieto, waarbij deze hem op de
binnenkant van haar dij een tweede getatoeëerd handelsmerk toonde
(van Celebrino Mandri, het beroemde versterkende middel), enigszins
onnadenkend besloot de hoerenbijeenkomst bij te wonen (op dit punt
aangekomen verklaart de arrestant dat hij niet meer twijfelde over de hoedanigheid van de beide dames in kwestie) om hen ter zake te adviseren.
Dat hij op de afgesproken dag met Florita García Nieto naar de betreffende bijeenkomst in de Calle Conde de Asalto is gegaan, maar bij het verkeerde appartement belandde en dat zij beiden onverwachts bij een vergadering waren binnengekomen van vermoedelijk werkloze verkopers en
handelsreizigers die daar waren uitgenodigd door een vertegenwoordiger
van de bv van de gebroeders Suco, fabrikanten van een 'sinaasappelsap dat
alle kwalen automatisch verhelpt', aldus de woorden die hij in zijn verklaring gebruikte. Dat Florita daar is weggevlucht zodra ze de vergissing be-
merkte, maar dat hij, toen de eenheid van de Sociale Brigade verscheen,
niet meer weg kon omdat hij op een van de voorste rijen zat, terwijl degenen die dichter bij de deur zaten, daar wel kans toe zagen. Dat hij zich niet
kan voorstellen dat die vergadering in werkelijkheid van politieke aard
was en dat hij daar niet voor was uitgenodigd noch van op de hoogte was
gebracht.

Hij heeft een strafblad.

Voorstel: 5000 peseta boete.

De onzichtbare worm

David zit op zijn hurken, hij laat de hagedis ontsnappen en pakt het afgesneden, kronkelende staartje dat zijn waterige slijm afscheidt over de sluimerende stenen. Hij klapt het pennenmes dicht door het tegen zijn knie te duwen, opent de palm van zijn andere hand en legt het staartje bij een tweede dat ook nog slingerend beweegt. Ik weet niet wat voor zonovergoten hardvochtigheid er neerdaalt over de rivierbedding en de lichaamloze stemmen die hier weergalmen. In de beschaduwde bochten vertoont een enkele met mos overdekte steenpunt overeenkomst met een foedraal. Met zijn rivierwaan en -streken, terwijl hij slechts kan pronken met de wazige oevers en de sinds hoe lang al droge bodem, veinst de bedding een geraas van snelle, ruwe wateren die er nog op uit zijn zich te manifesteren en al het afval mee te sleuren dat nog in enig hoekje is blijven steken, alles wat al niet meer op zijn plaats was, afgedankt en onbruikbaar, zoals het opstandige bloed dat op pappa's kont overgaat in etter.

Waar waren we, jongen, waar hadden we het over? vraagt hij terwijl hij zijn andere hand op de zakdoek legt, met een voet op een rotsblok steunend. Oh ja. Vier dagen en vier nachten, zo lang heeft onze spichtige, dappere vriend bij ons thuis op zijn papieren van het consulaat zitten wachten. Het was inderdaad in augustus. Vier dagen lang hebben je moeder en ik hem kost en inwoning gegeven... en pas tijden later kwam ik erachter dat hij de papieren al een paar uur na aankomst had gekregen. Dat heeft hij voor me verzwegen, die enorme boef. Ja, precies zoals je hoort. Ik zie hem nog zitten in de rieten stoel bij het raam, tegenover je moeder, heel keurigjes zaten ze samen thee te drinken en vriendschappelijk te praten. Van meet af aan vonden ze elkaar heel leuk. Ze leken wel verbonden door een raar soort kinderlijke medeplichtigheid, een maffe manier van praten waardoor ze de hele tijd moesten grinniken, strontvervelend, ze onderhielden zich in een heel stom brabbeltaaltje, met gebaren en woorden die je verder alleen bij kinderen en gekken aantreft. Met zijn nasale, brutale stem citeerde hij gedichten, en zoals altijd hinkte de roodharige op twee gedachten, twijfelend tussen broederlijkheid en illusie trachtte ze hem bij te benen, zijn romantische hoogdraverij en poëtische pose, en *en passant* Engels te leren, dan keken ze elkaar weer aan en schaterden het weer uit. Wat vind je, David? Zeg op, geloof jij ook niet dat zulke bijzondere mensen in zo'n bijzondere situatie hun plaats zouden moeten kennen? Ik weet best dat het leven bestaat uit onbetekenende momenten en onbeduidend gezever, maar verdomme, *quand même!*

Wat bedoel je, pappa?

Leer je talen, jongen. Ik herinner me een paar dichtregels die luitenant O'Flynn telkens weer herhaalde en waar hij net zo lang mee doorging tot je moeder ze uit haar hoofd kende. 's Avonds dreef de hitte ons het huis uit en gingen we aan de rand van het ravijn onder de sterrenhemel goedkope gin zitten drinken… Uit dikke blauwe glazen zaten we tot het ochtend werd te pimpelen, ik kan de scherpe geur van de gin nog ruiken en de mooie stem van de luitenant nog horen.

O Rose, thou art sick!
The invisible worm
That flies in the night,
In the howling storm,

Has found out thy bed
Of crimson joy:
And his dark secret love
Does thy life destroy[*]

* William Blake (1757-1827): *The Sick Rose*

En wat betekent dat, pappa?

Ze spraken een vreemd koeterwaals, dat zei ik al, want je moeder sprak geen Engels en hij geen Spaans. In elk geval moet ik toegeven dat hij een heel ontwikkeld iemand was... Voor hij weer ophoepelde, vroeg ik hem wat hij in die koffer had die zo zwaar was. Hij beweerde dat het een stuk van een Duitse onderzeeër was en dat hij dat persoonlijk in Gibraltar of Londen moest afleveren. Het betrof een zwaar, uiterst kostbaar metaal, vertelde hij, in de vorm van een cilinder, met groeven en cijfers op de ene kant en op de andere sporen van een mitrailleur of van vuur. Een stuk schroot van enorm wetenschappelijk en strategisch belang voor de marineleiding.

Heeft hij het je laten zien?

Dat wilde hij niet.

En geloofde je hem?

Volgens mij was dat de enige keer dat ik hem geloofde.

En wat is er daarna gebeurd? vraagt David.

Toen ging hij weg. *And we'll never see you again?* vroeg ik. En hij antwoordde: *Never is a long time.*

Wat betekent dat?

Jezus, David, ga talen leren! Laat je moeder je die maar bijbrengen!

Je zei dat mamma geen Engels kent.

Een beetje wel, ze heeft er wel iets van opgestoken... Maar waar waren we? Oh ja. Goed, ik heb dus vlekkeloos werk geleverd voor die piloot, ik heb hem onderdak verschaft, een veilige haven zolang hij op zijn papieren wachtte, en daarna is hij probleemloos naar Gibraltar gereisd en vervolgens naar Engeland, waar hij zich weer bij zijn squadron heeft gevoegd. Hij kreeg een andere Spitfire toegewezen en in februari van het jaar daarop zou hij opnieuw worden neergeschoten, ditmaal in de buurt van Calais. Zoals hij er toen uitzag, zijn gezicht vol zwarte vegen en met verbrande handen, kwam hij drie jaar geleden op de omslag te staan van het maartnummer van de *Adler*, om precies te zijn de editie van 15 maart 1945, het tijdschrift dat je moeder in de wachtkamer van het politiebureau achterover heeft gedrukt toen ze daar voor een of ander verhoor zat te wachten... Echt een supervlucht van de onverschrokken Bryan O'Flynn: van de goud met smaragden einders waar de helden verkeren naar de aangevreten muur van een achterkamertje in de Guinardó! Goed. Inmiddels was ik alweer de grens over naar Frankrijk en fungeerde ik als verbindingsman tussen de organisatie van Pat O'Leary en de groep van Ponzán. Ik hoorde dat het onze piloot gelukt was hulp te krijgen om te ontsnappen, andermaal de Frans-Spaanse grens over te komen en via Lissabon Londen te bereiken. Met die verbrande, mismaakte handen kon hij geen jager meer besturen, daarom ging hij als verbindingsofficier in Noord-Afrika en Duitsland aan het werk. Later kwam hij bij de *Special Service*, was een tijdje agent van de MI6 en in Marseille heb ik hem een keer ontmoet in het gezelschap van mensen van O'Leary. Ik herinner me dat hij een enorme koffer bij zich had en ik vroeg hem plagerig: Wat zit daarin, Bryan, de voorsteven van een Duitse pantserkruiser? Het laatste wat ik van hem weet, is dat hij een paar maanden voor de invasie van Normandië in een bommenwerper zat die op de terugweg naar zijn basis in het noorden van Afrika in de Middellandse Zee is gestort, waarschijnlijk na de een of andere aanval boven Duitsland. Hij was half Europa overgevlogen met mitrailleurs op de vleugels en dat niet alleen, houd je vast, ik vertel het je precies zoals ze het mij vertelden: het schijnt dat zijn toestel met de bemanning geroosterd in de stoelen verder vloog, zes lijken, de cockpit in brand en stuurloos, het zweefde een paar meter boven het zeeoppervlak, tot het neerstortte en zonk...

Ik heb het zien vallen! schreeuwt David heel opgewonden. Ik heb het gezien! Niemand geloofde me, oma Tecla niet en mamma niet, de Guardia Civil niet, niemand. En ook op de radio of in de kranten werd niets gemeld, maar ik heb het met mijn eigen ogen gezien. Op het strand van Mataró. Het was een Marauder B-26, en op de romp hadden ze een meisje in badpak geschilderd met de tekst FOREVER AMANDA. Wat betekent dat?

Daar kom je wel achter als je vreemde talen leert.

Niemand geloofde me, maar jij moet me geloven, pa... Jij moet me geloven!

Ik geloof je, zegt pappa kortweg terwijl hij de fles optilt en tegen het licht inspecteert. Dus wees maar blij. De waarheid moet ontmaskerd worden! Luister nu naar me. Ook de roodharige moeten we een plezier doen door haar de naakte waarheid te vertellen, vind je niet? Wat kunnen we tegen haar zeggen...? Ik weet het al. Zeg haar maar dat het water van de bergstroom mijn fles met zich mee heeft genomen.

Er zit geen water meer in de bedding, pappa.

Daar zouden we ons niet druk over moeten maken. Ik herinner me de Latijnse spreuk die een onderwijzeres, jouw lieve moeder, altijd gebruikte: *fortis imaginatio generat casum.*

Zei mamma dat altijd? Wat betekent dat?

Zie je nou hoe belangrijk het is om vreemde talen te beheersen, ezel?!

Een als van kramp vertrokken, gedeukt plastic poppenhoofdje steekt uit tussen het afval dat zich heeft opgehoopt aan de rand van de rivierbedding, de golvende strook nat zand waarin ooit, lang voor zijn geboorte, sereen helder water stroomde. Terwijl hij afwezig naar het gebutste hoofdje staart en het hagedissenstaartje nog in zijn hand spartelt, vraagt David zich af wanneer het ruisende water weer te horen zal zijn dat zijn gehooraandoening kan verhelpen en alles met zich mee zal sleuren, afval en rotte boomstronken, slijk en verdronken dieren.

Ik heb hier nooit water of zoiets zien stromen, zegt pappa. Vlaggen en kornetten, soutanes en nationale symbolen, heel wat van die drek en veel fanatisme, dat heb ik voorbij zien komen. Vanaf de eerste dag hebben de mensen voorspeld dat deze fles die nooit leeg zou raken er zou komen, en ook hebben ze me dit ronddolen, de vergeetachtigheid en de leugen in mijn eigen huis en zelfs in mijn eigen bek verkondigd. Goed. Laten we deze bladzijde omslaan. Wat zeggen we tegen je moeder om haar op te beuren...? Ik weet het al! Zeg haar maar gewoon dat ik niet meer drink.

Ik zal het zeggen.

Vergeet je het niet?

Nee. Kom, Chispa. Sta op.

Maar zeg haar ook dat ik, sinds ik niet meer drink, elke nacht droom dat ik drink. En zeg haar dat ik er, terwijl ik droom dat ik drink, heel beroerd aan toe ben omdat ik besef dat ik niet drink. Laat ze me dat maar eens uitleggen, verdomme, tenslotte heeft zij voor onderwijzeres geleerd.

Ik zal het haar zeggen, pap.

Ga maar gauw. En het zal me benieuwen wanneer je nu eens een eind maakt aan de lijdensweg van je hond. Geef hem aan die politieman zodat het arme beest niet langer hoeft te lijden.

Begin jij nou ook al met dat gezeur, pappa, jij ook...?, moppert David plotseling zo gemaakt melancholiek dat zijn blik vertroebeld raakt: twee hagedissenstaartjes in zijn handpalm, het ene ligt nu stil maar het andere kronkelt nog als hij zijn hand dichtdoet, zijn ogen half toeknijpt en tussen een wolk van stof en verblindend zonlicht vaag het silhouet onderscheidt van de met de dag krommere en slonziger gestalte van pappa, die energiek met zijn armen zwaaiend stroomopwaarts gaat, de fles stevig vast bij de hals.

Ga naar huis, jongen. Mamma heeft je nodig.

'Bwana, voor tien cent zeg ik u nu meteen waar de roodharige is en voor twintig biecht ik alles op wat u over Víctor Bartra wilt weten, met op de koop toe een plaatje uit mijn verzameling Helden van het Vaderland, hetzelfde dat mijn vriend Paulino Bardolet van de verkeersagent heeft gekregen...'

'Dus ook vandaag is ze weer niet thuis,' kapt de inspecteur hem af.

Op zijn stugge gezicht is geen spoor van ongeduld of ergernis te lezen. Hij is omgeven door dwarrelende rode stofdeeltjes en de scherpe geur van uitgerukte wortels, het onmiskenbare aroma van het ravijn, zijn eeuwige handelsmerk.

'U deze week geen geluk hebben, bwana.' Davids fonkelende ogen blijven rusten op de gerimpelde, vermoeide, hypnotisch onverstoorbare oogleden van de rechercheur.

'Hoe is het met haar?' vraagt de politieman terwijl hij naar zijn schoenen staart. 'Weet je dat ze laatst is flauwgevallen?'

'Dat was niet voor het eerst.'

'Heeft ze je gezegd waar ze naartoe ging, of ze lang wegblijft?'

David schudt zijn hoofd en blijft hem aankijken. Ondanks alles voelt hij bewondering voor dat onverstoorbare karakter, de manier waarop hij de nog niet aangestoken sigaret tussen zijn lippen houdt, de rechterhand in de zak van zijn colbert, de overbekende plechtstatigheid van zelfs zijn geringste beweging. Vandaag heeft hij een blauwe map onder zijn bovenarm geklemd en zijn linkerarm rust in een mitella, een bruine halsdoek met grijze noppen.

'Wat is er met u gebeurd? Bent u bij een schotenwisseling gewond geraakt, op een stel boeven gestuit, op de vuist gegaan met misdadige elementen...?'

'Ik vroeg of je moeder lang wegblijft.'

'Verse berichten over mijn vader?'

'Dat hoor je wel als zij dat nodig vindt.' De inspecteur heeft de hand uit zijn zak gehaald met daarin zijn aansteker en knipt die aan.

'Wow, wat een toffe aansteker!' roept David. 'Mag ik hem eens proberen?'

De inspecteur geeft hem aan David, die er zijn sigaret zonder iets te zeggen zorgvuldig mee aansteekt en hem dan nog tweemaal probeert, hij laat het topje van zijn duim even rusten op het goudkleurige wieltje en op het deksel dat door de veer is opengeklapt. Geweldig, als ik groot ben, wil ik er net zo een, maar dan een echte. Plonk!

'Maar goed,' zegt de inspecteur als hij de aansteker weer aanpakt. 'Je hebt me nog geen antwoord gegeven.'

'Voor controle naar de dokter. Hoe lang dat duurt, geen idee. Dat hangt ervan af hoe dokter Isamat vindt dat het met mijn broertje gaat dat op komst is. Als u op haar wilt wachten...'

'Zeg maar dat ik morgen terugkom, ik heb iets wat haar interesseert.'

'Als ik eraan denk, zal ik het zeggen.'

De inspecteur zwijgt. Hij lijkt er niets meer aan toe te voegen te hebben en draait zich met tegenzin om, hoewel hij liever zou blijven wachten. Opeens ziet hij achter David iets waardoor hij nog even langer kan blijven: onder de tafel maakt het mormel dat volgens hem al dood en begraven had moeten zijn aanstalten de deken waarop hij ligt met grote moeite te verlaten, hij doet een paar wankele stappen en gaat dan weer met krakende botten op de vloertegels liggen.

'Je weigert nog steeds te snappen hoeveel last dit arme dier je moeder bezorgt, hè? Je verdomt het dat toe te geven, ook al zie je dat hij halfdood is, zo is het toch? Je trekt je geen bal aan van wat anderen vinden. Ik weet hoeveel verdriet het je moeder doet om hem in die toestand te zien. Als jijzelf de knoop niet wilt doorhakken, laat anderen dat dan tenminste doen. Het beste zou…'

'Is dat soms niet hetzelfde?' vraagt David. 'Ik weet wel wat het beste zou zijn! Ik weet wel dat zij er net zo over denkt als u, ze heeft zich door u laten ompraten!'

'Je moeder en ik vinden dat je zijn lijdensweg alleen maar langer maakt, gewoon omdat je een dwars, koppig joch bent. Kijk toch eens naar dat arme beest, hij kan niet eens meer ademhalen…'

Chispa komt overeind, ploft neer voor zijn voeten en legt zijn snuit op een van zijn schoenen. De inspecteur buigt zijn been en duwt hem weg; je kunt niet zeggen dat hij hem heeft getrapt, maar in het buigen van zijn been, hoe zacht en langzaam ook, en in het heel even opwippen van zijn voet schuilt de onderdrukte neiging om hem een schop te geven, en David realiseert zich dat en denkt: moet je die klootzak zien, hoe kan hij een hond waarvan hij beweert dat hij op sterven ligt een trap geven? Bijna gelijktijdig worden zijn ogen naar zijn hand getrokken, die waarvan de arm in een mitella ligt, en naar de twee vingers die zich losmaken en samentrekken, een gespannen, trage beweging alsof hij zijn wapen vastpakt en de trekker overhaalt. En dan ziet David in een flits de loop van de revolver naar het oor van de hond gaan en de kogel uitspuwen die zijn kop doorboort.

'Nogmaals,' bromt de inspecteur, 'en ik zeg het vooral vanwege je moeder, ik vraag je dringend om na te denken, joh.'

'En wat kan u dat allemaal verder schelen? Hoe dan ook,' zegt David met een bedroefde blik op Chispa, 'die stakker verlies ik op een dag toch, dat weet ik heus wel, want hij heeft een gierende longontsteking, maar niemand hoeft hem een handje te helpen… Misschien gaat hij morgen wel dood, maar dat doet hij dan wel in zijn eentje…'

'Wees daar maar niet zo zeker van. Je weet nooit hoe lang hij het nog volhoudt in die toestand.'

'Ik zorg net zo lang voor hem tot hij doodgaat.'

'Spaar me je goede bedoelingen. Als je die echt had, zou je je minder druk maken om dit dier en meer om je moeder. Waarom ben je niet met haar meegegaan naar de dokter?' Hij buigt voorover naar David en tikt hem een aantal malen op zijn borst met de gezwollen vinger die uit de mitella steekt: 'Een dezer dagen zullen wij eens een hartig woordje met elkaar spreken. Bereid je daar maar vast op voor.'

'Nou, dat interesseert me geen moer.'

'Dat staat nog te bezien. Realiseer je wel dat ik je dit voor je eigen bestwil zeg. De groeten. Morgenmiddag kom ik terug. Zeg dat tegen je moeder.'

Ik zal je nog wel een poepie laten ruiken, smeris, gromt David als hij hem door de steeg ziet weglopen met zijn veerkrachtige tred en die half onverschillige, half waakzame houding die ook uit zijn nek en hoge schouders spreekt.

's Morgens vroeg lijkt de stad die zich daar beneden onder een loodgrijze, spookachtige hemel uitstrekt een verfomfaaide luchtspiegeling, een verzameling brokstukken in grijstinten aan de rand van de zee, een afgebladderd decor dat net weer is opgeschilderd door de nachtelijke engelen, dezelfde die tegen het ochtendgloren onze dromen in elkaar flansen. Om diezelfde tijd strijken op de gammele waslijnen bij de kloof forse mussen neer die zich met hun snavel van parasieten en het zwarte schuim van de nacht ontdoen.

Wat later komt zij met de wasmand op haar heup de voordeur uit, ze loopt de voormalige tuin door, tussen rozenstruiken en oleanders die haar nostalgie nog steeds in haar herinnering doet opbloeien, in de richting van het ravijn waar David naast Chispa met zijn voeten over de rand van de afgrond wiebelend tegen zichzelf zit te praten.

Haar blik wordt getrokken door de blauweregen die over afgebrokkelde muren golft, ooit de omheining van de tuin, dan zoeken haar tot rust gekomen ogen David weer, die zachtjes zit te mompelen en met zijn benen zwaait alsof hij door stilstaand water loopt te plassen. In prettiger tijden zouden de kinderen van de naaister hier heel wat vissen hebben gevangen, als het niet met hun vader was, dan wel met hun opa uit Mataró, die hengels en vislijnen bezat.

Aan de overkant van de bedding, op het onbebouwde gedeelte aan de voet van de heuvel legt een meisje met een gestreept pyjamajasje aan dat waarschijnlijk van haar vader is, in het open veld ook wasgoed te drogen. Op de bremstruiken kan David een gele rok met groene zakken onderscheiden, een saffraankleurige blouse en twee roze slipjes. De zon breekt tussen de wolken door en laat het geel van de brem en het goudkleurige haar van het meisje opgloeien.

'Straks kom je te laat in de kerk,' zegt mamma met een knijper tussen haar tanden terwijl ze wasgoed uit de mand haalt. 'Had meneer Marimón niet gezegd dat er vanochtend een trouwerij is?'

'Ik ga al,' antwoordt David die zit te kijken hoe Chispa vruchteloze pogingen doet om zijn ontlasting kwijt te raken. 'Gisteren was die smeris weer hier. Ik ben vergeten het eerder te zeggen.'

'Geeft niet.'

'Hij komt vanmiddag terug. Hij had een map met papieren bij zich.'

'Een map?'

Ja. Hij had een map en een pestbui, prevelt David onhoorbaar. Kleresmeris, klootzak, lul, proleet, kaffer.

'Ik kan niet verstaan wat je zegt, jongen, maar ik kan het wel raden. Je zat op die man te foeteren, ik weet het zeker.'

David staat op. 'Ach welnee. Ik had een discussie met mijn broertje. Heb jij ook weleens.'

'Ik heb geen discussies met hem. Wij begrijpen elkaar. En lijkt het je niet beter om te wachten tot hij er is, als je zo graag met hem in discussie gaat?'

'Pappa heeft me eens gezegd: leer te kijken naar wat er nog niet is, dan zul je veel dingen begrijpen.'

'Heeft hij dat gezegd?'

Heel gewiekst, meneer Bartra. Moet je horen. De roodharige ligt op haar rug in bed en duwt me omhoog met haar handen die nu net rode vissen lijken, terwijl naast haar David ons verbluft aankijkt, net als Paulino, die zijn kleurige sambaballen schudt. Een slecht tijdstip heb je uitgekozen om ter wereld te komen, mijn kind, ik voel me heel zwak en erg alleen, ik moest stoppen met werken en weet niet of mijn melk op gang komt en alles wat ik nog voor ons te eten in huis heb, zijn twee uitgedroogde cassavewortels en wat stokvis....

Waarom wurg je jezelf niet met je navelstreng en laat je ons niet met rust, irritante foetus! gromt David als hij met Chispa langs de rand van het ravijn wandelt, de riem om zijn hals, zijn ogen turend naar het bloesje en het gele rokje die als een broos lijfje in extase over de brem aan de overkant van de bedding gespreid liggen. Het meisje is al weg. De hond loopt achter David aan met zijn snuit tegen de bruine, ranke enkel gedrukt, snuffelend naar affectieve affiniteit.

'Wacht, we moeten het nog over je hond hebben,' zegt mamma terwijl ze een laken uitslaat. 'We moeten een beslissing nemen, jongen.'

'Daar wil ik niet over praten. Nu heb ik haast.'

Hij laat Chispa thuis en slaat het pad naar de Avenida in. Verderop in het ravijn steekt hij over en hij loopt naar de helling waar het wasgoed van het meisje ligt te drogen. Wat zou jij in mijn plaats doen, microbe? Hij heeft een chronische longontsteking, dat heeft hij, verder niets, en ik weet zeker dat die te genezen is, zo oud is hij ook weer niet... Wat zou je doen, zou je het goedvinden dat ze hem laten afmaken? Ik wel, ik heb nu eenmaal gevoel, jochie. Heb jij geen gevoel? Wat weet jij nou van gevoel, je bent nog niet eens uit je ei gekropen, jij harige worm die mamma's bloed vergiftigt. Chispa heeft gewoon verzorging en medelijden nodig. Met jouw fantastische medelijden laat je hem op de ergst mogelijke manier doodgaan, beetje bij beetje, ellendig. Je vermoordt hem langzaam, broer, je laat hem een Chinese marteldood sterven waar de Daiko's van Fu-Manchu nog een puntje aan kunnen zuigen. Je bent nog erger dan die rechercheur die de roodharige het hof maakt, dat zeg ik je. Natuurlijk ben ik dat, strontvlieg! Wat dacht je dan! Ik ben veel erger!

Voor hij de Avenida op springt, op weg naar de kerk van Christus Koning, blijft David even bij de bremstruik staan om de rok met de groene zakken van dichtbij te bekijken die in de zon te drogen ligt. Het is een heel korte rok, van een klein meisje, gemaakt van grove, verbleekte stof. Een wesp dribbelt over de zoom ervan en Davids knie schiet omhoog. Hij voelt de opwinding in zijn lichaam die hij zo goed kent en die de voorbode is van list en bedrog.

Jazeker! Ik ben erger dan de pest!

Inspecteur Galván heeft aangebeld en wacht voor de dagdeur, peinzend en met zijn ene hand bewegingloos op de margrietenstruik. In de andere, die inmiddels is ontdaan van het verband en de mitella, houdt hij de blauwe map. De deur gaat open, hij zegt een paar woorden, laat de map zien en binnen is hij.

'Ik moet u bedanken voor uw moeite…' begint mamma.

'Ik sta tot uw dienst, mevrouw Bartra.'

'Meent u dat nou?' De roodharige glimlacht, haar hand ligt op de uitsnijding van haar werkjas. 'Gaat u zitten, alstublieft.'

Zij neemt plaats op haar rieten stoel en begint zonder verdere plichtplegingen het dossier door te bladeren, de map op schoot en de walmende sigaret tussen haar vingers, onverschillig voor de blikken van de inspecteur die heel stram in de andere stoel blijft zitten. Maar meteen onderbreekt ze het lezen om opnieuw te glimlachen en zich ervoor te verontschuldigen dat ze hem niet fatsoenlijk bejegent. Eindjes naaigaren in verschillende kleuren hebben zich als flinterdunne slangetjes aan haar werkjas gehecht, merkt de inspecteur. Uit een van de zakken steken de ogen van een schaar. Op de lage tafel staat een koffieservies met twee kopjes en een suikerpot vol klontjes. 'Het komt doordat ik dit zo graag wilde lezen…'

'Dat begrijp ik.'

'Ik hoop dat het hier niet vies ruikt,' zegt ze met een blik op de pas gedweilde plavuizen onder haar voeten, terwijl de hond moeizaam hijgend in een hoek ligt te suffen met naast hem een zinken emmer en daarin een dweil. 'Ik heb de hele dag braaksel van dat arme beest moeten opruimen, u heeft geen idee hoeveel last ik nu van mijn nieren heb. Ik kan u zeggen dat ik uw aanbod om hem mee te nemen serieus begin te overwegen…'

'Dat zou het beste zijn. Heeft u met uw zoon gesproken?'

Maar zij geeft geen antwoord want ze zit opnieuw geconcentreerd in de verslagen te lezen. De inspecteur zwijgt en neemt haar op. Mamma's hoofd met haar warrige mooie rode haar vol zwarte linten, is devoot over de zogenaamde wandaden van Víctor Bartra gebogen. En onder de map op haar schoot lijken haar stijf bijeengehouden en rood geworden knieën te glimlachen.

Een paar minuten later slaat ze de map met de papieren dicht, neemt een laatste driftige haal van de sigaret en drukt die uit in de asbak. 'Dit verslag en het hele dossier zijn een belediging voor het verstand van mijn man,' zegt ze kalm. 'Voor zijn morele integriteit en voor zijn idealen. Het is bespottelijk.'

'Tja,' reageert de inspecteur, 'te oordelen naar sommige punten van zijn verklaring is het maar de vraag wie de spot drijft met wie. Maar laten we erover ophouden, mevrouw Bartra. Ik begrijp wel dat u zijn denkbeelden verdedigt...'

'Vergist u zich niet, inspecteur. Ik verdedig mijn man en ik respecteer waar hij voor staat, maar ik ben niet zijn ideologische spreekbuis, van hem zomin als van wie ook; ik ben de vrouw die zijn kinderen grootbrengt, de naaister, de kokkin, de poetsvrouw. Vindt u dat niet genoeg? Ik neem aan dat u net als iedereen van uw club denkt dat ik me verslagen en eenzaam voel, en dat het me zo slecht gaat dat ik Víctors ideeën niet meer onderschrijf...'

'In denk dat u veel narigheid heeft gehad en dat u dat niet heeft verdiend, dat denk ik.'

Ze weifelt even voor ze weer iets zegt. 'En nu maken jullie je rustig vrolijk over al die dingen, dat is het nationale devies, de politiek van de onverstoorbare waakhondenblik en de kalme mannenhanden stevig op de sabelknop, al die parafernalia en retoriek. Dat liedje ken ik. Maar u moet één ding goed weten: als sommige van die idealen van mijn man niet bestonden, dan zou ik geloven dat ik in dit leven absoluut niets ben kwijtgeraakt.'

'Dat moet u niet zeggen. U weet dat heel wat dingen de moeite waard zijn om voor te vechten...'

'Geeft u me alstublieft een sigaret.'

'Alweer een? U heeft de vorige net uitgemaakt.'

'Ja ziet u, door de rook worden mijn gedachten helderder,' zegt ze scherp. En op zachtere toon: 'Neemt u me niet kwalijk, ik heb u niets aangeboden...'

Om een uur of zeven, voor het donker begint te worden en wanneer de al ondergaande zon zijn nagels, die altijd geel zijn door het sulfiet van het ontwikkelzout, vuurrood lakt, verlaat David de fotostudio en treft hij Paulino Bardolet, die met de sambaballen in de hand aan de rand van het ravijn op hem staat te wachten. Als zijn vriend hem over inspecteur Galváns bezoek heeft ingelicht, loopt hij met verwarde stappen de margrieten vertrappend naar het raam. Door de jaloezieën heen is het eerste wat hij op de salontafel onderscheidt de Dupont-aansteker en het pakje Lucky's, de oude koffiekopjes met de Chinese schrifttekens en de suikerpot propvol klontjes, en direct daarna de inspecteur die stokstijf in de stoel zit en met kleine slokjes zijn koffie drinkt. De staalblauwe ogen, zichtbaar boven de rand van het kopje, zijn strak op de roodharige gericht. De koffie is van het huis maar tevens een cadeautje van de bezoeker.

'Wat hebben ze het gezellig saampjes,' gromt David even later in het ravijn. 'Laatst hoorde ik mamma zeggen dat het dankzij die kerel nu thuis is afgelopen met het slootwater en de cichorei. De suikerklontjes heeft hij ook meegebracht, die jat hij in cafés.'

'Waarom wilde je niet naar binnen?' vraagt Paulino.

David antwoordt niet, hij denkt na. Op welk moment van de conversatie zou de roodharige vinden dat ze de gunsten van die man wel kon beantwoorden, waarom heeft ze de onbezonnen neiging of de wens hem binnen te laten en een kopje koffie aan te bieden niet onderdrukt? Ik heb hem net gezet, inspecteur, wilt u een kopje? Gaat u toch zitten, alstublieft. Hoeveel klontjes? Zou u zo vriendelijk willen zijn om me een sigaret te geven? U zou niet moeten roken, mevrouw Bartra, en zeker niet in uw toestand – met een ogenschijnlijk verstrooide blik op de rand van haar gebloemde, van voren een beetje versleten werkjas als ze hem zijn koffie al heeft gegeven en met een vermoeid gezicht gaat zitten.

'Jemig, wind je toch niet zo op,' zegt Paulino, die een paar meter voor hem uit loopt en de sambaballen zachtjes schudt, bijna laat ruisen. 'Het is niet voor het eerst dat die smeris zich je huis binnen kletst.'

'Nee. Maar het is wel de eerste keer dat zij hem vraagt om te gaan zitten en koffie te drinken. Dat is heel wat anders, jochie.'

'Heel wat anders,' herhaalt Paulino terwijl hij verder loopt langs de droge rivierbedding. Hij neemt de twee sambaballen in één hand, knipt het kappersscheermes open en sluipt ineengedoken en stil om de kale, holle stronk van een half begraven steeneik. 'Hij heeft net zijn kop naar buiten gestoken, maar nu zie ik hem niet meer. Heb jij iets gezien?'

'De kont van mijn vader waar bloed uitstroomt. Meer heb ik niet gezien.'

'Vandaag krijgen we er geen een te pakken, de zon is al onder. Zullen we naar de Kale Berg gaan? Dan laat ik je de grot zien van Mianet, die zwerver met spiegeltjes aan zijn schoenen...'

'Oké.'

Voor ze gaan, loopt David weer naar zijn huis, waar hij gebukt bij het raam gaat staan. Dat doet hij niet om te horen wat ze zeggen: hij heeft een zwerm putters in zijn oren. Met de randen van zijn nagels waar bloedrood licht op valt, duwt hij zachtjes tegen de randen van het raam, dat langzaam opengaat zodat het oude geruis van de rivier over de hoofden van de roodharige en de politieman het huis binnendrijft.

'Laten we hem smeren, bolle.'

'En als ik al deze lasterpraat eens verscheurde?'

'Gaat uw gang. Het is een kopie,' zegt inspecteur Galván met een fluwelen stem. Hij heeft zojuist met zijn Dupont mamma's sigaret aangestoken en steekt nu die van hem aan. Hij legt de aansteker op tafel en zijn ogen blijven rusten op de korte witte kousen en de schoenen met de dikke kurkzolen die de roodharige aanheeft. 'U zou die schoenen niet moeten dragen.'

'Wat mankeert eraan?'

'Die lijken me niet geschikt in uw toestand. U zou weleens kunnen vallen.'

Ze doet de map op haar knieën dicht en neemt een slok koffie. De politieman verbreekt een gênant zwijgen. 'Ik wist wel dat u kwaad zou worden.'

'Het zijn vrijwel allemaal leugens.'

'Staat u me toe te zeggen dat het niet om het dossier draait. Volgens mij is het probleem van uw man, hetgeen waardoor hij voor een rechtbank in een lastig parket zou kunnen komen, wat er in zijn strafblad staat...'

'Dat staat ook bol van de verzinsels. Een mooie manier om de waarheid te verdraaien. Wraak, aangiften en laster, dat is nu in de mode, en dat weet u. En de stijl waarin het geschreven is!'

'U heeft toch gestudeerd, is het niet, mevrouw Bartra?'

'Hoe dat zo?'

'Begrijpt u me niet verkeerd, dit is geen verhoor,' haast de inspecteur zich te zeggen, terwijl hij zijn rug in zijn stoel nog verder recht. Hij neemt de sigaret in zijn andere hand, strijkt zijn haar glad, kijkt naar zijn versleten schoenen. 'Ik bedoel dat u iets in u hebt, ondanks uw republikeinse verleden en de denkbeelden die u met uw man deelt…'

'Die litanie ken ik al, inspecteur, bespaar u de moeite.'

'Ik meen het,' zegt hij, en probeert het onverschillig te laten klinken. 'Ik bewonder uw moed, mevrouw Bartra. Ik kom in mijn werk niet vaak mensen als u tegen. Sterker nog, ik beschouw het als een voorrecht dat ik de kans heb gekregen u te leren kennen en u zo veel mogelijk te helpen.'

'Ik snap niet waarom u dat als een voorrecht beschouwt en ik geloof ook niet dat ik dat wil weten, maar goed, bedankt voor het compliment; daarmee heeft u een tweede kopje koffie en nog twee suikerklontjes verdiend… U verbaast me een beetje, weet u?' Mamma probeert te glimlachen als ze verdergaat: 'Vroeger waren de politieagenten niet zo. Volgens mij zijn jullie ten prooi aan een of andere genetische ontaarding.'

'Hoe moet ik dat opvatten, mevrouw Bartra?' vraagt de inspecteur. Als zij niets zegt, voegt hij eraan toe: 'Ik weet best dat de mensen ons argwanend bekijken. Daar ben ik aan gewend en het kan me niet schelen.'

'Het lijkt me dat het u wél kan schelen.'

'Dat hangt van de persoon af.'

Na een langere stilte kijkt de roodharige naar de blauwe map in haar handen en streelt hem peinzend. 'Bedankt dat u me het heeft laten lezen. Alstublieft.' Ze geeft hem de map. 'Het is allemaal met kwade bedoelingen geschreven. Jullie weten niets van mijn man.'

'Wat is er toch werkelijk met die man gebeurd?' zegt de inspecteur, die iets ontspannener gaat zitten; hij doet zijn best het weinige fluweel in zijn stem naar boven te halen. 'Dat heb ik me vaak afgevraagd. Hoe kon een dergelijke man, een vechter, met die idealen van hem, met zijn toekomstdromen zoals u zegt, zichzelf van de ene op de andere dag door de alcohol om zeep laten brengen...? Hoe kon hij zo diep zinken?'

'Die vraag lijkt me niet gepast, inspecteur.'

'Misschien niet. Ik geef toe dat mijn belangstelling niet louter beroepsmatig is.'

'U vraagt me om de waarheid in een privé-aangelegenheid. U zult het met de publieke waarheid moeten doen, en die luidt: mijn man staat vijandig tegenover het regime. En hij is een alcoholist.'

'Dat weten we al. Het was niet mijn bedoeling...'

'Het is wel goed. Heeft u er bezwaar tegen als we over iets anders praten? Eens zien. Ik geloof dat u het hiervoor over mijn opleiding had.'

'Ja. Er ontbreken nog een paar gegevens waarmee ik mijn verslag nog moet aanvullen.'

'Nou, vooruit. Wat wilt u weten?'

Tijdens de Republiek was u onderwijzeres. Dat was u althans een aantal maanden lang, in Mataró, toen u bij uw schoonouders woonde. U bent een hele poos ziek geweest en moest stoppen met werken. Na de oorlog bent u het onderwijs niet opnieuw ingegaan.'

'Dat vonden ze niet goed.'

'Dat vonden ze niet goed,' herhaalt de inspecteur op een toon die niets van een verhoor heeft.

'Zo is het. Ik neem aan dat dat u niet zal verbazen,' zegt zij. 'We kennen allemaal mensen – artsen, advocaten – die hun beroep niet opnieuw konden gaan uitoefenen.'

'Zeker. En wat heeft u gedaan, hoe heeft u het gered?'

'We woonden al hier,' zucht mamma. 'Ik ging aan de slag in een garenspinnerij in de Calle Escorial.'

'De Batlló-fabriek,' zegt de inspecteur terwijl hij het lege Lucky's-pakje fijnknijpt en het in de asbak legt.

'Ik sta nog steeds op de loonlijst,' zegt mamma. 'Drie maanden geleden heb ik me ziek gemeld, zoals ik u al heb verteld. Ik werkte van zes uur 's ochtends tot twee uur 's middags voor vijfentwintig peseta per week en was verantwoordelijk voor twee weeftoestellen. O ja, de eerste twee jaar was ik daar als stagiaire en kreeg ik vijftien peseta per maand... Wat wilt u verder nog weten?'

De inspecteur heeft zijn blocnote gepakt en na enig gewroet in zijn zakken een stompje potlood gevonden dat niet veel langer is dan een sigarettenpeuk. Maar hij maakt geen aantekeningen. 'U heeft er goed aan gedaan om u ziek te melden,' zegt hij op neutrale, rustige toon. Het is nu een dampige stem waar geen overtuiging uit spreekt, al streeft hij dat wel na, een rookstem. 'Een mens moet voorzichtig zijn. Daar heeft u goed aan gedaan.'

'Het was op doktersadvies, denkt u niet dat het een fabeltje is.'

'Natuurlijk niet, ik hoef maar naar u te kijken. U heeft verzorging nodig.'

'Wat wilt u nog meer weten? Oh ja. Ik naai thuis bloesjes en rokjes voor kinderen of voor poppen, dat maakt me niets uit, ik doe het al lang en ik naai liever dan dat ik terugga naar de fabriek. En dat is alles, geloof ik.' Ze heeft de Dupont gepakt en laat die tussen haar vingers boven haar puntbuik ronddraaien, zo te zien heeft ze er niets meer aan toe te voegen. Haar oog valt op de in de aansteker gegraveerde initialen M.G., dan legt ze hem weer op tafel, pal naast het schoteltje van het koffiekopje. Ze kijkt naar het verfrommelde sigarettenpakje en hij raadt haar gedachten.

'Ze zijn op,' en met iets wat op een glimlach lijkt: 'Voor u vind ik dat prettig.'

De inspecteur lijkt ook geen vragen meer te hebben en hij blijft een paar tellen zwijgend zitten, neemt een slok koffie en verschuift de blauwe map op de tafel. Daardoor duwt de map de aansteker naar de rand van de salontafel en zonder dat een van beiden het merkt, valt de aansteker vandaar zacht en geluidloos op de dubbelgeslagen deken waar Chispa even eerder nog op lag. Opeens lijkt de inspecteur zich iets te herinneren. 'U heeft een zus die lange tijd in een pension in Tarragona heeft gewoond.'

'Lola. Ze is al zeker zes jaar geleden naar Barcelona verhuisd.'

'Ze heeft niet zo'n hoge dunk van uw man.'

'Ze hoeft zijn naam maar te horen en ze wordt al panisch. Ze is acht jaar jonger dan ik, maar was altijd al een vervelend en overdreven vroom oud vrouwtje... Ze laat geen liefde toe, maar het is een goede ziel.'

'Ik heb met haar gesproken.' De inspecteur raadpleegt zijn aantekeningen: 'Ze woont in Vallcarca. Ja. Lola.'

Hij herinnert zich haar nog heel goed, niet zozeer vanwege haar weinig bevallige uiterlijk – een magere vrouw die voortdurend haar zwart fluwelen handtas open- en weer dichtdeed met een heel hard metaalachtig geluid, net een pistoolschot – als wel vanwege de haast onverbloemde wrok jegens haar zuster Rosa die met een schoft was getrouwd. Ze had hem haar lidmaatschapskaart laten zien van een Congregatie van Dochters van Maria en had hem gezegd dat ze niets wist noch wilde weten van de man die haar zuster zo ongelukkig had gemaakt, hoe slim die zichzelf ook achtte, nee meneer, ik weet niet waar die rooie kerel uithangt en ik wil het niet weten ook.

'Ze is getrouwd met een boer uit de omgeving van Tarragona die nu bij de tram werkt, Pau,' vertelt mamma verder. 'Hij is conducteur op lijn dertig.'

'Heeft u nog meer familie in dat dorp... hoe heet het ook alweer?'

'La Carroña.'

'Precies, La Carroña. Wat een naam, Het Kreng.'

De roodharige gaat daar niet op in, maar zegt: 'Meer dan een dorp is het een heel korte straat, met nog geen dozijn huizen, geloof ik. De broer van mijn zwager moet er nog wonen. Ik weet het niet, Lola en ik praten al jaren niet meer met elkaar. En dat vind ik echt jammer, niet voor mij of voor haar, maar voor David. Mijn zus heeft een dochter van dezelfde leeftijd als David, misschien een jaar jonger, en als kleine kinderen waren ze al dol op elkaar... Waarom vraagt u me dat allemaal? Denkt u soms dat Víctor zich in La Carroña schuilhoudt? Nou, vergeet u het maar. Zelfs als een van beide broers, en dan denk ik vooral aan mijn zwager Pau, de tramconducteur, die een beetje getikt is maar een echte goedzak, zelfs als hij mijn man bij hem thuis had willen verbergen, dan had Lola dat in geen geval toegestaan. Een lekker dier, mijn zus! Maar dat hebben jullie natuurlijk al onderzocht.'

'Er is een rapport van de Guardia Civil.'

Chispa verlaat de frisse vloertegels, gaat uitgeput en met schuddende kop naar zijn deken, laat zich vallen en bedekt de Dupont met de vacht van zijn buik. Hij begint te janken. Met zijn poten wijduit en zijn kop opzij lijkt hij wel dood.

'David had al hier moeten zijn om hem uit te laten,' zegt mamma. De hond richt met grote moeite zijn kop op en kijkt haar met zulke droevige ogen aan dat zij er een smeekbede in ziet. 'Nou ja, dan laat ík hem maar uit.'

Misschien omdat de gedachte hem aan de inspecteur te geven zodat die hem meeneemt al door haar hoofd speelt, klikt ze de riem aan de halsband van de hond. Ik herinner me die halsband van Chispa alsof ik hem heb gezien: rood en heel wijd voor een hond van zijn formaat, met blikken sterretjes en een goudkleurige gesp. De riem is gemaakt van lichtbruine gevlochten repen leer.

De inspecteur heeft zijn map gepakt en loopt achter mamma en de hond aan naar de andere kant van het huis, hij doet zelf de buitendeur open en gedrieën gaan ze heel langzaam de treden af naar de verwaarloosde tuin. Ze lopen daar nog als mamma een volgende opmerking van de inspecteur hoort over dat het beter is het dier verder lijden te besparen, maar zij zal pas op het laatste moment de knoop doorhakken, wanneer hij al afscheid neemt.

'Wacht,' zegt ze opeens, terwijl ze hem het uiteinde van de riem aanreikt. 'Wilt u hem niet nu meteen meenemen? Hier, ik hoop dat het Gods wil is. Ik zal wel zien wat ik tegen mijn zoon zeg... Hopelijk kan hij het me vergeven.'

'Vertelt u hem een leugentje,' suggereert de inspecteur. 'Soms is een leugentje noodzakelijk, vooral als je daarmee iets goeds tot stand brengt.'

'Ik weet nog niet zo net of er noodzakelijke leugens bestaan.'

'Laat u het maar aan mij over, mevrouw Bartra.'

Chispa kijkt naar de inspecteur en probeert te blaffen, wat astmatisch klinkt, dan kermt hij, krabt met een poot in de aarde en probeert iets duidelijk te maken, hij ruikt het gevaar.

'Stil,' zegt mamma als ze met de handen op haar buik naar de deur terugloopt. 'Je gaat mee met meneer de inspecteur, een goede vriend... Maar laat hem niet lijden, alstublieft,' voegt ze er met een blik op de politieman aan toe.

'Ze lijden niet. Het is zo gebeurd...'

'Zegt u niets meer, alstublieft. Ik wil het niet weten.'

'Bedenkt u dat het voor dat arme dier het beste is. Kom, dappere jongen, kom maar mee.'

'Weest u geduldig met hem, want hij kan bijna niet lopen... Wat gebeurt er daarna, waar wordt hij begraven?'

'De dierenarts regelt dat allemaal wel,' antwoordt de inspecteur en hij geeft een klein rukje aan de riem. 'Gaat u nu maar naar binnen en vergeet u de kwestie. Alstublieft, mevrouw Bartra.'

Terwijl hij zijn tred met moeite aan die van het dier aanpast, neemt de inspecteur Chispa mee, zachtjes aan de riem trekkend met de hand die hij achter zijn rug houdt en met in zijn andere de map.

Kort daarop, als ze heimelijk vanuit de deuropening kijkt, ziet ze hen heel langzaam over de asgrijze strook aan de rand van de bedding weglopen, allebei met de ogen omlaag gericht, politieman en hond verbonden door de riem en door nog een band, die weliswaar onzichtbaar maar duidelijk waarneembaar is, een soort gelatenheid in hun gang die hen op vreemde wijze tot handlangers maakt, solidair in hun moeizame loop. Het laatste wat de roodharige ziet, is dat Chispa op de grond ligt, hij weigert verder te lopen, en dat de rechercheur met korte rukjes aan de riem trekt.

Juist wanneer ze de deur sluit, draait de inspecteur een paar keer in de rondte en met nauw verholen ongeduld wisselt hij de riem en de map van hand.

Ik heb me al in het bekken van de geschiedenis gedrongen en neem verwrongen schitteringen waar, maar ik heb helemaal geen haast. Vanuit de bubbel die me voor de wereld en haar drogbeelden behoedt, hoor ik de stille stappen in de donkere gang van de dodenvilla als mijn broer weer thuiskomt met het kwade voorgevoel dat hij deze namiddag, toen hij gebukt onder het raam stond al kreeg ingefluisterd door de stem van inspecteur Galván terwijl deze stokstijf tegenover mamma zat, een zo onverwacht fluwelen stemgeluid en een zo aandachtige houding... Nu zit zij in haar kamer te naaien. Zodra hij de hal-eetkamer is binnengekomen, ziet David de matgouden glans van de Dupont tussen de plooien van de deken, alsof die daar net geluidloos is neergekomen en naar hem knipoogt, precies op de plek waar de hond kwispelend op hem had moeten liggen wachten.

Hij begint Chispa te roepen, maar iets vreselijks zegt hem dat hij geen reactie hoeft te verwachten. Langzaam buigt hij over de deken, in een half stiekeme, half eerbiedige houding, hij grist de Dupont weg en stopt hem in zijn zak.

God weet hoe lang hij om de dood van zijn hond huilt. Hij heeft zoveel van hem gehouden en hem met zo veel liefde verzorgd in een poging om zijn lijden te verlichten, hij heeft hem zo veel geaaid en vertroeteld dat zijn handpalm waarschijnlijk nog de onuitwisbare herinnering bewaart aan de dunne, op zijn rug en buik meanderende beharing, aan de gehavende randen van zijn oren, de niet altijd koude snuit, de cysten en kale plekken op zijn huid. En door die getrouwe, woedende herinnering werd zijn wraak uitgelokt; misschien was het niet het directe gevolg, maar wel de kiem, het giftige zaad. Niets van wat David in de loop van zijn korte, intense leven zou overkomen, het vele persoonlijke onheil, zijn dwaze inspanningen en pijnlijke tekortkomingen, niets zou zo belangrijk voor hem zijn als het onzalige einde van die hond; niet de dag waarop hij, van top tot teen in rouwkleding, huilend en met mij op de arm bij tante Lola in huis werd opgenomen, evenmin toen hij jaren later een echte straatschooier was en tante hem ik weet niet hoe vaak bij het politiebureau moest ophalen, of toen onze nicht Fátima smoorverliefd op hem was geworden en hij gelukkig leek maar zich in wezen doodellendig voelde, geen enkele tegenslag van de vele die de constante vormden in zijn levenslot, zijn eenzaamheid en buitensporigheid, niets zou hem zo tekenen als de dood van Chispa.

Smerige klootzak. Zwijn. Flikker. Klereslachter. Schijtsmeris. Ik hoop dat ze een levende rat in je reet stoppen die je darmen opvreet.

Houd op met die berg verwensingen, broer. Vanmiddag heeft mamma je gehoord en bij alle ellende die ze toch al heeft...

Houd je snuit, behaarde cassave. Zwem maar lekker door in je vis senkom en zeur niet langer.

In een bocht van het ravijn staat hij binnensmonds te schelden, tegen een rotsspleet gedrukt waar zich vaak hagedissen en slangen laten zien. Naast hem ligt een stuk kalksteen met bovenop heel duidelijk de afdruk van een geribbelde zeeschelp en ook de spiraallijn van een zeeslak. Ja, een miljoen jaar geleden, had Paulino hem uitgelegd, lang voordat dit een rivier was, kwam de zee tot hier en die overdekte alles met zijn veelkleurige vissen en schelpen en slakken. Voor even vindt hij troost bij die gedachte aan het leven dat volledig is overspoeld door de dode, oeverloze wateren. Ineengedoken bij de rotsspleet, net buiten bereik van het snerpende gesjirp van echte of louter in zijn gehoor genestelde akoestische krekels, heeft hij het gevoel dat hij in een slakkenhuis zit en luistert hij aandachtig naar de echo's van een rivierschim die hier alleen voor hem stroomt, een zomers geroezemoes van insecten en sluimerende oerwateren uit de tijd waarin het ravijn nog een kalme, kristalheldere beek was.

Wolken wikkelen zich als wattenbollen om de Kale Berg en tegen de schemering storten zwermen beschutting zoekende mussen in duikvlucht omlaag, als donkere zware gordijnen die over het glanzende avondrood zakken.

'Mijn arme Chispa! Mijn arme hond!'

Deze eerste nacht zal hij snikkend onder de beschermende schaduw van het grote, rozerode oor van dokter P.J. Rosón-Ansio doorbrengen en de hele volgende ochtend zal hij binnensmonds blijven vloeken en klagen, niet van zins tegen iemand te praten behalve tegen zichzelf. Gebalde vuisten in zijn broekzakken en het hoofd gebogen in een aanval op de lucht, zo zal hij op de treden bij de voordeur blijven zitten totdat tegen twaalven, wanneer hij voor de zoveelste keer zijn vuist woedend om de aansteker van de inspecteur klemt, zijn ogen plotseling droog zijn. Verbaasd komt hij tot de ontdekking dat hij niet wil blijven huilen en hij kijkt voor zich uit naar de lakens aan de waslijn die wapperen in de wind.

Even eerder is mamma met haar grote naaimand thuisgekomen van de markt en hij weet dat ze nu rijst met linzen staat te koken. Zo dadelijk zal ze met de wasmand naar buiten komen om het droge goed van de lijn te halen en David gaat weer door met zijn klaagzang van gemompelde verwensingen.

'Nog steeds hetzelfde gejeremieer?' vraagt mamma, die doet of ze boos is. 'Ik moest het wel doen, jongen. Jij had het nooit goedgevonden dat hij werd meegenomen.'

'Natuurlijk niet! Hoe heb je je laten overhalen? Hoe kon je mijn hond aan die blaaskaak van een diender geven om hem te laten afmaken…?'

'Praat niet zo tegen me, doe me een plezier… Ik voel me niet lekker, jongen. Help je me met het wasgoed?'

'Nu kan ik niet. Zie je niet dat ik zit na te denken?'

'Best. Denk dan na, maar maak een beetje voort.'

Waarover zit je na te denken, broer? Je weet best dat we veel van je houden, maar allemachtig, wat een stijfkop ben jij, zeg! Heb je mamma niet gehoord, of wil je het niet begrijpen? Ze moest wel voor jou beslissen. Ze heeft al haar moed bijeengeraapt, ze is heel dapper geweest en nu heeft ze je nodig.

Houd jij je mond, walgelijke bloedzuiger. Ik hoef jouw verwijten niet te pikken.

Ik zeg je wat ik denk, broer: dat balletje vergiftigd vlees was de beste oplossing voor Chispa.

Weet je wat het betekent om dood te gaan door een vleesballetje met strychnine? Een doodsstrijd van drie of vier uur!

Ja. Maar zeg dat niet tegen mamma, dat hoeft niet. Ik geloof hoe dan ook dat je overdrijft.

Ik weet wat ik zeg.

Best, al goed.

En laat me met rust, uilskuiken, niet te geloven dat je zo'n uilskuiken bent!

Ja hoor, het is best.

'Kom je nou of niet, joh?' vraagt mamma. 'Als je alleen maar blijft mopperen, ga dan liever naar binnen en dek de tafel. Dan ben je tenminste met iets anders bezig, schat.'

Zie je wel? Ze luistert naar je en ze deelt je verdriet. Wat wil je nog meer, broer? Sta op en ga haar helpen. We moeten als gezin een eenheid vormen als het tegenzit...

Als gezin een eenheid vormen?! Wat een achterlijk gezeik! Die sentimentele kontkrummel is niet goed snik!

'Sta op en ga naar binnen, David. Vooruit, opschieten,' zegt mamma.

Hij komt overeind, maar in plaats van het huis in te gaan, loopt hij naar de waslijn, tilt de wasmand op en blijft naast haar staan, fluisterend om haar niet te ergeren: 'En wie heeft hem afgemaakt? Heeft die smeris je dat verteld?'

'Een dierenarts met wie hij bevriend is.'

'Ik geloof er niets van. Die diender is voor geen cent te vertrouwen...' En na een korte pauze: 'En mag ik misschien weten waar ze hem hebben begraven, als iemand tenminste de moeite heeft genomen om mijn arme Chispa te begraven?'

'Dat heeft de inspecteur persoonlijk gedaan,' antwoordt ze om hem te kalmeren. 'Hij heeft niet gezegd waar. Vast niet hier beneden, dus daar hoef je niet te zoeken zoals je gisteravond hebt gedaan. En houd op met dat gesnotter. Laat de tijd zijn werk doen.' Opeens neemt ze een knijper van tussen haar lippen, buigt voorover en drukt een kus op Davids warme wang. 'En als ik je een raad mag geven, verspil je tranen dan niet, bewaar ze voor belangrijkere dingen. Anders zijn ze straks op, en wanneer je zo groot bent als ik en je wilt huilen, kun je het niet meer. Pak deze handdoek even aan, dan zijn we klaar.'

Met haar ijverige armen in de lucht, de rossige haren onder haar oksels en het dons in haar nek overeind door het windje, voelt mamma de bekende, telkens weer opspelende pijnscheut. Door het licht getroffen insecten maken de lucht om haar heen schuimig als kokende honing. De geur van lavendel en het gekakel van kippen drijven voorbij, radiomuziek klinkt aan de overkant van de rivierbedding, voorbij de drie eiken en het rotsachtige gedeelte, waar het complex met goedkope huizen begint, een doolhof van dakterrassen met konijnenhokken en duiventillen aan de voet van de helling. De kleine saffraankleurige blouse en andere bekende kledingstukken liggen op struiken te drogen.

'Op die heuvel was jaren geleden een korenveld met klaprozen,' zegt David terwijl hij naar de overkant wijst.

'Hoe weet je dat, mijn jongen?'

'Dat weet ik gewoon.'

Als David vol aandacht naar die kleuren en levendige vormen in het zonlicht kijkt, bekruipt hem het voorgevoel van een emotionele ervaring, iets wat nog in het domein van zijn intuïtie sluimert.

Ik zal je een poepie laten ruiken, mompelt hij.

'Wat is er?' vraagt mamma. 'Weer tegen jezelf aan het praten?'

'Dat is je buik die geluidjes maakt. Dat aapje zit tegen je ingewanden te trappelen, mamma.'

'Ik vind het niet leuk dat je hem een aapje noemt. Vooruit, aan tafel.'

Wanneer David de drie treden op loopt, ontsnapt hem opeens een snik die hij niet kan tegenhouden. 'Hier lag hij altijd zodat ik hem beter kon maken... Hij was bijna beter! Je hebt het zelf gezien. Ik smeerde hem elke dag in met jodium en ik borstelde zijn vacht, en dan kwispelde hij en keek me aan. Hij had het zo naar zijn zin, ook al kon hij me niet zien... Arme Chispa, mijn arme vriendje! Wat rende je graag door een korenveld met klaprozen...!'

'Alsjeblieft, jongen, maak me het leven niet zuur, daar zorgen anderen wel voor... Fraai dat je meer moet huilen om de dood van een hond dan om het ongeluk van je vader, vind je niet?'

'Die slager van een smeris zou toch op zijn minst de riem en de halsband terug kunnen geven, nietwaar? Die zijn van mij!'

'Daar heb ik niet aan gedacht,' zegt mamma. 'Ik zal het hem zeggen. Als hij ze nog heeft, krijg je ze heus wel van hem terug. Zo slecht is hij niet. Echt niet, David.'

Echte koffie met twee klontjes

Evenals de herinnering aan sommige persoonlijke ervaringen die ons onuitwisbaar leken, wordt ook de gedachte aan wat we in onze fantasie hebben gezien maar niet werkelijk hebben beleefd mettertijd waziger, ook die vervaagt. Heel even maar, hier, naast de onvergetelijke maar nooit door mij aanschouwde, nog steeds niet verwelkte margrietenstruik, en reeds vervluchtigen ze allebei terwijl ze een beleefde groet wisselen, inspecteur Galván met een sigaret tussen de lippen, de ene hand tegen de muur steunend, de andere in de zak van zijn colbert of vluchtig langs de rand van zijn hoed strijkend, altijd een beetje stijf en galant, en onze roodharige met een schouder tegen de deurpost geleund, een lome blik en een hand strak en lijdzaam op het schort dat haar buik bedekt.

'Oef. U weer.'

'Ik zal u niet lang lastigvallen. Het is erg warm. Hoe gaat het vandaag met u, mevrouw Bartra?'

'Maar zozo. Deze hier heeft de godganse dag al de hik. Hij zal wel veel water hebben binnengekregen.' En glimlachend: 'Daarin lijkt hij tenminste niet erg op zijn vader.'

'U bent in een vrolijke bui.'

'Weet u niet dat baby's in de baarmoeder dorst hebben, drinken en de hik krijgen zoals u en ik? Nee? Dan weet u het nu.'

'Tjonge. U bent een bijzondere vrouw.'

Voor de zoveelste keer zal ze zich afvragen of het verstandig is hem binnen te vragen, en ik zou haar graag willen kunnen zeggen: nee, doe het niet, mamma.

'Stil jij en gedraag je… Ik heb het tegen mijn kind,' verklaart ze en vervolgt dan: 'Inspecteur, u weet iets over mijn man wat u me niet wilt vertellen.'

'Waarom denkt u dat?'

'Om zoveel redenen. De manier waarop u zich tegenover mij gedraagt… U weet dat ik het bij het rechte eind heb. Vooruit, geeft u het maar toe.'

Nauwelijks een kortstondig vastgehouden moment, als het intuïtief knipperen van mijn broers ogen wanneer hij met zijn gele nagels en woedende hart weggaat uit het donkere ontwikkelhok van fotograaf Marimón, lang voordat hij bij ons huis is maar terwijl hij toch al de hand van de politieman ziet die dwaas heen en weer gaat door de margrieten, als hij de bel bij de deur van de praktijk hoort nog voordat de vinger erop gedrukt heeft en hij mamma ziet – ze doet de deur al open nog voordat ze de bel heeft gehoord –, dat is voldoende voor hem om, bij zijn aankomst aan de andere kant van het huis te blijven rondhangen, tussen het ravijn en de nachtdeur. Zelfbewust en standvastig aan de rand van de afgrond, alleen of in gezelschap van Paulino en diens sambaballen, stelt hij de gang naar huis zo lang mogelijk uit, omdat hij weet dat de rechercheur daar al is en hij haar bijvoorbeeld twee stukken toiletzeep cadeau doet die hij net uit een zak van zijn colbert heeft gehaald, terwijl hij uit de andere een pakje bonenkoffie te voorschijn tovert, zich niets aantrekt van haar bezwaren, van haar verzet om de geschenken te accepteren en ronduit nors zegt: Neemt u het toch aan en houdt u alstublieft op, mevrouw Bartra, ik weet dat u het best kunt gebruiken. Het leven is erg lastig… En hij blijft daar naast de salontafel staan, lang, gezet, zo stijf alsof hij een bezemsteel heeft ingeslikt, met een blik op mamma die een of ander raadsel probeert te doorgronden in haar woorden of haar uiterlijk, alsof hij met haar tot overeenstemming wil komen aangaande iets belangrijks of misschien alleen maar in de hoop haar te horen zeggen: Gaat u toch zitten, alstublieft, ik heb net wat van de koffie gezet die u voor me meeneemt… Zegt u dat er geen nieuws is? Ik kan niet geloven dat een zo efficiënt politiekorps als het onze, met die erkende speurdersneus als het gaat om gevaarlijke anarchosyndicalisten en rode separatisten, niets in deze zaak is opgeschoten, en dat u nog altijd in het duister tast.

Ze pakt een tweede kop en schotel van het buffet, zet die op de salontafel naast de hare en gaat tegenover hem zitten, vastbesloten van hem los te krijgen wat hij weet over de zaak die haar interesseert. Nadat ze zijn kopje heeft volgeschonken, schenkt ze ook zichzelf weer in.

'U zou wat kalmer aan moeten doen met de koffie,' meent de inspecteur. 'Dat is een opwekkend middel. Ik weet niet of ik er wel goed aan doe om u van zo veel koffie te voorzien...'

'Eerlijk gezegd komt die me uitstekend van pas. Sommige dagen sta ik 's ochtends op en als ik dan geen flinke kop koffie kan drinken, ben ik niets waard, dan start mijn motor niet, zegt mijn zoon.'

'Dat neem ik direct van u aan. Ik heb hetzelfde.'

'Twee klontjes, is het niet?'

De inspecteur kijkt naar de hand van de roodharige die boven de suikerklontjes hangt, hij lijkt te aarzelen. 'Twee, ja.'

'Ik een halfje, van de dokter mag ik geen suiker.' Ze neemt een slok en keert terug naar het onderwerp dat haar bezighoudt. 'Dus helemaal niets. Zelfs geen aanwijzing, afkomstig van een verklikker? Jullie maken toch gebruik van verklikkers, nietwaar?'

'Dat is juist.'

'Mag ik een sigaret van u? Alstublieft.'

Door de blauwe rookspiraal neemt de roodharige de inspecteur zwijgend op. Haar stem klinkt gesmoord door een moeilijk te bedwingen spanning.

'Dank u.'

'Bij de Sociale Brigade weten jullie iets van mijn man maar jullie willen het mij niet zeggen.'

'Waarom denkt u dat?'

'Ik ben ervan overtuigd. Jullie zullen alles wat ik van het dossier heb tegengesproken wel zijn nagegaan, en nu weten jullie vast meer.'

Na een moment van aarzeling geeft de inspecteur toe dat er nieuws is, maar hij voert aan dat hij niet bevoegd is dat te onthullen en dat het in feite niet belangwekkend is. Dat het zeker geen slechte berichten zijn, zo zegt hij, zodat ze zich geen zorgen hoeft te maken. Víctor Bartra bevindt zich nog steeds op een onbekende verblijfplaats en verkeert vermoedelijk in een goede gezondheid, dat is alles wat hij daarover kan meedelen.

'Hoe weet u dat het goed met hem is?'

'We weten waar hij zich de afgelopen maanden verborgen heeft gehouden. Dat weten we absoluut zeker. En vermoedelijk gaat het goed met hem.'

'Waar heeft hij gezeten? En hoezo vermoedt u dat het goed met hem gaat?'

Het duurt even voor de inspecteur antwoord geeft, en als hij dat doet, loopt zijn stem vast in een stroop van wrevel met een vleugje droefheid. 'Meer kan ik u voorlopig niet vertellen. Ik beloof dat ik u zodra ik dat kan nauwgezet op de hoogte zal stellen. Ik zeg nogmaals dat alles naar wens gaat, beter dan u zich kunt voorstellen... Als u het mij toestaat, zou ik het nu ergens anders over willen hebben...'

In het zwakke schemerlicht dat door het venster valt, zitten ze aan de salontafel en keuvelen, drinken koffie en roken met een gemaakte, broze kalmte die welbewust is en zelfs aan een samenzwering doet denken, alsof ze allebei in die toenemende duisternis van de geïmproviseerde hal-eetkamer in een voormalige artsenpraktijk heimelijk, maar willens en wetens, een parodie uitvoeren van een verboden maatschappelijk ritueel, een afgeschafte etiquette en omgangsvorm; de bedrieglijke illusie – nu weet ik dat – van een toekomst, in een situatie waarin er voor geen van beiden meer een toekomst is en rondom hen de afkalving van alle genegenheid voortduurt. Het is het tijdstip waarop de middag sterft en schaduwen de woningen in de buurt binnendringen met een vreemdsoortige traagheid, met een stipte en vertrouwde droefenis, vooral als het zondag is.

Het vurige rood op mamma's lippen en weer een sigaret tussen haar vingers. Ze kijkt terloops naar de inspecteur wanneer hij voor de tweede keer een lucifer afstrijkt. Als ze zich met de sigaret in haar mond over het vlammetje buigt, komt ook hij iets naar voren en ruikt – ongetwijfeld ruikt hij het heel sterk – de geur van haar schone rode haar dat in haar nek is samengebonden tot een warrige wrong.

'Tussen twee haakjes,' zegt de inspecteur nadat hij de lucifer heeft uitgeblazen, 'heeft u mijn aansteker hier toevallig ergens gezien?'

'Bent u hem verloren? Nou, niet hier. Dan had ik hem gezien. Sinds wanneer bent u hem kwijt?'

'Sinds de dag waarop ik de hond heb meegenomen. Ik vind het heel vervelend. Hij moet een keer uit mijn colbertje zijn gegleden, dat doe ik nogal eens uit en dan leg ik het ergens neer... Ik heb hem overal gezocht maar nergens gevonden,' voegt hij er een beetje klunzig aan toe.

'Als u overal gezocht hebt,' zegt mamma op haar bekende spottende toon, 'had u hem toch ergens moeten vinden. U heeft een heel grappige manier om zich uit te drukken, inspecteur.'

'Best, ik ben geen onderwijzeres geweest, ik weeg mijn woorden niet op een goudschaaltje. Ik vind het echt heel jammer dat ik mijn aansteker kwijt ben, ik had hem van mijn dochter gekregen.'

'Heeft u een dochter?' vraagt mamma op neutrale toon en met haar ellebogen omhoog, want met haar vingers brengt ze een pluk rood haar in het gareel die in een krul in haar nek hangt.

Zo, aan de hand van de vermiste Dupont en die dochter die de inspecteur voor het eerst heeft genoemd, zal ze dingen over deze man te weten komen die misschien haar belangstelling wekken. Ze zal te horen krijgen dat het meisje Pilar heet, zijn enig kind is en binnenkort vijftien wordt, en even later ook nog dat de inspecteur vijf jaar eerder weduwnaar is geworden en sinds kort tweeënveertig jaar is, hier niet ver vandaan woont, in de Calle Miguel Sants, iets boven de Plaza Sanllehy, en dat hij voor hij politieman werd wijnproever was.

'Werkelijk?

'Verbaast dat u? Ik kan u zeggen dat dat een heel eerbiedwaardig beroep is... Ik zou hier en nu nog steeds in staat zijn om body en structuur van een wijn te bepalen, alleen maar door het glas even schuin te houden en dan weer recht,' zegt hij met een twinkeling van trots in zijn ogen.

'O ja?'

'Als hij niet aan het glas blijft hangen, is het een lichte wijn. Als hij langzaam in de vorm van tranen terugloopt, is het een zwaardere wijn...'

'Nee maar,' glimlacht mamma, 'ik denk dat mijn man dat allemaal heel interessant had gevonden...' Haar stem wordt zwakker, ze legt een hand tegen haar voorhoofd en doet haar ogen dicht. 'Let u maar niet op mij. Soms heb ik de neiging om alles als een grap af te doen...' 'Voelt u zich niet goed?' vraagt de inspecteur. 'Het is niets.' Ze neemt een slok koffie. 'Gaat u door, alstublieft.'

Toen hij al die dingen over wijn leerde, vertelt hij, zat hij nog niet bij het korps en was hij verloofd met een meisje uit Algeciras dat in het pension werkte waar hij in Madrid woonde. Hij had de diploma's enologie en wijnbouw gehaald met het idee om wijnproever te worden, zijn vader was voorman bij een wijnproducent in Valdepeñas. Hij trouwde en een paar jaar ging alles goed, het meisje was op de dag van Onze-Lieve-Vrouw van de Pilaar geboren en daarom Pilar genoemd, maar met de burgeroorlog begon alle ellende, zijn vader en zijn oudere broer reisden samen met de eigenaar van het wijnhuis af naar Burgos en liepen naar het schijnt een troep soldaten tegen het lijf – van geen van hen werd sindsdien nog iets vernomen. Eindelijk kwam de vrede, hij ging terug naar Valdepeñas maar zat zonder werk en bovendien werd hij vlak daarna weduwnaar en stond hij er alleen voor, met een dochter van tien, veel vijanden en schulden; een hard gelag, maar zo is het leven. Op voorspraak van een kolonel van de inlichtingendienst, onder wie hij in Burgos had gewerkt, vroeg hij toelating tot het Korps Inlichtingen en Veiligheid, dat spoedig zou worden omgevormd tot de Politiek-Sociale Brigade, zijn eerste standplaats was Bilbao en kort daarop zat hij in Barcelona bij de Zesde Regionale Brigade...

'Maar ja, ik weet niet waarom ik u dit allemaal vertel...'

'Mag ik nog een sigaret, alstublieft?'

'De laatste. Waagt u het niet om er nog meer te vragen, althans niet vandaag.'

Daarna, verschanst achter de blauwe rookslierten, neemt zij hem nieuwsgierig op terwijl hij praat. Op de lage tafel staat de inmiddels aangeknipte schemerlamp met de gelige kap naast *Oorlog en vrede* en daarbovenop de asbak te wedijveren met het licht van de zonsondergang dat door het raam valt, en de stem van de inspecteur klinkt nu dof en ruw, af en toe weer bijna honingzoet, maar zijn houding in de stoel verraadt nog altijd die verstarde innerlijke spanning, hij zit op het puntje, alsof hij bij de geringste toespeling zal opstappen. Dat ogenblik lijkt hem zeker gekomen wanneer zij diep zucht, moeizaam overeind komt en zegt: Even mijn pillen halen. Als ze uit de slaapkamer terug is en weer met een vermoeid gebaar en een van pijn of ergernis vertrokken gezicht plaatsneemt, als hij haar zo ziet, plotseling terneergeslagen en kwetsbaar maar ondanks alles knap, ontkomt hij niet aan de gedachte hoe eenzaam en verdrietig, hoe ongelukkig deze vrouw zich dikwijls moet voelen, maar uiteraard durft hij dat niet te zeggen.

'U ziet het,' zegt zij, alsof ze zijn gedachten raadt. 'Op ditzelfde moment zou mijn man bij me kunnen zijn, maar toch is hij er niet, ik weet niet eens waar hij zit. Maar weet u, als ik 's nachts zijn arm zoek om op hem te steunen, vind ik hem altijd.'

De inspecteur knikt en stamelt schor: Alles zal goed komen, mevrouw, deze nare periode gaat voorbij – opeens ergert het hem dat hij zich niet beter weet uit te drukken en heeft hij heimelijk spijt van de geforceerde ondertoon in zijn stem. Misschien proeft de politieman de woorden in zijn mond voor het eerst alsof ze een zuur afscheiden. Hij laat het hoofd zakken en kijkt naar de voeten van de roodharige met haar zomerschoenen die een wijde hoek vormen om de lege plek van Chispa.

'Tussen twee haakjes, u heeft me nog niet verteld hoe het verder is gelopen nadat ik de hond had meegenomen. Hoe uw zoon het heeft opgenomen.'

'U heeft geen idee. Heel slecht. Ik wist wel dat hij er erg aangeslagen door zou zijn.'

'Dat is begrijpelijk. Je raakt erg gesteld op die dieren. Maar hij komt er wel overheen, maakt u zich geen zorgen.'

'Hij vraagt of u de halsband en riem kunt terugbrengen. En hij wil weten waar u hem heeft begraven.'

'Tja, ik heb alles aan de dierenarts overgelaten. Ik geloof dat er een gemeentelijke dienst is die dode dieren ophaalt, en in dat geval... Ik zal het navragen. De halsband en de riem hebben ze waarschijnlijk weggegooid. Als ze er nog zijn, bezorg ik ze wel terug.'

'David wil ze dolgraag bewaren.'

'Dat bewijst dat het jong gevoel heeft,' zegt hij, en weer proeft hij de ijzersmaak van zijn woorden.

'Hoe dan ook denk ik dat we ons hebben vergist, inspecteur.'

'Wat bedoelt u?'

'Ik had niet naar u moeten luisteren. We hebben een slachtoffer van dat arme beest gemaakt. David kan het niet uit zijn hoofd zetten.'

'Een slachtoffer van wie? Nu kennen we te veel gewicht toe aan iets dat niet zo belangrijk is, mevrouw. Het gaat om een dier, meer niet.'

'Weet u, slachtoffers, of het nu dieren of mensen zijn, nestelen zich in je geheugen en worden ten slotte een last... Vindt u ook niet?'

De inspecteur lijkt haar niet te hebben gehoord. Hij laat het luciferdoosje in zijn vingers ronddraaien. 'Uw zoon vergeet het wel,' zegt hij, nu met meer overtuiging in zijn stem. 'Dat is vaste prik. Hij heeft het zich vreselijk aangetrokken, en ik weet precies waarom. Omdat ik me ermee heb bemoeid, omdat ik u heb geholpen om van het dier af te komen. Daarom.' En hij zwijgt. Hij heeft zichzelf verboden rechttoe rechtaan te zeggen wat hij van David weet en denkt, althans voorlopig. Hij is stiekem tevreden dat hij op dit punt zo discreet is, innerlijk voldaan dat hij de roodharige behoedt voor verdriet en schaamte, de politieman heeft een gevoel alsof hij de première meemaakt van een nieuwe, hem voorheen onbekende emotie. 'In elk geval moeten we opletten,' gaat hij even later verder, 'dat hij door het verdriet om de dood van die hond geen domme dingen gaat doen. U zult het met me eens zijn dat het een bijzondere jongen is, een beetje een komediant, en met een karakter...'

'Het is een goed kind. Hij denkt nog steeds aan zijn vader, hij brengt wat geld binnen en haalt geduldig onze rantsoenen op, ongeacht hoe lang de rij is, hij helpt me met het huishouden... Wat kun je nog meer verlangen?'

'Ja, dat is prima. Maar een dochter had u beter kunnen helpen. Dat is mijn mening, ik weet niet waar u op hoopte... Ik herinner me dat mijn vrouw zaliger graag een meisje wilde toen ze in verwachting was, ze zei steeds dat het een meisje zou worden. En het werd een meisje.'

'Ik hoopte nergens op. Ik was een alleenstaande vrouw,' zegt zij zo onverschillig mogelijk terwijl ze met een hand de rafelige kap van de schemerlamp recht probeert te zetten. De bloemenvaas daarnaast, van paars glas en leeg, vertoont over de volle lengte een ragfijne, bliksemstraalvormige barst. De uitgeschakelde radio is van een afgrijselijk model en het kleed op de eettafel is versleten, niets in de ruimte is opmerkelijk of ook maar enigszins vermeldenswaard, maar toch krijgt alles door de kalme maar zelfbewuste en dominante blik van haar opeens een ander aanzien. Nu doet ze haar hand achter haar rug en probeert ze het stoelkussen achter zich te schikken, maar dan voelt ze de huid van haar buik samentrekken en ze kreunt. De inspecteur schiet overeind. 'Mag ik?' Hij heeft het kussen al beet en schudt het onbeheerst en haastig op.

Had deze man de angst die het minste blijk van pijn op mamma's gezicht of in haar stem hem bezorgt nu maar eens in woorden om durven zetten, had hij zijn gevoelens maar één keer in de loop van die eerste middagen getoond, dan zou ik geneigd zijn te zeggen dat ik wellicht mededogen met die twee zou hebben gevoeld en me heel stilletjes in mijn hoekje zou hebben opgerold om niet tot last te zijn. Maar nu staat hij alleen maar op het kussen te meppen en dan legt hij het weer op zijn plaats. Zij leunt er langzaam tegenaan terwijl ze zich vastklemt aan de armleuningen en zegt: 'Ik weet niet of het wel verstandig is om zo lang te blijven zitten. De dokter zegt dat ik het bed moet houden. Stel je voor, met alles wat ik te doen heb... Al ben ik wel heel bang voor een hypertrofische zwangerschap.'

'Ik weet niet wat dat is,' zegt de inspecteur.

'Als de foetus zich ontwikkelt en er niet uit komt. Ik ken een vrouw die vijftien jaar lang een embryo heeft gedragen.'

'Lieve help.'

'Dat was de koffie,' zegt ze terwijl ze het restje uit de koffiepot in het kopje van de inspecteur schenkt. Terwijl ze hem vanuit haar ooghoeken in de gaten houdt, vervolgt ze: 'Kijkt u niet zo naar me, inspecteur. Ik houd er niet van als mensen medelijden met me hebben. U vraagt zich natuurlijk af hoe deze vrouw het allemaal moet bolwerken, in haar eentje, zwanger en kwakkelend, en dan haar zoon grootbrengen en het eind van de maand halen met het knippen en naaien van rokjes en bloesjes, soms bij het licht van een kaars… Nou, ziet u, zelf weet ik het ook niet.'

De inspecteur denkt even over zijn antwoord na: 'Och, een beetje hulp heeft u wel gekregen, mevrouw Bartra. En daar ben ik blij om.'

'Een beetje hulp, ik?'

'Ja, u, houdt u zich maar niet van de domme… Destijds heb ik met de plaatsaanwijzer van de Delicias gesproken, die bevriend was met uw echtgenoot. De man was heel ziek. Hij gaf toe dat Víctor Bartra, met hem als tussenpersoon, regelmatig met u in contact stond. Kennelijk deponeerde uw man brieven, of liet ze deponeren, in de brievenbus van de bewuste meneer Augé, en ik veronderstel dat de hulp zo tot stand kwam.'

'Dat klopt,' zegt mamma. 'Ik kreeg brieven en wat geld, maar Víctor heeft me nooit laten weten waar hij zat. En dat geld… een schijntje.'

'Weet u waar dat geld vandaan kwam?'

'Eh, nee.'

'Wilt u het weten?'

'Nee… Trouwens, dat was al afgelopen lang voordat jullie meneer Augé arresteerden en hem naar het Hospital del Mar brachten.'

'Dat weet ik.'

Nu kijkt de roodharige de inspecteur verbaasd aan, alsof ze haar ogen niet kan geloven. 'U wist dat al heel lang… U wist dat Víctor me wat geld toespeelde. Waarom heeft u me daar dan nooit iets over gevraagd?'

'Ik hechtte er geen belang aan. Ik heb het niet eens vermeld in mijn verslagen,' zegt de inspecteur terwijl hij op zijn horloge kijkt. 'Trouwens, zoals u al zei, die contacten zijn allang verleden tijd. Al zou ik me in uw plaats niet veel zorgen maken, uw man bedenkt heus wel weer een andere manier om u berichten te sturen, en misschien ook wat geld.'

'Hopelijk, maar ik denk het niet,' zegt mamma kortaf en een beetje gespannen als ze uit haar stoel komt. 'Maar mocht het zo zijn, denkt u dan maar niet dat ik het u vertel.'

'Dat zou ik ook niet van u verlangen,' reageert de inspecteur die ook opstaat. 'Wat dat betreft, kunt u gerust zijn, mevrouw Bartra. Er zal niets worden ondernomen wat u nadeel kan berokkenen, u of uw zoon,' zegt hij met een nu stokkende tabaksstem die niet zozeer uit zijn keel maar meer uit zijn borst lijkt te komen. 'Ik moet ervandoor. Doet u geen moeite, alstublieft,' zegt hij nog terwijl hij haar een hand geeft.

Maar zij staat al bij de deur en drukt hem daar de hand, zichtbaar futloos en met neergeslagen ogen waar een ongewenste nervositeit in schuilt. Hij lijkt geen kwaaie vent, sterker, dat is hij niet. Als ze de deur openhoudt en de inspecteur uitlaat, registreert ze van nabij zijn stem en zijn adem.

'Bedankt voor de koffie,' zegt hij staande op de drempel. 'En denkt u aan mijn aansteker.'

'Ik zal nog eens kijken, maar u bent hem vast niet hier in huis kwijtgeraakt...'

'Jammer dat uw zoon er niet is. Ik had hem graag uitgelegd dat het voor iedereen het beste was dat zijn hond werd afgemaakt. En dat hij niet heeft geleden.'

'Een volgende keer,' oppert de roodharige, nog steeds met de blik naar beneden.

'Ja,' zegt de inspecteur terwijl hij van haar wegstapt, eindelijk de drempel over, 'een volgende keer.'

De steeg is als een verschrompelde, schurftige arm die van het aan de uiterste oostrand gelegen, dunst bevolkte gedeelte van de buurt is afgerukt en soms, wanneer ik er ineengedoken in mijn luchtbel doorheen ga, op weg naar of terugkomend van de kraamkliniek of de marktstalletjes, lijkt het wel of zelfs de katten hem hebben verlaten. Aan augustus kleeft een onontkoombare schroeilucht, ik heb het altijd een rotmaand gevonden. Van de jongens die er in een groepje op een hoek zitten zou je denken dat ze de hele zomer niet van hun plaats zijn gekomen en nog steeds onder de bloedrode pracht van een bougainville op hetzelfde ingewikkelde avontuur zitten te broeden, maar David heeft er geen oren meer naar en maakt er geen deel meer van uit, hij heeft dat avontuur al lang achter zich gelaten en wandelt nu alleen met zijn handen in zijn zakken en een margriet in zijn haar over straat, zoals altijd lijkt hij ondanks de hitte kouwelijk en stram, een in het bos verdwaald kind dat echter luistert naar een stem die hem door de duisternis gidst, niemand zou denken dat er een misdadige krekel in zijn oren huist en dat een wolk van bloed zijn horizon kleurt, de buurt en de welbekende achterklap laten hem koud, maar de stemmen niet: want achter het geroddel over de naaister en de voortvluchtige meneer Bartra schuilde altijd het geweeklaag over een gemeenschappelijke nederlaag, de zeurderige en droevige muziek van een door velen gedeeld onrecht, en alleen die muziek hoort hij.

's Zondags komt de steeg tot leven en loopt mijn broer er snel doorheen om het contact te vermijden met de onbeschaamde buurvrouwen en hun insinuerende vragen, hun bekende omwegen om een gesprek aan te knopen en hun valse gevlei om hem uit zijn tent te lokken: David, knapperd, weet je wel dat je binnenkort een broertje krijgt?, waar zit je vader?, en wat wil die lange en goedgebouwde politieman toch elke dag weer van je moeder?, en jij, mooie jongen, wat wil je later worden?

Shirley Temple met die pijpenkrullen van een liederlijke slet.

Met verwrongen mond lachen ze om zijn geestige reactie. Ik wil hier niet over dit punt uitweiden, dat zou ik niet kunnen, ik ken alleen de geruchten – als mijn broer me zou horen, zou hij me vermoorden – en op die geruchten ga ik maar af. Ik had het graag met mamma besproken toen haar pols gelijk op sloeg met de mijne, toen ze alleen met haar hart naar me kon luisteren. Aangezien dat nooit mogelijk is geweest, houd ik liever voor me wat ik denk. Ik zal slechts zeggen dat David, als hij dat wilde, lief en aanhankelijk was en de beste vriend van zijn vrienden. Vraag maar aan de kappersleerling, het dikkerdje met de sambaballen.

'Het is echt zo,' zegt Paulino met een stem vol snot en bloed. 'Jij bent de enige die mij niet in de maling neemt. De enige.'

'Ik neem je nu eenmaal op een andere manier in de maling. Wat ze ook zeggen, je lijkt niet op een meid. In de verste verte niet. Dus maak je maar geen illusies.'

'Natuurlijk niet, met mijn kale kop... Jij hebt wél mooi haar. Echt schit-te-rend.'
'Betaal jij mijn bioscoopkaartje? Ik kom er niet meer voor niks in, er is een andere plaatsaanwijzer.'
'Als we ons samen aftrekken, trakteer ik morgen. Ze draaien een griezelfilm.'
'Heb je geld? Hoeveel baarden heb je vandaag gedaan?'
'Dertien.'
'Het ongeluksgetal.'
'Beter dertien dan twaalf, moppie.'

Gehurkt, de sambaballen op zijn rug achter zijn riem gestoken, haalt Paulino zijn scheermes voor den dag. David geeft hem een seintje. Nog voordat de hagedis zich laat zien om op de stenen te gaan zonnebaden, zelfs al voordat hij uit zijn schuilplaats is gekropen, heeft David zijn pootjes over de aarde horen krabbelen en zijn melkwitte kloppende buik gezien, evenals zijn ogen die als stalen bolletjes ronddraaien tussen de oogleden, twee roestige houders. Daar heb je hem, zegt hij, en als hij naar buiten komt en stil in de zon blijft zitten, komt Paulino langzaam dichterbij, legt zijn mollige hand erbovenop, houdt hem vast en snijdt met een houw zijn staartje op de steen af. Dan laat hij hem los. 'Hagedisje, hagedisje, wat ben je mooi,' zingt Paulino. 'De natuur heeft je goed bedeeld.'
'Wat kraam je nou voor onzin uit?'
'Dat heb ik gelezen in *Junglebook*.'

Terwijl hij toekijkt hoe het staartje in de handpalm kronkelt, bukt David zich om zijn veter vast te maken en dan hoort hij opnieuw, glashelder, het schot en het laatste, erbarmelijke gejank van Chispa. Een halve mijl misschien, een halve mijl verderop in dezelfde rivierbedding, voorbij de tuingronden. Binnen een seconde trekt de scène aan zijn ogen voorbij: eerst hoort hij het schot, de echo rolt door de bedding en weergalmt gedempt hier in het ravijn, dan ziet hij het kogelgat in de kop, de massa bloed, het arme scharminkel dat in elkaar zakt en ten slotte onderscheidt hij ook het nog provisorische grafje onder de mantel van de duisternis, een hoopje vochtig zand midden in de bedding. Hij ziet niet precies waar het graf zich bevindt, maar vanaf die dag kan hij de steekvlam van het schot niet van zijn netvlies krijgen, de kruitgeur niet uit zijn neus. Plotseling schiet hij als een veer overeind, zijn veter is nog niet gestrikt. Ellendige klootzak, zegt hij en hij probeert hem te ontdekken met zijn vuurspuwende honingkleurige ogen.

'Wat is er?' vraagt Paulino. 'Weer de geestverschijning van je vader?'

David draait zich langzaam om, de deur van zijn dromen laat hij openstaan. 'Wie weet.' Hij voelt dat hij dichtbij zit, op zijn hurken, hij houdt zich vast aan de varens waar de wind op de oever een kam door haalt, met de fles aan zijn mond, zijn broek omlaag en twee spleten in zijn kont, uit de ene komt bloed dat hij nauwelijks met de zakdoek kan stelpen, uit de andere verschijnt een fikse drol. 'Hij zit te schijten en zijn rekening met het verleden te vereffenen,' fluistert hij met zijn blik op de grond gericht. 'Het is om te huilen, joh. Of niet soms? Hij wast zijn wond en zijn poepgaatje in de waterstroom terwijl die alles razend met zich meesleurt...'

'Kom nou, wat een kletskoek!' roept Paulino. 'Al sinds tijden stroomt hier geen water meer zo razend als jij beweert!'

'Geloof jij dat maar lekker. Als je een scheet laat, zul je het zien borrelen. Dat zag ik ook bij de kont van mijn vader. Om je rot te schamen, niet?' David ziet een vlinder met gele vleugels op een lavendelstruik zitten. 'Heb je iets aan die vlinder?'

'Nee,' zegt Paulino. 'Je weet toch wat die geschifte medicijnman in het Cottolengo heeft gezegd? Gele vlinders met een rode streep op hun vleugels.'

'Ik heb er nog geen een gezien. Kom op, de jacht is voorbij. Laten we naar de Delicias gaan.'

'Vandaag niet. Morgen, naar de matinee. Om acht uur moet ik bij oom Ramón zijn, dus dan zien we elkaar om tien uur bij de ingang van de bios.'

'Wanneer snijd je die legioensoldaat nou eens zijn ballen af met dat toffe scheermes van je?' vraagt David. 'Of blijf je altijd een schijtluis, bolle?'

De vlijtige armen van de roodharige reiken ten hemel om de was op te hangen, haar natte haren vangen al het morgenlicht. Ze lijken wel eeuwig geworden, die stralende ochtenden die ik vermoedelijk slechts heb voorvoeld in het gespannen wachten in haar buik, in het kloppen van het bloed, de verholen huivering van haar sluimerende sensualiteit, het gezoem van de bijen om haar heen en de van bleekwater doortrokken lucht, zonder dat ik de stille, afwachtende aanwezigheid van de inspecteur vergeet die voortaan bij geen van zijn bezoekjes nalaat iets fijns voor ons mee te nemen; nog geen nieuws over de plaats waar Chispa's halsband en riem zijn gebleven maar wel een paar blikjes gecondenseerde melk of het zakje met drie ons gebrande, ongemalen koffie, een paar Wener broodjes of eenvoudigweg een in tinfolie gewikkelde witte roos met lange steel. Weet je wel zeker dat je die roos wilt aannemen, mamma? Waar laat je die als je wilt dat David hem niet ziet?

'Rustig jij,' zegt zij met haar neus in de bloemblaadjes.

'U zei?' vraagt de inspecteur.

'Ik heb het tegen mijn kind. Ik geloof dat hij misselijk wordt van de geur van rozen...'

Ik zie David tijdens een sprong in het ravijn, eventjes verlamd in de lucht met zijn armen om zijn samengevouwen, tegen zijn borst gedrukte benen, ook hij in foetushouding maar onder een blauwe hemel, en ik zie de hagedis soezen op de rotte, losgerukte stronk van een eik die gisteren door het water hierheen is gevoerd, en ik zie de rij mieren en het mos dat groen schemert in een rotspleet, de braamstruik die pappa een litteken in zijn gezicht heeft bezorgd, zijn treurige opengehaalde bil en de bleke zandtongen die ongerept in de rivierbedding liggen met hun schrift van symmetrische, parallelle golven.

Onder de blikkerende vlagen maanlicht baant de harige, gebochelde gedaante van de weerwolf zich huiverend een weg door de nevel.

'Je doet het van angst in je broek,' fluistert David.

'Je zult jezelf bedoelen,' kaatst Paulino in het donker terug.

'Ik snap niet dat je zo dol op griezelfilms bent als je daarna loopt te trillen als een rietje.'

'Dat is het niet. Ik word alleen doodmisselijk van het doorslikken van dat bloed uit mijn neus, en ik moet ervan hoesten…'

'Je bent de baard van die hufterige oom van je gaan scheren, en hij heeft de aambeien van je poepertje geschoren, zo zit dat!'

'Uche uche. Zullen we wat naar achteren gaan zitten?'

'Doe je ogen dicht, kom op, daar is de volle maan alweer. En houd je hoest in, verdomme, ik kan niks verstaan.'

'Wat kan ik daaraan doen?'

De angstwekkende harige rug verschijnt op het doek en een huivering trekt van Paulino's hoofd naar zijn voeten. Hij hoest en spuwt in zijn zakdoek.

'En het ging net zo goed,' jammert David.

'Wat bedoel je?' stamelt Paulino met nasale stem alsof zijn neus en keel verstopt zitten door het bloed.

'Dat net nu ik dat slangengesis kwijtraakte, of bijna, want helemaal weg gaat het nooit, jij nu begint met je gehoest. Hoe kan ik zo nou de film volgen?!'

'Mijn hele neus zit vanbinnen vol bloed, daar kan ik toch niks aan doen?'

Ineengedoken in zijn stoel kijkt hij vanuit de vochtige hoeken van zijn grote loensende ogen naar zijn vriend. Altijd zou David zich die blikken in het donker van de Delicias herinneren die begrip en troost zochten voor zijn angsten, vooral voor de meest intieme en geheime daarvan, niet de vrees die hem bekruipt doordat op het doek de volle maan vanachter de voortjagende wolken te voorschijn schuift, of doordat het gehuil van de weerwolf een volgende vreselijke misdaad in de nevelflarden van het moeras aankondigt, maar die andere vreselijke angst die hij voor zichzelf voelt als hij het scheermes vastgrijpt.

'Je zit te trillen, dikzak.'

'Is hij al in een wolf veranderd? Ik wil het niet zien.'

'Je bent een sukkel! Doe je ogen dicht.'

'Wat gebeurt er nu?'

'Mister Talbott is verdwaald in het moeras.'

'Ik wil het niet zien, echt niet!'

Zijn ademhaling is een gerochel dat de strijd aangaat met mister Talbotts gegrom.

'Denk maar aan een korenveld vol hagedicten en klaprozen,' zegt David. 'Dat doe ik ook voordat ik ga slapen.'

'En van wie komt dat gehuil nu?'

'Kijk nog maar niet.'

Een penetrante zalflucht stijgt op van Paulino's borst en onder zijn open overhemd is de doffe glans te zien van een zilveren medaillon. Hij laat zijn hoofd naar opzij zakken, naar David toe. 'Mag ik je hand vasthouden? Mag dat?'

'Goed dan. Maar één minuutje.'

'Laat je nagels eens zien. Zijn ze vandaag bruin of geel... Jakkie bah, moet je kijken.'

'Houd je ogen nou stijf dicht als je het niet van angst wilt besterven.' David ruikt hoe dicht zijn vriend bij hem zit en hij trekt zijn neus op. 'Je stinkt naar voetballerspoten.'

'Dat is Sloan's liniment. Vind je het niet lekker? Mijn oom gebruikt het met tubes tegelijk na zijn oefeningen,' zegt hij bedremmeld. 'Vandaag heeft hij mijn benen ingesmeerd.'

'Denk je dat dat helpt? Waarom laat je dat doen, stommerd? Toen ik je oom voor het eerst zag, had ik hem meteen in de gaten,' gromt David terwijl hij terugdenkt aan die man met zijn kapotte lip en de witte helm die hij op een dag zijn klauw op Paulino's nek had zien leggen zoals je een kind streelt dat moet overgeven. 'Rustig maar. Je mag je grote kop op mijn schouder leggen, zo, als je wilt... En nu rustig. Beter zo?'

'Ietsje beter.'

'Ik waarschuw je wel wanneer je je ogen open kunt doen, als de weerwolf weer is veranderd in mister Talbott...'

'Ja, als alles voorbij is.'

'Of ben je ook bang voor mister Talbott?'

'Nee... Nou ja, als je goed kijkt, is hij bijna net zo lelijk als de weerwolf.'

Wanneer hij David hoort lachen, begint Paulino ook zenuwachtig te grinniken, wat overgaat in hoesten, en hij zegt: 'Ik doe het niet expres, sorry.'

'Dat weet ik wel, meloenkop, dat weet ik wel.'

Het is pauze, het zaallicht gaat aan en David maakt van de gelegenheid gebruik om naar de urinoirs te gaan.

'Ik ga met je mee,' zegt Paulino.

'Nee,' antwoordt David. 'Blijf jij hier voor als er iemand naar me vraagt.'

Terwijl hij met zijn gezicht naar de muur staat te plassen, met zijn schoenen in een slijmerige drab en onder het lezen van de met potlood of de punt van een mes aangebrachte schunnigheden, voelt hij dat Chispa ergens vandaan naar hem kijkt, zijn treurige ogen half schuil achter plukken haar, en opeens stromen de tranen over zijn wangen.

In de zaal is de film weer verdergegaan met raspende stemmen en macabere muziek. David bekijkt zichzelf in een lepreuze spiegel, met de rug van zijn hand wrijft hij verwoed zijn ogen droog en dan gaat hij weer naast Pauli zitten die met wit weggetrokken gezicht opnieuw zijn hoofd tegen zijn schouder legt en het donker opsnuift. En wat doet David, of wat laat hij met zich doen terwijl hij zijn volle aandacht richt op mister Talbotts wandaden onder de fatale invloed van de maan? Hij beperkt zich ertoe nu en dan zijn hoofd af te wenden om zijn neus uit de buurt te brengen van de weeë zwavellucht die de geschoren schedel van zijn vriend uitwasemt en ter omzeiling van diens met bloed en half onderdrukte hoestkrampen doorspekte slechte adem. Tot hij de tastende hand op zijn dij voelt en de verstikte stem hoort: 'Wat een fijn huidje. Geen pukkeltje, geen haartje, niets. Onver-ge-te-lijk.'

'Lulletjes in het zuur.'

'En dit bobbeltje?'

'Wat voor bobbeltje?'

'Hier, in je broekzak.'

'Oh. Een aansteker.'

'Hoe kom je daaraan? Laat eens zien.'

'Het is een vergulde Dupont. Heb ik gevonden.'

'Mama mia, wat een mazzel, joh! Waar?'

David denkt even na. 'Zeg ik je niet.'

'Waarom niet, moppie?'

'Omdat je op je tellen moet passen. Als je de waarheid zegt, hebben ze je gelijk door.'

'Hebben ze je gelijk door...?'

Bovendien is het een nep-Dupont. Namaak, zie je dat niet? Al kan mij dat niks schelen. Kijk er dan naar, eikelmans!'

Hij houdt de aansteker voor zijn opgezwollen neus en met een goed geoefende beweging van zijn duim wipt hij het deksel er met het topje van die vinger af, laat het geribbelde wieltje over de vuursteen draaien en de vlam schiet omhoog. Met het warme metaal in zijn vuist en de vlam voor zich waar Paulino's loensende blik naartoe wordt getrokken, voelt David zich heel even onoverwinnelijk en onvergankelijk. Dan klapt hij het deksel met dezelfde duim dicht, plonk!, en de vlam dooft. Een blauwe schim maakt zich zachtjes los uit de bundel zilverkleurig licht die uit de projector komt en materialiseert zich naast hem in het zijpad.

'Kom even mee, joh,' zegt de schaduw met schorre stem.

Een jonge man, gehuld in een vieze overall vol smeer, legt zijn hand op Davids schouder, pakt hem bij de kraag van zijn shirt, tilt hem overeind uit de bioscoopstoel en leidt hem door het pad naar boven, naar de uitgang. David kijkt hem vanuit zijn ooghoeken aan: het is de filmoperateur. Is hij uit de cabine weggegaan en vervangt iemand hem daar nu, of heeft hij vanavond pas dienst? Wanneer hij op het muffe groene gordijn bij de deur stuit, blijft de man staan; hij haalt een verkreukelde, dichte briefenveloppe uit zijn broekzak. 'Stop deze weg,' zegt hij terwijl hij hem aan David geeft. 'Je weet waar het om gaat?'

'Ja, meneer.'

David stopt de enveloppe tussen zijn borst en zijn hemd, even gehaast en met dezelfde geheimzinnige sensatie als wanneer hij er een van meneer Augé kreeg.

'Voortaan zorg ik ervoor,' zegt de operateur. 'Oké, jongen?'

'Ja, meneer. Wat zal er nu met meneer Augé gebeuren?'

'Ik weet het niet. Zeg tegen je moeder dat ik hem vervang voor wat betreft die enveloppen, maar niet voor lang. Ik heb andere taken. En kom niet naar de matinee. De eerste zaterdag van de maand.'

'Meneer Augé gaat dood, hè?' vraagt David. 'Daarom heeft hij mij zijn hond gegeven.'

'Dat is het beste voor hem.'

'Voor de hond?'

'Voor allebei. Maar ik weet niks. Ik wil niet weten wat er in die enveloppen zit of waar ze vandaan komen. Ze worden voor je moeder achtergelaten bij de kassa, dat is het enige wat ik weet. En jij ook. Begrijp je?'

'Ja meneer.'

'Ik moet terug naar de cabine. Vergeet het niet: de eerste zaterdag van de maand. Maar jij moet mij niet opzoeken, kom nooit naar boven naar de cabine. Ik vind jou wel.'

'Ja meneer.'

David is overdonderd, allerlei vragen vormen een prop in zijn mond. In het schemerdonker kan hij de pupillen van de operateur onderscheiden, zijn vuile handen vol smeer en de punt van een ook vettige lap die uit een van de zakken van zijn overall steekt. 'U bent Fermín, hè?'

'Dat is mijn naam. Maar noem die niet te vaak.'

'Ik wilde u iets vragen. Meneer Augé liet me altijd gratis de bioscoop in, maar de nieuwe plaatsaanwijzer kent mij niet.'

'Zeg hem maar dat je via mij komt, dan laat hij je wel doorlopen.'

'Mag ik mijn vriend meenemen?'

'Tuurlijk, joh. Ga nu maar naar huis en verlies de enveloppe niet.'

'De film is nog niet afgelopen.'

'Oké. Maar meteen daarna op een holletje naar huis.'

Een vriend van mijn vader, zegt hij tegen Paulino als hij weer bij hem terug is. Over de volle breedte van het doek doorsnijdt de volle maan, traag en verraderlijk, opnieuw de nacht, Paulino doet zijn ogen dicht, huivert en slaat zijn klauwen uit. Alle twee lachen ze, doen of ze dapper zijn in het donker, in de slagschaduw van de film, en hun gelach vermengt zich met mister Talbotts gehuil.

'Er is veel verbittering vandaag de dag, dat is zo, je hoeft maar de straat op te gaan en met de mensen te praten, maar die verbittering is veroorzaakt doordat velen nu de tol betalen voor fouten in het verleden. Ik bedoel dat vrijwel iedereen wel iets te verbergen heeft... We leven in een vreselijke tijd, mevrouw Bartra. Wie de waarheid spreekt, bouwt daarmee al aan de ondergang van een ander.'

'Als u het over de waarheid heeft,' zegt de roodharige sarcastisch, 'doelt u uiteraard op de waarheid die door het regime wordt verdedigd. Ach, weet u, die kennen we, die waarheid: iedereen schuldig, iedereen een zondaar, iedereen beklagenswaardig en iedereen verdient straf. Zeker, zo is de mogelijkheid van een vergissing uitgesloten voor wie rechtspreekt.'

'U denkt weer aan uw man.'

'Nee, meneer, ik denk niet aan mijn man,' antwoordt zij terwijl ze de koffiekopjes volschenkt. 'Twee klontjes?'

Inspecteur Galván knikt zonder zijn blik van haar af te wenden. Wanneer hij zijn koffie begint te roeren, besluit hij zijn ietwat sonore stem te gebruiken, zijn zachtste. 'Wist u dat ik mijn koffie, in de bar naast het hoofdbureau, tot voor kort altijd zonder suiker dronk? Niet met twee klontjes, niet met één, nog geen halve, niets, geen gram. Welnu, herinnert u zich de eerste keer nog toen u mij koffie aanbood? U vroeg me of ik suiker gebruikte en ik zei ja, ik weet nog niet waarom. Ik realiseerde het me heel goed en had nog iets anders kunnen zeggen, maar dat deed ik niet en direct daarop vroeg u, één of twee klontjes?, en ik zei twee, en ik zou evenmin kunnen verklaren waarom ik twee zei... Het was iets heel geks en ik vraag me nog steeds af waardoor ik tot zoiets kwam.'

Na een stilte zegt de roodharige: 'Tja, u zult het wel weten.'

De inspecteur aarzelt: 'Ik veronderstel dat ik u niet wilde tegenspreken.'

'Wat een onzin. Hoezo zou u me tegenspreken door koffie zonder suiker te drinken, als u hem zo lekker vindt?'

'Dat zeg ik, er is geen verklaring voor.'

'Nou ja, wat geeft het.'

'Maar zoiets is me nog nooit overkomen,' houdt de inspecteur vol. 'Nog nooit.'

'Och, u was misschien verstrooid, dacht aan iets anders...'

'Nee, ik dacht niet aan iets anders. Het is heel gek wat me is overkomen, vindt u niet?'

'Waarom maakt u er zo'n punt van?' vraagt zij, ze begint zich opgelaten te voelen.

'Ik weet wel dat het niet zo belangrijk is. Maar stelt u zich voor, je denkt dat je zeker bent over je voorkeuren, allerlei gewoonten, je eigen afwijkingen en routinehandelingen, zeg maar, nietwaar?, en op een dag, opeens… Het is namelijk zo dat ik sindsdien mijn koffie met twee klontjes drink, niet alleen hier bij u, maar ook bij mij thuis en in het café.'

'Nee maar.'

'En ik zal u nog iets vertellen. Voordat ik u kende, dronk ik stevig.'

'Werkelijk? En nu drinkt u niet meer?'

'Nee. Nu niet meer.'

De roodharige blijft haar gast enigszins in verwarring aanstaren. 'U bent al een hele tijd op een ander onderwerp overgestapt, inspecteur. Waarom?'

De inspecteur denkt na wat hij zal antwoorden, zegt dan zachter: 'Omdat u zich beter niet kunt opwinden, mevrouw Bartra. Denkt u aan wat de dokter heeft gezegd.'

'Alsof u weet wat de dokter heeft gezegd.'

'Ik weet dat u medicijnen moet slikken. U heeft sinds de derde maand van uw zwangerschap hoge bloeddruk, daar heb ik uw buurvrouwen over horen praten…'

'Ik neem aan dat dat het enige is wat u hebt gehoord,' glimlacht zij door de rook en de koffiedamp heen, met de rand van het kopje beroert ze haar roze onderlip die iets naar voren krult, begerig naar de aanraking. Ze neemt een slok maar houdt haar ogen op de inspecteur gericht: 'Enfin, laten we hopen dat u een dezer dagen met goed nieuws komt. U weet wel waar ik op doel.'

Vooralsnog heeft de inspecteur haar, toen ze het dienblad met de verse koffie eenmaal op de salontafel had gezet, niet bepaald goede berichten kunnen brengen; de halsband en de riem van de hond, die David zo graag terug had willen hebben, zijn vrijwel zeker zoekgeraakt. De dierenarts heeft ze niet meer, hij herinnert zich zelfs niet dat hij ze het dier heeft afgedaan, het spijt me ontzettend. Naast het gebruikelijke cadeau, het blauwe pakje koffiebonen en een half pond boter – dank u wel, waarom doet u toch zoveel moeite – heeft hij deze zaterdag twee repen chocola meegebracht voor David, in de hoop daarmee diens kwaadheid over het verlies van de halsband en riem enigszins te temperen. Maar echt shockerend was wel hem te zien aankomen met een witte roos in zijn hand, die hij achteloos half achter zijn rug hield, met de bloem omlaag en de steel in tinfolie gewikkeld. Alstublieft, zet u hem maar ergens neer, stamelde hij op gedempte toon en met een dwingend gebaar, alsof de folie in zijn hand brandde. De schoonzus van een vriend van me, een onderinspecteur, heeft een bloemenzaak hier vlakbij en altijd als ik langsloop, wil ze per se dat ik een roos meeneem… Ik geloof u maar half, zegt zij met een nauw verholen glimlach. Diep in haar hart voelt ze een vlaag van dankbaarheid, verdriet en sympathie waarvan ze de gevolgen niet kan inschatten, maar ze weerstaat de blik van de inspecteur. Die haalt ten slotte zijn schouders op en hervindt zijn hese stem: Ziet u maar wat u ermee doet. Weer een stilte en dan: Als u hem niet wilt, gooit u hem maar in de vuilnisbak… Waarom heeft u zo'n slecht humeur? Maar natuurlijk wil ik hem, zegt zij, die roos kan er ook niks aan doen.

Het is een witte roos, al open, ik kan hem bijna ruiken wanneer de roodharige hem bij haar neus houdt. Nu staat hij in de vaas tussen de lamp en de radio zijn elegante geur te verspreiden. Is het wel verstandig hem aan te nemen? vraag ik haar hart. Als ze er nogmaals aan ruikt, schud ik mijn hoofd en zij fluistert: Nu niet alsjeblieft, gedraag je, terwijl ze haar ogen dichtdoet en op haar onderlip bijt.

De politieman kijkt haar bezorgd en ernstig aan. 'Wat zegt u?'

'Niets. Die dondersteen is net weer aan het koppeltje duikelen… Maar laten we het hebben over de reden van uw komst, inspecteur, over de vragen die u heeft. Ziet u, ik zeg het nogmaals: u weet dingen over mijn man waarvan u niet wilt dat ik ze te weten kom.'

Somber zwijgend kijkt de inspecteur naar zijn handen. Welk gevoel hem ook zo dikwijls naar ons huis voert, of hij nu gedreven wordt door een mengeling van medelijden, een slecht geweten of die al vanaf zijn eerste bezoek intiemere drang, als hij heimelijk beoogt dat zijn stiltes meer zeggen dan zijn woorden, bereikt hij vandaag geheel en al zijn doel. Afwachtend, haar ogen voortdurend op hem gevestigd, grijpt mamma zich vast aan de armleuning van de stoel en recht ze haar rug, terwijl ze met haar andere hand zonder enige gêne haar onderbuik ondersteunt alsof ze wil voorkomen dat ik val of misschien dat ik haar nog een onverhoedse kopstoot tegen haar bekken geef. Rustig, schatje, plaag me niet. Ik waak over je dromen. Een subtiel glimlachje fleurt haar bleke gezicht op, en nog steeds met haar blik op de man die tegenover haar zit, vervolgt ze hardop: 'Nu moet je je netjes gedragen want meneer de inspecteur heeft ons iets belangrijks te zeggen.'

'Tja, ziet u,' begint hij eindelijk, met een in rook en speeksel verstrikte stem, 'ik weet niet zeker of ik hier nu wel zo goed aan doe. Ik zou niet willen dat u zich meer zorgen gaat maken doordat ik iets uit de doeken doe dat in wezen niet erg belangrijk is… Ergernis wil ik u liever besparen.'

'Waarom zou ik geërgerd moeten raken? Wat is er dan gebeurd?'

'Niets waar geen oplossing voor is, denk ik zo,' antwoordt de inspecteur. 'Maar u bent niet aan deze procedures gewend, en ik weet niet of ik er goed aan doe… Soms krijgen wij informatie die afkomstig is van verklikkers, en die zijn niet altijd te vertrouwen. Ze liegen uit eigenbelang, begrijpt u? Om zelf beter behandeld te worden.'

'Windt u er toch geen doekjes om, alstublieft.'

De politieman denkt even na en begint dan langzaam te praten, zijn ogen weer op zijn handen gericht. 'Zoals ik al eerder zei, weten we waar uw man de afgelopen maanden is geweest. Ik was niet bevoegd om erover te praten, dat heb ik u ook al gezegd, maar bovendien meende ik dat u het allesbehalve prettig zou vinden om het te horen…'

'Wat is er dan met Víctor gebeurd?'

'Niets, windt u zich niet op. Hij maakt het goed, veronderstel ik, waar hij zich nu ook mag bevinden. De zaak is dat uw man de indirecte aanleiding was tot een misverstand… Maar laten we bij het begin beginnen.' Hij schraapt zijn keel, vouwt zijn handen samen met zijn vingers tegen zijn lippen alsof hij zit te bidden, en gaat dan verder: 'Half juli, nu twee maanden geleden, werd er een individu aangehouden, een voormalige plaatsaanwijzer van de Metropol-bioscoop, er werden illegale geschriften bij hem in beslag genomen en een agenda waarin de initialen V.B. waren genoteerd, alsmede het adres van een flatgebouw in Sarriá. Herinnert u zich dat ik u vroeg of u de weduwe Vergés kende en u antwoordde van niet...?' Op dit punt wil de roodharige iets zeggen, maar de inspecteur is haar voor: 'Dat was niet waar, maar dat doet er niet toe, daar zullen we het nu niet over hebben... Goed. De twintigste juli jongstleden is er een observatiepost ingericht in het flatgebouw van die mevrouw, en het toeval wilde dat luttele minuten nadat twee agenten hun positie hadden ingenomen er een man het huis uit kwam met een opvallend dikke aktetas. Hij had nog geen vijf meter in de richting van het tuinhek afgelegd of hij haalde een zakflacon uit de tas, bleef staan en nam een flinke slok. Het was een lange, donkere figuur die als twee druppels water op Víctor Bartra leek. Toen hij door het hek de straat op ging, werd hij gesommeerd zich te legitimeren en omdat zijn gedrag achterdocht wekte, werd hij voor verhoor naar het hoofdbureau gebracht. De man in kwestie verklaarde dat hij huis aan huis encyclopedieën probeerde te slijten en de dame van de flat nergens van kende; hij zei dat hij haar brochures en een deel van de encyclopedie had laten zien, dat zij hem hoogstens een paar minuten te woord had gestaan en niets bij hem had besteld. In de aktetas zaten inderdaad brochures en catalogi van een uitgeverij, en de papieren van de betreffende man leken in orde. Maar er was iets mis met zijn distributiekaart, iets met de handtekening of de datum, en omdat zijn gedrag nog steeds argwaan wekte, werd hij aan een grondig verhoor onderworpen.'

'U bedoelt dat ze hem hebben afgetuigd.'

'Alstublieft. Er was sprake van een misverstand ten gevolge van de verwarde, chaotische verklaringen van de arrestant zelf, hij raakte in paniek en wilde vluchten, en het eind van het liedje was een betreurenswaardig ongeluk. Dat is er gebeurd. En vandaar dat zijn vermoedelijke betrekking tot mevrouw Vergés en met uw man nog onduidelijk is, maar geenszins uitgesloten...'

'Wat is er met die man gebeurd?'

'Hij maakte gebruik van een moment van onoplettendheid van de agenten om uit een raam te springen. Hij ligt in het ziekenhuis, in een coma waar hij niet meer uitkomt, geloof ik. Het was een onachtzaamheid, een noodlottig ongeval,' zegt de inspecteur aarzelend, 'of een zelfmoordpoging, wie weet… Zoals ik al zei, was het niet meer mogelijk om via die man bij uw echtgenoot te komen, zodat het onderzoek verder op de eigenares van de flat is gericht…'

'Wacht u eens, alstublieft. Wat heeft dat allemaal met Víctor te maken?'

'Moment,' zegt de inspecteur. 'Dat wilde ik juist vertellen. Uiteindelijk blijkt deze geschiedenis met de boekverkoper de verdenkingen slechts te bevestigen die er al bestonden omtrent de activiteiten van de eigenares van de flat in Sarriá. Ik ging ervan uit dat zij elke betrekking met Víctor Bartra zou ontkennen, maar dat was niet zo. Een opmerkelijke dame, die mevrouw Vergés. Ze moest er erg om lachen toen ze hoorde dat we een eenvoudige encyclopedieënverkoper hadden aangezien voor meneer Bartra…'

'Oh ja? En waarom moest die mevrouw zo hard lachen?' valt de roodharige uit, hoewel ze haar zenuwen zo goed mogelijk onder controle probeert te houden.

'Mevrouw Vergés gaf toe dat ze uw man goed kende,' gaat de inspecteur verder na zijn kopje te hebben leeggedronken. 'Van meet af aan had ze er geen enkele moeite mee te erkennen dat hij een goede vriend was geweest, en nog steeds was.'

Mamma verschuift in haar stoel en zwijgt. Dan pakt ze de koffiepot. 'Nog een kopje?'

'Dank u, graag.'

'Die Angelines toch, onze cocktailengel,' reageert ze na een poosje, als ze haar beheersing hervindt. 'Zo noemden de vrienden van mijn man haar, de cocktailengel. Ik kende haar nauwelijks. Jaren geleden heeft een dronken vent me aan haar voorgesteld, voor de deur van de Bolero, toen ik met Víctor…'

'Weet u zeker dat we het over dezelfde persoon hebben, mevrouw Bartra?' vraagt de inspecteur. 'Een bijzondere vrouw, donker, een jaar of dertig, wat je haar niet zou geven, weduwe, rijk en kinderloos. Ze woont samen met haar bejaarde schoonmoeder en een ongehuwde schoonzuster.'

Hij haalt een pakje Lucky Strike uit zijn zak en biedt haar een sigaret aan, ze peutert er met haar nagels een uit en met een boog, een koket, geheimzinnig gebaar brengt ze die naar de vlam van de lucifer. De inspecteur ruikt de haardos die van haar apathische profiel valt. Terloops vraagt hij of zijn aansteker is opgedoken. Nee, geen spoor.

'Allereerst moet u weten dat uw man zich de laatste maanden niet ergens in de Penedés heeft schuilgehouden, niet in La Carroña of enig ander dorp in die streek, zoals hij u misschien heeft doen geloven...'

'Wilt u beweren dat hij al die tijd in die flat heeft gezeten? Bedoelt u dat, inspecteur?' dringt mamma aan terwijl ze achter de rook van de sigaret langzaam haar ogen sluit.

'Dat weten we niet zeker. Zelf denk ik van wel,' antwoordt de inspecteur, om op zijn gebruikelijke monotone, van elke emotie gespeende toon door te gaan: 'Uiteraard heeft mevrouw Vergés in alle toonaarden ontkend dat ze meneer Bartra, van wiens subversieve activiteiten ze beweerde niet op de hoogte te zijn geweest, ooit bescherming en onderdak heeft geboden. U had haar moeten zien. Zich zeer bewust van haar status als iemand met goede relaties in de stad, zelfs in bepaalde overheidskringen, zo weet ik, beweerde ze zonder enige terughoudendheid en met een stalen gezicht er onkundig van te zijn dat de man die een boezemvriend van haar overleden echtgenoot was geweest nu door de justitie werd gezocht. En dat hij op zeven april om middernacht zonder waarschuwing vooraf bij haar voor de deur stond, helemaal toegetakeld en flink aangeschoten, alsof hij in de kroeg had gevochten, en dat hij haar vertelde dat hij ruzie met zijn vrouw had gehad, en dat zij hem geloofde omdat ze wist dat hij een heel... – hoe noemde ze dat ook alweer? – impulsieve man was. Vervolgens geloofde ik geen woord meer van wat ze verder nog zei, mevrouw Bartra. Ze gaf toe dat ze hem had verzorgd, zei dat ze hem voor het eten had uitgenodigd en dat ze wat hadden gepraat en dat hij haar diezelfde nacht kenbaar maakte dat hij van plan was terstond voor een zakelijke aangelegenheid naar Frankrijk te gaan. En dat hij toen het al tegen de ochtend liep, was vertrokken en dat ze hem nooit meer had gezien...'

'Nou en? Ik vraag me af waarom jullie geen geloof hechten aan de verklaringen van die mevrouw,' zegt mamma rustig.

Ze wil nog iets zeggen, maar de inspecteur is haar voor: 'Ik heb er lang over gepiekerd of ik met u over deze kwestie zou beginnen, mevrouw, en met uw welnemen zou ik de rest liefst zo snel mogelijk willen vertellen.' Weer aarzelt hij, om dan te vervolgen: 'Waar was ik? Oh ja, ik zei dat dit in grote lijnen de verklaring van mevrouw Vergés was. We weten echter dat ze niet de waarheid heeft gesproken. Het klopt dat ze hem die nacht bij haar thuis onderdak heeft verschaft en een kleine verwonding heeft verbonden aan zijn... het schijnt dat die ergens hier aan...'

'Zijn kont.'

'Juist ja. Het klopt eveneens dat ze met hem heeft gegeten en ze zullen het zeker over Frankrijk hebben gehad; maar dat was niet het laatste samenzijn, maar het eerste van een hele reeks, want die reis vond pas veel later plaats... Er is discreet onderzoek verricht, met het oog op de dame in kwestie, we hebben met haar schoonmoeder gesproken en met de dienstmeisjes, alledrie waren vooraf door de weduwe geïnstrueerd, maar op een aantal punten hebben ze elkaar toch tegengesproken. Enfin, ik zou u de details graag besparen, mevrouw Bartra... We hebben reden aan te nemen dat hij zich in totaal drie of vier maanden in de woning van die mevrouw heeft schuilgehouden.' Terwijl hij zijn sigarettenpeuk overdreven krachtig in de asbak uitdrukt, preciseert de inspecteur: 'Van april tot begin juli. In feite is hij ons ternauwernood ontglipt, hij heeft veel geluk gehad. Als we de bewaking van het flatgebouw een week eerder hadden ingesteld, was hij gearresteerd.'

'U lijkt het niet erg te vinden,' oordeelt zij geforceerd glimlachend. 'Vertelt u eens, waardoor bent u er zo van overtuigd dat mijn man zich bij die mevrouw heeft schuilgehouden?'

'Gelooft u het niet?'

'Ik ben geneigd te denken dat het klopt. Het kan. Maar u, waardoor bent u er zo zeker van?'

'Er is een rapport,' antwoordt de inspecteur, en na een pauze: 'De waarheid is soms onaangenaam. Maar dat is wat we weten, mevrouw Bartra.'

De roodharige zwijgt, het koffiekopje in haar handen geklemd.

'Het rapport,' gaat de inspecteur verder, 'is niet in het dossier opgenomen omdat men het vertrouwelijk achtte, kennelijk beschikt deze mevrouw over goede beschermheren, u begrijpt me wel. Maar de gegevens zijn er… Ik neem aan dat ze bevriend waren, en u moet bedenken dat uw man die avond werd gezocht. Laten we zeggen dat hij daar de nacht wilde doorbrengen en er een paar maanden is gebleven, omdat hij daar veilig was, zogezegd… Donders, ik kan het hem niet kwalijk nemen,' zegt de inspecteur nog op een eigenaardige spottende toon die allerminst overtuigend klinkt. 'Ik had vast hetzelfde gedaan.'

'Vast.'

'Moet u luisteren, ik weet dat u goed nieuws over uw man hoopte te horen, en gelooft u me, ik had er alles voor overgehad om zulk nieuws te achterhalen, want ik ben begaan met uw situatie. Maar als je er goed over nadenkt, was die flat niets meer dan een tijdelijke schuilplaats. Voor iemand die op de vlucht is, is elke plek tijdelijk…'

'Het is al laat en mijn zoon zal zo wel thuiskomen,' zegt zij bleek geworden en steunend op de salontafel om overeind te komen.

Met een van pijn vertrokken gezicht recht ze haar rug, haar hand ondersteunt haar zwangere buik alsof ze weer bang is dat de placenta zal loskomen en ik op de tegels zal vallen. Het gebaar heeft zowel iets obsceens als iets teders en de rechercheur moet het hebben opgemerkt, hij stapt hulpvaardig op haar af, en die in de zachte schemering gevangen herinnering is me dierbaar, want dit zijn de laatste liefkozingen van haar hand die nog altijd voelbaar zijn op mijn huid. Het is niets, zegt de roodharige. Zachtjes legt de inspecteur zijn hand op haar schouder. Heeft u iets nodig?, gaat u toch zitten, zal ik een glas water voor u halen, uw medicijnen? Ze legt haar hand op die van de inspecteur op haar schouder, gaat zitten en kijkt hem een ogenblik indringend aan. Haar halfopen volle mond hapt naar lucht en haar heldere ogen verraden het verwarde gevoel dat de zorgzaamheid van de inspecteur bij haar teweegbrengt. Met een heel snelle, vluchtige beweging legt hij zijn andere hand tegen haar voorhoofd om haar temperatuur te voelen. Ik geloof niet dat u koorts hebt, zegt hij nog zonder zijn hand weg te halen. Even klopt het vergiftigde bloed van deze man krachtig op de slapen van de roodharige als ze zich aan de onverwacht liefdevolle balsem van die handpalm overgeeft. De verzwegen obsessie die haar door die gloeiende hand wordt doorgegeven. Hoe de politieman daaronder lijdt, hoe hij die koestert en onder controle houdt. Mamma laat haar van zweet parelende voorhoofd op haar schoot zakken, ze zegt jongetje toch, en met samengeperste lippen, haar benen lichtjes gespreid, stelt ze zich mij voor, ik weet dat ze zich nu vanuit haar diepe angst een beeld van mij vormt en al haar hoop vestigt op een intenser en gelukkiger leven dan het hare. Jongetje toch.

'Het gaat alweer,' zegt ze. 'Als dit me overkomt terwijl ik wakker ben, gebeurt er niets ergs...'

'Ik begrijp u niet. Ik maak me zorgen over u, mevrouw Bartra, ik geloof dat u zich onvoldoende in acht neemt.'

'Nachtmerries zijn erger dan dit, weet u? Soms droom ik dat mijn kind door mijn kwalen op de een of andere manier mismaakt ter wereld zal komen. Dat er iets fout zal gaan...'

'Onzin. Dat wil ik niet van u horen.'

'Vandaag nog heb ik daaraan zitten denken, en ik wilde u vragen iets in gedachten te houden... Ik heb er lang over gepiekerd, u moet niet denken dat ik... U weet dat ik geen andere familie meer heb dan mijn zus Lola, en ik zou willen dat u, mocht mij iets overkomen, haar op de hoogte brengt...'

'Er zal u heus niets ergs overkomen.'

'Laat u me alstublieft uitspreken. U moet me beloven dat u mijn zus op de hoogte brengt. Belooft u me dat u dat zult doen. U weet wel dat zij niet op mij gesteld is, maar ik heb niemand anders.'

'Goed dan, ik beloof het u. Maar laten we het hier niet meer over hebben. Schuift u het kussen goed achter uw rug. Nee, niet zo... Gaat u rechtop zitten.'

'Maar zo rust ik beter uit.'

'Dat moet u niet denken. Het kussen tegen uw nieren, daar...'

'Als u het zegt. Maar geeft u me voor u weggaat nog een sigaret. Toe, weest u zo aardig.'

'Ik geef u geen sigaret meer. Voor vandaag is het welletjes.'

'Hè toe,' glimlacht de roodharige met een ondeugende schittering in haar ogen. 'Vindt u niet dat ik die heb verdiend?'

De vergulde Dupont

Moet je je voorstellen, zegt Paulino terwijl hij het scheermes wet aan zijn ceintuur waarvan hij de gesp tussen de wortels van de dode vijgenboom heeft geklemd, mijn moeder die, van top tot teen in de rouw, op het fluitje van mijn ome Ramón staat te blazen. Verkeersagenten hebben nu eenmaal haar hart gestolen, van mijn allerliefste moedertje. Het witte uniform, de helm, de riemen, het fluitje, alles vindt ze prachtig. En omdat ze zo snel huilt... Bij het natafelen zondag zette haar bewonderde broer, dus die bruut van een oom van me, zijn helm op haar hoofd en hij stopte zijn fluitje in haar mond en zij zat een hele tijd te fluiten en te lachen, echt strontvervelend joh, en die voorstelling was voor mij bedoeld, zodat ik zou zien hoe geweldig het is om verkeersagent te zijn en op een fluitje te kunnen blazen. Zo achterlijk is mijn moeder, David. Ze probeerde me over te halen om ook op dat fluitje te blazen, maar ik zei nee, ik zei dat het fluitje van die agenten pijn aan mijn oren doet en dat ik er bovendien kotsmisselijk van zou worden als ik het in mijn mond zou stoppen, en dat zij voor gek stond, en toen barstte ze in snikken uit en gaf oom Ramón me een dreun. En mijn vader zat daar met zijn stinkstok en zijn anijslikeurtje en durfde geen mond open te doen, zoals gewoonlijk... Man, wat een schijtzooi!

'Je helpt je riem naar de bliksem,' zegt David.

'Mijn vader is een angsthaas, maar voor mijn moeder zijn geen woorden... Weet je nog dat ik je verteld heb dat inspecteur Galván hem een dag op straat aanhield, mijn vader, en hem gewaarschuwd heeft vanwege ons, dat hij zei dat hij ons in de gaten moest houden en dat mijn vader zich lam was geschrokken en stommetje speelde? Nou, ik kan je vertellen dat hij met datzelfde verhaal naar mijn moeder is gegaan.'

De politicman was de bloemenzaak in de Calle Cerdeña uit gekomen en had – houd je vast, jongen! roept Paulino – een roos in zijn hand. Oké, dat is niks nieuws, we weten al dat hij rozen meeneemt voor je moeder, maar je had moeten zien hoe hij die vasthield; niet zoals jij of ik zouden doen, netjes rechtop om ervoor te zorgen dat de steel niet knakt, nee, hij hield hem ondersteboven, zwaaiend met zijn armen liet hij de roos compleet achteloos bungelen, alsof het een net op straat gevonden stok was of een rietstengeltje, alsof de roos niets met hem te maken had. Niet te geloven hoe sommige mannen zijn! Een diender schaamt zich als hij met een roos in zijn hand over straat moet, zegt David, dat is het gewoon, want hij vindt zichzelf geweldig stoer. Of die kerel is zo'n barbaar, zegt Paulino. Dat ook. Een barbaar en een schoft. Hij was eigenlijk met zijn witte roos op weg naar je huis, maar kennelijk besloot hij toen hij de Plaza Sanllehy overstak daar even langs te gaan, opeens kreeg hij dat idee, hij herinnerde zich het nummer en de verdieping nog, eerste deur op de tweede, geen lift, je weet wel, het voorname onderkomen van de familie Bardolet Balbín, die lamme en kreupele oudjes knippen…

De deur wordt opengedaan door een vrouw in rouwkleren met zo'n spits gezicht en zo'n treurige blik dat de inspecteur haar nauwelijks herkent, maar het is je moeder en wat doe je eraan, je hebt maar één moeder.

'Is de kapper thuis?' vraagt de inspecteur.

'Wat wenst u?'

'Bent u de moeder van Paulino Bardolet?' Hij laat zijn penning even zien, zijn andere hand houdt hij met de roos achter zijn rug, want mevrouw moet niet denken dat het een attentie voor haar is.

'Grote God! Wat is er gebeurd?'

'Ik wil uw man spreken, mevrouw. Weest u zo goed.'

'Hij is niet thuis.'

'Het gaat om uw zoon.'

'Om Paulino? Wat heeft hij gedaan, waarom wordt hij gezocht?!'

'Rustig maar, mevrouw, hij wordt helemaal niet gezocht. Ik wil u alleen een raad geven betreffende de jongen…'

'Wat is er dan gebeurd? Heremijntijd, als er maar eens naar me geluisterd werd!' Mevrouw Bardolet begint opeens te huilen. 'Luisterde mijn man maar naar me in plaats van de godganse dag rond te lummelen. Hij heeft nooit zitvlees gehad… Hadden we hem maar toevertrouwd aan de zorgen van mijn broer die legionair is geweest, kent u hem niet?, dat is de enige die zich over mijn jongen ontfermt zoals het hoort en bovendien is hij nu verkeersagent…'

'Dat weet ik,' onderbreekt de inspecteur haar ongeduldig terwijl hij de roos op zijn rug heen en weer laat gaan. 'Luistert u, ik kom u heel ernstig waarschuwen, mevrouw. Uw zoon heeft…'

'Wilt u niet binnenkomen?'

'Nee, het duurt maar heel even. Uw zoon heeft een vriend die even oud is als hij, u en uw man kennen hem vast wel, hij heet David Bartra en toevallig is zijn moeder een vriendin van me en ze maakt zich erge zorgen. Die twee boefjes struinen altijd over straat en niemand houdt ze in de gaten. David blijft soms weg van zijn werk en komt 's avonds pas laat thuis, en mevrouw Bartra heeft daarover geklaagd.'

'Mij hebben ze niks gezegd.'

'Bovendien, weet u, uw zoon geeft blijk van homoseksueel gedrag, mevrouw, dus…'

'Moeder Maria, zegt u dat niet!'

'…dus bespreekt u het met uw man om te bekijken wat er gedaan moet worden… Kijk, mevrouw, wat zal ik u zeggen? We weten dat uw man het bewind vijandig gezind was. Daar zullen we verder niet op ingaan, maar houdt u uw zoon scherp in de gaten als u niet wilt dat de overheid zich met de kwestie inlaat.'

'Homoseksueel! Mijn arme kind homoseksueel!'

'Om kort te gaan, laat hij zich verre houden van de zoon van mevrouw Bartra, zij is van mening dat die vriendschap hem geen goed doet. Ik weet niet of ik duidelijk ben. Laat hij hem niet opzoeken, want hij heeft een slechte invloed op hem. Begrijpt u me?'

'Ja, meneer, ja.'

'Er is niets aan de hand, maar laat hij andere vrienden zoeken, snapt u, mevrouw?'

'Ik wist wel dat er zoiets zou gebeuren. Maar in dit huis luistert niemand naar me… Wat een schande!'

'Kom kom, u hoeft niet te huilen. Het is maar een advies… Ik heb uw man er onlangs ook al over onderhouden.'

'Maar wat kunnen we doen?' vraagt de vrouw zich snikkend af.

'Dat jong is niet slecht, heus meneer, hij heeft nog nooit gevochten of iemand kwaad gedaan… En je kunt van hem op aan, hij houdt van muziek, daarom hebben zijn vader en ik hem ook heel wat zondagen naar de parochie van Christus Koning gebracht, daar is een organist die de kinderen lesgeeft, en bovendien wil zijn oom dat hij bij de verkeerspolitie gaat als hij oud genoeg is…'

De inspecteur kapt haar af: 'Goed, ik neem aan dat het duidelijk is. Laat ik uw zoon niet meer samen met die jongen van mevrouw Bartra zien, anders krijgen we problemen.'

'Zoals u wilt, meneer, dat komt heus in orde. Ach lieve Heer, wat een narigheid!'

'Praat u met uw man. U bent nu beiden op de hoogte, dus tot ziens.'

Met neergeslagen ogen stamelt ze een groet, ze begint de deur langzaam dicht te doen, en op dat moment laat de inspecteur als hij zich omdraait de roos vallen. Hij bukt om hem op te rapen, hij voelt de treurige, huilerige blik van die simpele ziel in zijn nek en als hij weer overeind komt, draait hij zich naar haar om met de roos in zijn hand. Hij twijfelt even, kijkt naar de roos, strekt dan zijn arm, zegt: 'Alstublieft, zet u hem maar ergens neer,' maakt rechtsomkeert en loopt weg.

De laatste uren van de nacht ligt David op zijn rug te broeden op zijn veldbed, zijn open ogen staren in het donker, in zijn vuist klemt hij de Dupont, warm, hard en hoekig, en hij wacht op zijn kans. Tegenover hem lijkt het oor van dr. P.J. Rosón-Ansio aandachtig te luisteren naar zijn gedachtestroom, het sjirpen van de krekels in het ravijn en de nachtelijke buurtgeluiden die door het bovenlicht dringen. Slapeloos en gretig ontvouwt het enorme roze aanhangsel zijn veelkleurig labyrint van membranen, kanalen en holten, doorzeefd door kleine pijlen die naar namen verwijzen, naar wetenschappelijke termen en verklarende noten op de randen van de poster. Sommige van die teksten kent David vanbuiten: *Cochlea of slakkenhuis. Bevat vocht genaamd endolymfe dat de geluidstrillingen van de buitenwereld registreert en doorstuurt en dat de gehoorhaartjes prikkelt die op hun beurt de zenuwimpulsen opwekken die naar de hersenen gaan.*

Hij laat zijn blik verder glijden en stuit weer op de flauwe glimlach van de RAF-piloot en naast hem op de geopende, door een schreeuw vertrokken mond van de Duitse soldaat die hem met zijn machinepistool onder schot houdt. Die schiet vast als eerste, denkt hij, en even later weet hij niet meer of hij wakker of slapend leest of peinst wanneer hij, uitgeput door de warmte van de nacht en door een metaalachtig gekras in zijn oren, naakt op het laken en nog steeds met zijn blik op de buiten de grenzen van tijd en legendevorming neergehaalde en gevangengenomen vliegenier, opeens het onmiskenbare geschuifel over de tegels hoort, de lichte pootjes van Chispa die de drempel van zijn kamer over stapt en naar zijn bed drentelt. Hij wil hem niet bekijken of behandelen als een geestverschijning, hij wordt niet bang en laat geen spoor van verbazing merken omdat het een dode hond is.

Wat wil je, Chispa, fluistert hij, en meteen heeft hij het idee dat hij hardop denkt. Wat doe je hier?, vraagt hij, terwijl hij op een elleboog steunend iets omhoogkomt. Heeft die pokkensmeris je niet naar de andere wereld geholpen?

Gammel en verward, maar zonder de mateloze treurnis die vroeger uit zijn ogen sprak, blijft de hond aan het voeteneind staan, hij gaat op zijn achterste zitten en kijkt zijn baasje aarzelend en met zijn kop schuin aan. Om zijn voorhoofd is een rood afgebiesd verband gewikkeld dat ook een deel van zijn grote oren bedekt; middenin zit een roze vlek.

Ja, ik ben dood. Maar vannacht mag ik even weg.

Ben je een dolende ziel, lief vriendje?

Helemaal niet. Ik ben een dashond en het gaat hartstikke goed met me.

Zo te zien anders niet.

Niet iedereen is wat hij lijkt, zoals je weet.

Hebben ze je hier in je kop die Duitse injectie gegeven? vraagt David, en omhoogkijkend naar het almachtige oor van dr. P.J. Rosón-Ansio voegt hij er met ingehouden woede aan toe: Was dat zo'n rotprik dat ze je een verband moesten omdoen?

Welnee, man, antwoordt Chispa, het was helemaal geen injectie.

Dan hoef je niks meer te zeggen. Ik denk dat ik het al begrijp...

Kijk uit, hier horen ze alles.

De hond schijnt het erg vervelend te vinden dat het welhaast obsceen tentoongespreide oor van de KNO-arts hen afluistert, hij houdt het vanuit zijn ooghoeken in de gaten. Hij doet zijn kop naar opzij en krabt met een achterpoot over het verband dat om zijn kop en kin gesnoerd zit.

Ik word een beetje misselijk, zegt hij.

Heb je honger? Wil je een suikerklontje? Aan kristalsuiker is hier in huis nooit meer gebrek, weet je, net als aan gecondenseerde melk en koffie... Dat zijn cadeautjes van die vent die jou heeft vermoord. Nou ja, je moet ook weer niet denken dat het het fijnste van het fijnste is wat hij meebrengt, en bovendien laat die klootzak zich terugbetalen door gezellig een bakje koffie te komen drinken en oeverloos met mijn moeder te ouwehoeren.

Hij houdt haar gezelschap, jochie.

Gezelschap, ja; dacht je dat ik niet doorheb waar die vuile hond op uit is...? Sorry, het is maar een uitdrukking, dat weet je.

Ja, dat weet ik, een uitdrukking.

Zeg, wil je niet een kliekje rijst met erwten? Ik wil je best chocola geven, maar dan krijg je buikpijn.

Nee, niet meer. Tegenwoordig kan ik alles verdragen.

Zal ik je ogen uitwassen met lavendel?

Nee, ik voel me best. Ik ben alleen maar langsgekomen om je even over mijn buik te laten kroelen.

Kom dan op bed en ga op je rug liggen. Zo. Vind je het lekker?

Ik vond het lekkerder toen ik nog leefde en er slonzig bij liep.

Vertel eens, Chispa. Inspecteur Galván heeft je mishandeld, hè? Hij heeft je op een rotmanier in het ravijn om zeep gebracht: je bent helemaal niet bij de dierenarts geweest, wed ik. Vertel me de waarheid. De muren hebben oren, fluistert het dier terwijl het vanuit een verdrietige ooghoek naar de middelste draaikolk van het oor van de KNO-arts kijkt, alsof het bang is ieder moment door het enorme aanhangsel te worden opgeslokt.

Volgens mij heeft hij je kwaad gedaan en ik wil het weten, houdt David vol. Chispa zucht en gromt dan hees, maar zijn baasje zegt: Harder, ik versta je niet. Vandaag zitten mijn oren vol spuitwater.

Ik zeg dat je moet uitkijken en je niet moet vergissen. Je hebt me toch gehoord: niet iedereen is wat hij lijkt.

Ja, dat is zo, geeft David toe en met zijn nagels blijft hij krabbelen over de trillende kale buik met klonten opgedroogde modder. Ik weet wel dat niet iedereen is wat hij lijkt; maar het is ook zo dat sommige mensen beter lijken dan ze zijn, dom hondje. Bijvoorbeeld dat misbaksel van een smeris. En ik zal ervoor zorgen dat hij, al is het maar voor één keer, te kijk zal staan als wat hij echt is, wat hij altijd is geweest en wat hij zal blijven omdat hij niets anders kan... Kijk, dat kun jij niet begrijpen, want je bent een heel lieve hond, je bent ziek en bovendien zit er een kogel in je kop.

Mag ik even op je voeteneind slapen, net als vroeger? Je moeder zal het niet merken.

Goed. Trouwens, al merkt ze het, ze zal het toch niet geloven.

Later maakt het bruisen van spuitwater plaats voor het ziekmakende, aanhoudende gesnerp van een zaag, en dat ruimt weer het veld voor het in oneindige verten stromende water van de bergbeek, als de echo van een onderaards onweer in Joost mag weten welke nacht der tijden. Zelfs zo lukt het hem weg te zakken in een dieper slaapstadium, nog altijd met de Dupont-aansteker in zijn vuist geklemd en nu met voor ogen een jongeman met de revers van zijn colbert omhooggeslagen en een fluitje in zijn mond, precies de man die hij op een dag in de urinoirs van de Delicias heeft gezien en die toen met een droge klap van zijn handpalm het magazijn in de loop van een pistool schoof. Het is onze broer Juan op veel latere leeftijd, en hij ruikt niet meer naar stinkend kruit, er zit geen stof meer op zijn kleren en er steekt geen versplinterd bot meer uit waar zijn been is afgerukt. Hij heeft vast een houten been, maar wat is hij elegant met zijn zilvergrijze slapen en het pistool in zijn hand, hij lijkt wel weggelopen uit een gangsterfilm.

Op wat voor rotstreek met behulp van die fantastische aansteker lig je te broeden? vraagt Juan wanneer hij zich grimmig uit Davids droom terugtrekt. Denk er goed over na voordat je tot de aanval overgaat, broertje.

Op zaterdag en zondag rijdt rond een uur of twee 's middags een blond meisje met donkere ogen en een olijfkleurige huid op een herenfiets over het pad langs de bedding. Ze heeft een gele rok met grote groene zakken aan, een saffraangele blouse en ze draagt een rode muts. Het meisje trapt voorovergebogen over het stuur energiek in de richting van de nabijgelegen tuingronden. De om die tijd uit de bedding omhoogkringelende warmte hult haar over de fiets gebogen silhouet in een sluier, ze drijft erdoor in de lucht, golvend als de weerspiegeling in water, een trillende verschijning. Met twee riemen is een aan de stang van het frame gebonden zwarte vioolkist te zien tussen haar donkere knieën, die bij het trappen beurtelings naar boven en naar beneden gaan.

'Heb je dat gezien, bolle?'

De rode fiets en de goudblonde haardos verdwijnen achter het suikerrietveld als een vlam die opflakkert en weer dooft temidden van een groen geaderd feest van licht.

'Zo, die is knap,' zegt Paulino, op zijn hurken het laatste stof van zijn broek kloppend.

David raakt weer verdiept in zichzelf terwijl hij zijn paraplu opsteekt tegen de zon; Paulino komt overeind en blijft naast hem staan, hij strekt zijn armen omlaag, houdt ze strak tegen zijn lichaam, het hoofd opgeheven. Een hele tijd staan ze allebei onbeweeglijk en stram als rekruten in de houding, hulpeloos en halsstarrig, beschut door de zwarte paraplu, de blik op de grond gericht en omringd door het gezang van krekels. Het regent niet, maar op het graf zal het altijd regenen: de hier in de zomer gedroomde regen is toepasselijker en bestendiger. Het zou goed zijn als hij een grafsteen met zijn naam erop had, denkt David vechtend tegen de tranen, en dat de regen zijn naam af en toe schoonspoelde en de herfst er een deken van bladeren over zou leggen… Alsof hij zijn gedachten raadt, zegt Paulino: 'Wil je geen kruis met een opschrift voor hem neerzetten?'

'Nee,' gromt David. Het is alleen maar om te weten waar hij ligt.'

'Jij denkt dus dat hij hier is begraven…'

'Hoe moet ík dat nou weten?'

Paulino blijft even staan peinzen onder de schaduw van de door beiden gedeelde paraplu. 'Toch zou het goed zijn,' zegt hij ten slotte. 'Op graven in de woestijn staat altijd een kruis met een opschrift…'

'Ga toch weg met je opschrift en je kruis en de hele klerezooi, papzak, hoe verzin je het! Moet die smeris er soms achter komen?'

Paulino haalt zijn schouders op en zegt niets meer. Zekerheid of hersenschim, mogelijkheid of betovering, Chispa ligt hier, onder het onschuldige wit van het omgewoelde zand, je hoeft er maar naar te kijken en het te geloven, en dat doet Paulino. Na een poosje vraagt hij zachtjes, zonder zijn militaire houding op te geven: 'Zal ik een gedicht voor hem voordragen?'

'Ik kan je niet verstaan. Ik heb nog steeds spuitwater in mijn oren.'

'Ik zou best een slokje lusten.'

'Je weet niet wat je zegt, joh. Heb je weleens goed geluisterd naar het geluid van bruisend spuitwater als je het in een glas schenkt? Het doet pssscht…! Nou, dat geluid heb ik in mijn oren, maar dan duizendmaal zo sterk.'

'Tjee!'

Schouder aan schouder blijven ze midden in de rivierbedding vol keien staan, hun voeten stevig op de uitloper van een zandtong, stokstijf onder de verfomfaaide, naargeestige paraplu als een bescherming voor beiden, zoals ze zijn overeengekomen, niet tegen de meedogenloze zon maar tegen een denkbeeldige aanhoudende regen, een extraatje van het klimaat dat beter overeenstemt met de woede en het zwaarmoedige verdriet waar de zoon van de naaister nu bijna een maand aan ten prooi is. Hij heeft de bittere as die hem naar de keel steeg in stilte weggewerkt en bewaart nu liever het zwijgen om zo te kunnen luisteren naar het gekletter van de regen op de paraplu en op de grond, op het kleine graf dat zo goed en zo kwaad als het ging is gegraven met de hulp van Paulino, die zich prompt en met overgave bereid toonde, een donker hoopje broos, vochtig zand dat ze net hebben opgeworpen. De geest van de geliefde hond zal voor eeuwig rusten onder dat onopgemerkte heuveltje aan de rand van de stad.

Met zijn handen vol bloedvlekken knoopt pappa aan de rand van de bedding zijn gulp dicht, terwijl hij vol ongeloof naar het hernieuwd voortrazende stilgevallen water kijkt dat zijn pies opslokt en ver meesleurt. Zo staan de zaken, jongen.

'Als er nu veel regen zou vallen, maar dan ook echt heel veel,' zegt David, 'zou de bergstroom weer hierlangs naar beneden kunnen komen en alles met zich meenemen, net als jaren geleden, dat heeft mijn vader me verteld, ik was toen nog heel klein. De bergstroom heeft alles meegesleurd, alles, zelfs een zijspan met twee soldaten en een vrachtwagen die paarden vervoerde…'

'Iets hogerop had hij toch beter gelegen, in de schaduw van een boom,' zegt Paulino. 'Waarom trek je je nooit iets aan van wat ik zeg?'

'Nee. Hier,' zegt David, precies op deze plek, denkt hij: in het schemerduister onder mijn voeten. 'Hier heeft hij hem afgemaakt, dat weet ik heel goed.'

'Dan zul je nu toch even geduld moeten hebben, want ik wil een heel mooi gedicht voor je hond voordragen dat ik geleerd heb in de tweede klas van de middelbare school.' Hij schraapt zijn keel terwijl hij naar het graf kijkt en zangerig klinkt het: 'Schoon het trotse Rome, toen Numantia was genomen, moed en volharding dacht bedolven, bood de eeuwigheid de wereld zekerheid: de ouders zijn gestorven, hun kinderen onbedorven.'

'Heel mooi, eikel.'

Als ze naar huis teruglopen, informeert David: 'Zeg eens, dikmans. Heb jij weleens over een misdaad van je gedroomd?'

'Van mij? Hoe bedoel je?'

'Of je weleens hebt gedroomd dat je iemand vermoordde.'

'Waarom vraag je dat? Vanwege mijn oom?'

'Heb je het weleens gedroomd of niet?'

'Ik droom nooit.'

'Je moet toch ooit een droom hebben, man. Iedereen heeft dromen.'

'Niet dat ik me herinner... Of wacht, ja, ik heb een keer gedroomd dat Errol Flynn me vroeg of ik een zwaard bij de hand had. Gauw, joh, geef me een zwaard! En meteen daarna nam hij me mee naar het warenhuis, de Jorba, en daar kocht hij een prachtige wollen shawl voor me, ik weet nog dat het voor de kerst was... Errol Flynn zelf! Niet misselijk, hè? Maar ik heb nooit gedroomd dat ik iemand vermoordde, dat durf ik te zweren. Ik heb er weleens aan gedacht, maar erover gedroomd, nooit.'

'Nou, ik wel,' zegt David. 'Niet dat ik een moord pleegde, begrijp me goed. Ik droomde dat iemand tegen me zei dat ik wie-weet-ik-niet-meer had vermoord, en ik geloofde het en dacht: nou en? Ik nam het gewoon aan. Dat is niet hetzelfde als iemand vermoorden, maar bijna wel, en dat geeft je een heel idioot gevoel. Normaal gesproken zou je toch denken: ik ben een moordenaar, ik ben een moordenaar geworden?, maar nee, het blijkt dat je jezelf dan niet opeens als een slecht mens beschouwt, je bent niet verbaasd, je hebt geen spijt, je voelt je niet ellendig of niks. Ze zeggen: hé, we weten dat je Dinges hebt vermoord, en je gelooft het, je vindt het normaal en blijft doodkalm. Je bent een moordenaar en het kan je geen bal schelen!'

'Ik vind dromen vervelend. Heel vervelend,' stottert Paulino, die de hik heeft, terwijl David de paraplu weer dichtklapt en aanstalten maakt naar binnen te gaan. 'Tot kijk, ik zie je vanmiddag in de Delicias.'

Drie uur later laat Paulino zijn dikke achterwerk heel langzaam in een bioscoopstoel van de Delicias zakken.

'Jij gaat zitten alsof je een distel in je kont hebt,' spot David. 'Op een dag stopt die flikker er nog een bezemsteel bij je in.'

'Het gaat wel,' fluistert Paulino, maar weer krijgt hij een hikaanval en hij onderdrukt een snik. 'Deze keer heeft hij alleen maar mijn billen met de vliegenmepper bewerkt...'

'Daar kon je op wachten. Waarom ga je nog steeds naar zijn huis, sukkel?'

'Hij betaalt me goed voor het scheren, hij koopt gebakjes voor me, ik mag zijn pistool schoonmaken… Wat kan ik anders, David?'

'Nou ja, zeg, je zoekt het zelf maar uit. Laat mij naar de film kijken.'
Na een poosje stopt Paulino met snotteren, al heeft hij nog steeds de hik. 'Wat ruikt dat heerlijk,' zegt hij. 'Dat zijn je handen. Ze ruiken naar Wener broodjes.'

'Dat komt door de ontwikkelaar,' bromt David.

Hij laat zich in zijn stoel onderuitzakken, legt zijn voeten op de rij voor hem en knijpt zijn ogen tot spleetjes om beter op de katachtige bewegingen van de jonge boer te focussen als deze opzij springt en zijn revolver trekt. 'Wie speelt de rol van Jesse James?'

'Tyrone Power,' antwoordt Paulino. 'Dat is die donkere. Zijn neus is spits en hij glimlacht zóóó leuk…!'

'Hij is te knap voor een revolverheld in het Wilde Westen.'

'Niemand is ooit te knap, vind je ook niet, David?'

'Ik weet niet. Wat doet het ertoe.'

'Vind je de film niet leuk?'

'Jawel, best aardig.'

'Wat is er dan? Ben je een beetje verdrietig om wat oom Ramón met me heeft gedaan…?'

'Moet je nou zien. Blijkt die Jesse James een arme boer te wezen.'

'Vind je dat vreemd? In het Wilde Westen was iedereen cowboy of boer.'

'Kijk toch naar hem. Veel te knap. Hij ziet er beter uit met die zakdoek voor zijn gezicht, zodat je alleen zijn ogen ziet.'

'Als jij het zegt. Wil je pinda's?'

'Nee.'

'Wil je een beetje bruispoeder?'

'Nee.'

'Wil je alsjeblieft je vingertje er even bij me in stoppen?'

'Wat heb je gegeten?'

'Boontjes met spek.'

'Ik pieker er niet over. Dan ruikt mijn vinger de rest van de dag naar scheten.'

'Dan krijg je een nog bijna vol flesje Varón Dandy-lotion dat ik van mijn oom heb gepikt.'

'Vol?'

'Bijna.'

'Oké. De Varón Dandy plus alles wat je verder nog bij je hebt.'

'Je probeert er een slaatje uit te slaan, rotzak. Dat is gemeen.'

'Wat heb je allemaal in je zakken?'

'Vijfenzeventig cent, mijn nagelknippertje, het bruispoeder en een nieuwe veer die ik in mijn rommelkistje bewaar...'

'Vooruit dan. Maar alleen erin en weer eruit.'

'Twee keer.'

'Eén keer, dat is meer dan genoeg.'

'Jemig, joh, wat een profiteur ben jij.'

'Graag of niet.'

De eerste zaterdag van de maand, de Delicias, No-Do-journaal, een film over de oorlog tegen de Japanners, dan een western, weer het No-Do en opnieuw de oorlog; zij zitten daar wijdbeens op hun stoeltjes en wachten. Maar geen spoor van Fermín met de enveloppe.

Kom mee, zegt David, en ze lopen de hal in, glippen langs de portier, gaan naar de eerste verdieping en zoeken de projectiecabine. David klopt met zijn knokkels op een kleine deur, die zachtjes opengaat, maar niet verder dan een handbreedte. Het geklop wordt overstemd door het gezoem van de projector, het geratel van mitrailleurs op een strand aan de Stille Oceaan en het gekrijs van Japanners die aan een bajonet worden geregen of loodrecht uit een palm vallen. Net wil David nogmaals aankloppen, nu harder, als daarbinnen een vrouwenstem te horen is, kleverig en zoet, alsof ze praat terwijl ze een banaan eet, bedenkt Paulino die dat ook zegt: een stem die wel uit de film lijkt te komen. Het liefje van een soldaat uit Guadalcanal, fluistert hij. Wat klets je nou, er zijn geen vrouwen die bananen eten in een oorlogsfilm, eikel, zegt David. Dan is ze het liefje van de operateur. Moet je horen. Paulino houdt zijn arm vast om te voorkomen dat hij aanklopt. Weer klinkt de smikkelende fruitstem: Voor ik van je vogeltje snoep, moet je me de acht muntjes laten zien, schatje. Denk niet dat je me met een kop koffie en een half broodje sardines al hebt betaald.

Straks. Wat ben je wantrouwend, zeg.

Helemaal niet. Bovendien geef ik je al korting...

David en Paulino ruiken de acetonlucht en als ze naar binnen gluren, zien ze een deel van de cabine, een ruimte van hooguit drie bij twee meter, met de twee Erneman-projectoren en de vloer bezaaid met zwarte krullen, restjes film die de jonge operateur in interlock nu met zijn voet opzijschuift; hij zit op de zak met spoelen en lurkt aan een flesje bier. Hij heeft een smerig verband om zijn hand, een blauw oog en op zijn armen sporen van een aframmeling. Tegenover hem zit een jonge, donkere vrouw met zwaar geverfde lippen op een lage stoel, ze draagt een heel strakke rok en een blouse die zo ver openhangt dat er een zwarte beha zichtbaar is, ze zit te schransen van een half broodje sardines en heeft een bord en een kopje op haar knieën. Haar schoenen met hoge hakken heeft ze uitgetrokken en naast zich neergezet. Achter haar komt door het open raampje op de Travesera de Gracia het geknars van trams en wat getoeter.

Ik heb net de spoelen verwisseld, liefje, zegt Fermín honingzoet, dus we hebben twintig minuten. Kom op, stop eens met bunkeren, je wordt nog zo vet als een koe…

Niet commanderen, lieve jongen. En wees niet zo krenterig, verdorie.

Maar elke wip kost me een rib uit mijn lijf!

En mijn gezelschap dan, hartje? Vind je het niet fijn dat ik bij je ben?

Je hebt je anders al twee maanden niet laten zien, engeltje. Grrrr…!

Kalmpjes aan, hè? schatert de vrouw. Je bent zo heet dat de boel nog eens in de brand vliegt met al die films hier.

Dat vervloekte litteken op je knie is vandaag roder dan normaal.

Weet je waarom, schattebout? Omdat ik al geil word zodra ik je zie…

Ja, maak dat de kat wijs. Het is echt een heel lelijk litteken.

Let jij nou maar op jezelf! Jij ligt compleet in de vernieling! Wat is er met je oog gebeurd en met die hand?

Ik moest zonodig wezen waar ze me niet hadden geroepen, kindje, bromt Fermín, en even wordt zijn stem gesmoord door een stel ontploffende granaten in een mitrailleursnest. David en Paulino zien dat hij zich omdraait en deinzen achteruit om niet gezien te worden; de operateur heeft nu gemerkt dat de deur op een kier staat en trapt hem dicht, maar ook dan zijn de stemmen, als het gedender van de veldslag op het strand afneemt, nog helder en poeslief hoorbaar door de deur: Maar je bent nog even knap, dus rustig maar, zegt zij, en Paulino meent in die stem, door het kauwen en sabbelen heen, een romantische inslag op te merken.

'Het is zijn verloofde,' zegt hij.

'Je bent een stomkop,' antwoordt David. 'Luister en houd je mond.'

Doe je beha af, kom, duifje…

Zeg me eerst maar eens wie je dat blauwe oog heeft bezorgd.

Dat? Omdat ik iets voor een kameraad heb gedaan.

Vertel dan.

Je bent toch niet toevallig bevriend met iemand van de politie?

Wat denk je wel van me, lekkertje? Met de kit wil ik niks te maken hebben.

Is je ene tepel nog steeds groter dan de andere, moppie? Laat eens zien terwijl je de laatste happen neemt…

Waarover heb jij het met de autoriteiten aan de stok? Dat vind ik maar niks, hoor.

Flauwekul! Maandagochtend kwam ik hier de film monteren en plotseling staan er twee smerissen voor mijn neus met een serie vragen over die ouwe Augé, een plaatsaanwijzer, je hebt hem weleens gezien. Ik heb ze verteld wat ik van hem wist: dat hij ziek was geworden, dat het een beste vent was. Opeens grijpen die kerels me en nemen me mee naar het bureau op de Vía Layetana, ze stoppen me in een soort kelder en voor ik het wist kreeg ik een derdegraads voor mijn kiezen… Weet je wat dat is, poppie? Een kloteverhoor. Ik snapte nog niet de helft van de vragen… Ik snap nooit meer dan de helft van wat ook, dat heb ik nou eenmaal.

Je bent inderdaad een beetje oenig, Fermín. En een geil beest.

Best. Ik had alleen maar iemand een dienst bewezen. Een nogal bijzondere dienst, dat wel. Niks verkeerds, informatie overbrengen tussen mensen die van elkaar houden… Hè toe, laat me je beha nou afdoen, muisje, dan heb ik tenminste een beetje prettig uitzicht…

Houd die vuile poten thuis, schatje.

Maar wat wil je, moois koninginnetje van me? Moet jij soms met handschoenen aan gestreeld worden, of wat?!

Nou, misschien zou ik dat wel lekker vinden.

'Ze houden hartstochtelijk van elkaar,' fluistert Paulino.

'M'n zolen! En houd nou je klep eens dicht!'

Een volgende salvo geweervuur drukt de hitsige stem van de operateur weg, het geschreeuw en de aanvalsbevelen zwellen aan, direct gevolgd door een stilte, het geritsel van zijden kledingstukken en het geruis van aan- en weer wegrollende golven op de golfbreker aan het strand dat in het maanlicht van de Stille Oceaan bezaaid ligt met lijken.

'Wat nu? Hij is haar kousen aan het uittrekken,' fluistert David.

'Ze draagt helemaal geen kousen,' zegt Paulino, 'heb je dat dan niet gezien? Trouwens, verloofdes laten zich hun kousen niet uittrekken.'

Blijf van me af met dat gore verband, zegt zij. Wat hebben ze met je hand gedaan?

Dat zul je niet geloven, Merche. Eerst wilde dat stel zwijnen me laten schrikken, het waren onderinspecteurs. Op tafel lag een nieuwe tang met roodgeverfde armen, maar die hebben ze helemaal niet gebruikt. Een van hen, een dikzak, mepte me met een nat touw, hier en hier, kijk maar, en toen sloeg hij op mijn oog. Allebei waren ze bloedlink, ze waren er namelijk van overtuigd dat de sleutel die ze in mijn broekzak hadden gevonden van een postbus was waar ik politieke propaganda en berichten uit haalde, net als meneer Augé had gedaan, dat zei die ene klootzak... Ik heb wel honderd keer herhaald dat het de sleutel van het EHBO-kistje in de projectiecabine was, dat kistje dat je daar ziet, maar dat was aan dovemansoren gezegd. En die ene komt op me af en zegt: Hé lul, we kennen jou wel, jij was de stoere bink van die gasten van de Anarchistische Federatie, je kwam altijd in een kroeg in de Calle de la Cera, een broeinest van anarchistische ratten, en je speelde onder één hoedje met anderen van de Vakbond voor Toonkunst die via de zakken met filmblikken blaadjes als *Solidaridad obrera* in de bioscopen laten belanden, dat weten we. En ik antwoord hem: Wat zeg je nou?, lik toch m'n reet, man, klote-onderinspecteur, dat is ouwe koek, jij bent een zak stront en ik ben de stoere bink die jouw zuster neukt, dat zei ik hem recht in zijn gezicht…

Je bent gek, pielemuisje!

Het komt doordat ik me niet kan beheersen als ze me van die lulkoek verkopen, kindje, dan ben ik tot alles in staat… Toen kwam die andere onderinspecteur op me af, hij trekt zijn pistool, ze lieten me mijn geboeide handen op tafel leggen, hij heft zijn wapen en beukt met de kolf op mijn hand hier. Ik zag gewoon sterretjes, Merche. Maar wat er daarna gebeurde, zul je echt niet geloven.

O jee, vertel het me maar niet. Zie je nou wat er gebeurt als je tegen de overheid branie schopt en ook nog liegt?

Ik heb niet gelogen, die sleutel was echt van het EHBO-kistje. Doe je rok uit, toe, zo…

Hé, kijk uit, help mijn rits niet naar de bliksem… Je bent vandaag wel erg opgewonden, hè schatje?

'Het is zijn verloofde, joh, zeker weten. Merk je niet dat hij smoorverliefd op haar is?'

'En jij hebt een klap van de molen gehad, Pauli. Laat me toch luisteren, jezus!'

Als je dan niet loog, waarom heb je ze dan niet gezegd dat ze de sleutel van het EHBO-kistje maar moesten proberen, dan hadden ze gezien dat je onschuldig was en hadden ze je niet afgetuigd.

Merche, lieveling, weet je dan niet hoe ze zijn? Ze wilden me bang maken en me iets anders laten bekennen.

Wat dan?

Wacht even, ik weet niet of de film wel goed spoelt… Oké, dat is in orde. De rol is zo op, dus even tempo, schat.

Je had je ook wel een beetje kunnen wassen, jochie, zo krijg ik zelfs nog smeer op mijn kutje…

Toen ging de deur open en er verscheen nog een smeris, een inspecteur, zijn gezicht kwam me bekend voor, ik had hem een keer bij de ingang van de bioscoop met de oude Augé zien praten. Hij beval die kaffers dat ze me met rust moesten laten, groette me vriendelijk en bood me een sigaret aan… Ken je dat van de goede agent en de slechte agent die je altijd in de film ziet? Nou, hij was de goede. Hij ging bij me zitten en zei: Jij bent bevriend met mevrouw Bartra, hè? Ik heb

228

haar maar één keer ontmoet, antwoordde ik, en dat is ook zo. Hij keek me strak aan, ik dacht dat hij me een hele hoop vragen zou stellen, maar nee. Hij stond op en zei, neem het die twee onderinspecteurs maar niet kwalijk, het zijn goede ambtenaren die orders van hun meerderen uitvoeren, net als ik en alle anderen hier. Dat hij het heel druk had en zich niet lang met mijn zaak kon bezighouden, en dat hij het jammer vond want hij kende die twee goed, ze zijn heel hardhandig en niemand kan ze in toom houden, zei hij, dus als je iets te melden hebt, kun je dat maar beter tegen mij zeggen... Dat ik niet loog, zei ik, deze sleutel is van het EHBO-kistje van de cabine, dat herhaalde ik alleen maar steeds, en die vent kreeg er genoeg van en verdween.

En dat is alles?

Dat had je gedacht! De dikke en de dunne hebben me nog een half uur getreiterd. En toen lieten ze me gaan. Nog geen glas water kreeg ik. Oh ja, nou vergeet ik nog bijna de smerigste streek die ze me gelapt hebben... Oei, wat ben je lekker, schatje.

Je had toch zo'n zin? Waar wacht je dan op?

Momentje nog, honneponnetje, even deze spoel er opzetten.

Wat is dit?

Het kattenoog waarmee je de lichtbundel van de projector kunt afsluiten. Niet aanraken. Raak mij maar aan, pak dit maar beet... Maar wacht, nu komt het mooiste. Het toppunt! Moet je nagaan, we zaten daar nog in die kelder – ik had overal schijt aan en deze hand was aan gruzelementen – als de deur opengaat en inspecteur Galván weer binnenkomt; hij rookt een sigaret en toen hij me zag, vroeg hij: Wat doet die hier nog?, ik heb met de baas gesproken en hij is niet belangrijk, laten jullie hem maar gaan. En hijzelf doet me de boeien af, loopt met me naar de deur en geeft me een hand. Tot ziens, kerel, zegt hij, iedereen heeft weleens een pechdag, maar kijk goed uit, gedraag je netjes, en dan draait hij me opeens deze hand om die zo was toegetakeld en die me vreselijk pijn deed, en let op, hij draait mijn handpalm naar boven en kijkt er aandachtig naar alsof hij mijn levenslijnen wil lezen zoals zigeunerinnen doen. Dat dacht ik, maar nee. Weet je wat hij deed?

Met zijn oor tegen de deur gekleefd, stelt David zich Fermíns hand voor tussen die van de rechercheur: een hagedissenstaartje kronkelt over de handpalm vol bloed.

Hoe kan ik dat nou weten, pielemuisje?

Je gelooft je oren niet. Ik dacht dat hij wilde kijken of ze me geen botje hadden gebroken, maar in plaats daarvan neemt hij de sigaret uit zijn mond en klopt er de as af... We hebben geen asbakken, zei hij met een uitgestreken gezicht, alsof die achterlijke grap hemzelf nog het minst beviel. Mijn hand diende hem als asbak! En dat vond hij nog niet genoeg, toen hij alle as eraf had geklopt, drukte hij de gloeiende punt uit in mijn hand. Precies zoals je het hoort.

Wat een vuile smeerlap!

Maar ik gaf geen kik, die lol gunde ik hem niet.

Lieve hemel, lieverdje van me, hoe kon je die pijn verdagen?! Maar waarom deed hij zoiets vreselijks?

Vanwege de gewoonte om zulke pokkenstreken uit te halen, denk ik. Want zo zijn ze. Je ziet een van die figuren op straat en denkt dat het normale mensen zijn, maar dat had je gedacht. Oké, kom hier, moors koninginnetje van me, pak dit sardientje eens beet...

Er arriveren nog meer landingsvaartuigen, die ronkend en sputterend aan de golfbreker bij Guadalcanal meren, David ziet ieder detail van die scène. Het Japanse mitrailleursnest is verstomd.

'Ik ben helemaal geen held, ik ben gewoon een mens,' zegt een soldaat plat op zijn buik op het strand. 'Ik ben hier simpelweg omdat er nu eenmaal iemand moest gaan. Ik wil geen medailles. Ik wil alleen maar dat dit voorbij is en dat ik weer naar huis kan.'

Dicht opeen en met volle bepakking worden de angstige gezichten van de marine-infanteristen onder de stalen helmen besproeid met zeeschuim en doodstekenen vermengd met de geur en smaak van de lippenstift op de mond van de verloofde of hoer, de foto in de portefeuille van de dode soldaat, de witte, inmiddels uit de rok bevrijde dijen en de door de sigaret verschroeide hand stevig op een bil... Dan klopt hij met zijn knokkels aan, en nu horen ze hem.

'Wie is daar, voor de donder?'

'Ik ben het!'

'Wie is ik, verdomme?'

'De zoon van mevrouw Bartra!'

Het snorren van de projector, stemmen die bevelen schreeuwen, verwensingen, opnieuw schoten en een vrouwenlach die niet uit de film komt. De deur gaat open en daar verschijnt de ragebol van de operateur.

'Hoezo hebben ze je naar boven laten gaan, joh? Weet je niet dat dat verboden is?'

'Mijn moeder wil weten hoe het met de enveloppe van deze maand zit,' fluistert David.

'Het is afgelopen. Er wordt niet meer bezorgd. Althans niet via mij. Zeg dat maar tegen je moeder.'

'Wat is er dan gebeurd?'

'Niks wat jou aangaat,' gromt Fermín. 'Zeg haar maar dat als ze nog iets hoort, dat dat dan niet meer volgens hetzelfde systeem gaat. En je hoeft niet meer te komen.'

'Maar we mogen toch nog wel gratis de bioscoop in, zoals altijd...?'

'Ja, dat is best. En nu opgedonderd. Vooruit, opschieten!'

Ze gaan op een holletje naar beneden, de straat op en dan, als ze op hun akkertje de Escorial op lopen, met gebogen hoofd en de handen in hun zakken, twijfelt Paulino nog steeds.

'Toch is het volgens mij zijn verloofde.'

Duizelig en met hevige steken in haar slapen staat ze na twee uur trappen op de Nogma op om even op bed te gaan liggen. Even later komt David thuis, hij gaat naast haar zitten en pakt haar hand. Hij herhaalt wat de operateur van de Delicias heeft gezegd en voegt daar een verslag aan toe van het verhoor en de mishandeling door de politieagenten en het uiteindelijke ingrijpen door inspecteur Galván, maar houdt het kwaadaardige, ongegronde ritueel van de in Fermíns hand uitgedrukte sigaret nog even voor zich.

'Ik dacht al dat er iets was gebeurd,' zegt mamma.

'En wat doen we nu?' vraagt David.

'Afwachten,' zucht zij, en vervolgt: 'Maar goed dat de inspecteur erbij kwam.'

'Hoezo, maar goed?'

'Volgens mij heeft hij altijd al geweten hoe, wanneer en via wie dat beetje geld dat pappa ons stuurde hier kwam. Al hadden we hem ook niet kunnen vertellen waar het vandaan kwam, want dat weet ik niet, en hij heeft gedaan of zijn neus bloedde. Een manier om ons te helpen, snap je? En om dezelfde reden heeft hij Fermín laten gaan.'

'Waarom zou die smeris ons helpen?'

'Nou, omdat hij in wezen geen kwaaie kerel is…'

'Dat is hij wel. Hij vindt ons een beetje zielig, dat is het, vooral jou, omdat je ziek bent en zwanger en hard werkt; alleen maar daarom,' bromt David, die dan zijn ogen neerslaat en heel langzaam met een suikerzoete stem doorgaat: 'Wil je weten wat hij met Fermín heeft gedaan voordat hij hem liet vertrekken? Hij heeft een sigaret in zijn hand uitgedrukt.'

'Wat zeg je?! Ze hebben je voor de gek gehouden, jongen. Dat kan niet.'

'Toch is het zo, want ik heb gehoord dat Fermín het aan zijn verloofde vertelde.'

'Zijn verloofde?'

'Die was bij hem in de cabine.'

'O, dan zat hij een beetje op te scheppen tegen zijn verloofde… Vast. Hij wilde indruk op haar maken. Ik kan niet geloven dat de inspecteur zoiets heeft gedaan… Dat is ongetwijfeld grootspraak van Fermín. Je vader zou je wel over die jongens van de Vrijdenkersjeugd kunnen vertellen, ze zijn heel enthousiast en onbaatzuchtig maar een beetje doorgedraaid en kletsmajoors. Nou ja, zoiets als je vader. Dus hij vraagt zijn verloofde om hem op te zoeken in de projectiecabine. Wat een handige vogel, die Fermín. Hoe is zij?'

David denkt een paar tellen over zijn antwoord na. Maar voor hij dat geeft, begint hij over iets anders. 'Waarom wil je me niet geloven, mamma?'

'Jou geloof ik wel, jongen! Maar Fermín kan ik niet geloven… Nou, vertel, hoe is zijn verloofde?'

'Blond met blauwe ogen, heel netjes en heel lief, heel naïef… Paulino is helemaal weg van haar. Volgens hem heeft ze een bananenstem.'

'O ja? Wat jouw vriend allemaal niet zegt.'
'Ja. Allemaal flauwekul. Echt een sukkel.'

'David, luister eens.'
'Wat is er, bollie?'
'Heb je weleens gedroomd dat je met je armen wijd aan het vliegen
was?'
'Tuurlijk. Wel tig keer.'
'Ik liep iets te denken. Stel je voor dat wij elkaar een hele poos niet
hebben gezien en dat we elkaar op een dag weer tegenkomen terwijl
we vliegen en elkaar met onze ogen dicht omhelzen...'
'Dicht? Waarom?'
'Daarom, val me niet in de rede. Als we elkaar dan omhelzen en je
hebt je ogen dicht, wat voor herinnering aan mij zou er dan bij je op-
komen? Een geur, een liedje, een film, een bloem, een stijve snikkel,
een droom, een gedicht...?'
'Weet ik veel! Wat jij niet allemaal voor onzin bedenkt!'
'Toe nou, man. Denk even na!'
'Begin niet weer met die kletskoek van je, Pauli.'
'Alsjeblieft!'
'Hoor je de wind fluiten in de elektriciteitsdraden? Dat is nou het-
zelfde gefluit dat ik nu in mijn oren heb. Dus laat me met rust, joh.'
'Alsjeblieft.'
Na een stilte geeft David zich gewonnen en hij bromt: 'Een bloem.'
'Wat voor kleur?'
'Wit. Een witte roos. Nou goed, mafkees?!'
'Ja, dat is goed.' Paulino neemt het scheermes in zijn andere hand
en gaat verder: 'Dat zijn geen draden voor de elektriciteit maar voor
de telefoon, en ze fluiten niet door de wind maar door de stemmen
van mensen die bang zijn; ze bellen elkaar van heel ver weg en ze zijn
naar elkaar op zoek... Hoor maar!'

Paulino's scheermes

Pang. Nu of nooit, jochie, je blijft niet je hele leven een sukkel, dacht ik opeens, pang!, en ik zou zelfs zweren dat ik dat zachtjes riep terwijl ik met een servet het bloed van mijn hals veegde, zegt Paulino. Oom was de badkamer ingegaan en stond naakt voor de spiegel zijn liezen te krabben. Hij had nog steeds een stijve toen hij met de handdoek in de weer was, en ik zei tegen mezelf: nu of nooit. Pang.

'Hoe kwam het dat je die beslissing op dat moment nam?' vraagt David. 'Of had je die al eerder genomen?'

'Wist ik het maar.'

'Ze beweren dat het een ongeluk was, dat het pistool opeens af-ging...'

'Wist ik het maar, zeg ik toch.'

Hij vertelt het half als in een droom, alsof het gebeurde niets met hem te maken heeft. Het speelde zich af nadat hij hem had geschoren en nadat ze samen in zijn kleine appartement aan de Calle Rabassa gestoofde mosselen met mayonaise hadden gegeten – maar die idioot eet niets, wat een weerzinwekkend kereltje, zegt oom Ramón –, alleen zij tweeën in de zonovergoten eetkamer waar een walm van gekookte kool en Floïd-lotion hangt. Dit is het moment, dacht hij, je hoeft niet eens je broek en je overhemd aan te trekken, wat geeft het, niemand hoeft je te zien, dus wacht niet langer, maak nu voorgoed een eind aan deze nachtmerrie vol castraties en verwensingen en gejammer en ge-schreeuw gesmoord in de eeuwige heesheid: Ik zal een kerel van je maken, neef, ik zweer bij mijn ballen dat ik een kerel van je maak! Pang.

'Maar wat is er gebeurd, Pauli? Wat een schandaal. Ze zeggen dat ze je in een tuchthuis stoppen?'

'Ze brengen me linea recta naar het Durán, die inrichting. Ja, zo is het.'

'Maar wat is er dan gebeurd, man?'

Als in een droom, zo vertelt hij het. Dat de voormalige legionair voor de zoveelste keer had gedreigd hem te vermoorden als hij thuis iets zou zeggen, en dat hij vervolgens de badkamer was ingegaan en de deur had opengelaten, dat hij met zijn armen wijd zijn behaarde armen in de spiegel had bekeken en heel tevreden zijn flaporen liet dansen. Paulino zat aan de eettafel en had zicht op de hoek van de gang met de badkamer, de nog dichter dan de armen behaarde rug en de afstotende hoge, donkere reet. De altijd stralend witte helm, het uniform en de koppel hingen over de rug van een stoel in diezelfde gang als enig obstakel tussen de vizierkeep van het korte automatische 9-mm-pistool en de afschuwelijke kleine zeemeermin. Voorovergebogen over de tafel die kort daarvoor tijdens de neukpartij is verschoven, met op het kleed nog de vuile borden, het scheermes, de kwast en de kom zeepwater die hij lange tijd niet zal gebruiken, want de volgende keer scheren ze je in de hel, klemt Paulino de automatische Star tussen zijn verstijfde vingers. Oom staat voor de spiegel met de handdoek het stinkende zweet van zijn liezen te vegen. Hij heeft een kleine zeemeermin die grijnzend op een bil getatoeëerd staat, een souvenir aan zijn tijd bij het Legioen. Hij heeft een lul zoals zwijnen die hebben, als een kurkentrekker, stil en vochtig als een slang. Krijg de tyfus, verkeersagent met je witte helm en je witte riemen, je hebt mijn leven geruïneerd. Wat kun je anders, zeg ik tegen mezelf, hoe kan ik aan deze klerezooi ontsnappen, je hebt geen andere uitweg, Paulino, je hebt niets meer aan vlindervleugels of staartjes van hagedissen of hagedicten, hoeveel David er ook te pakken krijgt met zijn pennenmes en hoe graag hij je ook wil helpen, ach makker, wat ben ik je dankbaar voor je betrokkenheid en wat waardeer ik je, maar het is nu eenmaal zo dat dat brouwsel waardeloos is tegen aambeien, leugens helpen niet meer, evenmin als mijn smeekbeden bij oom of al mijn tranen, alles is afgelopen, niets kan me meer beter maken en ik kan niet meer. Dus nu of nooit.

Op de muur draait de schaduw van de hand die het pistool vastklemt langzaam in cirkels rond als de kop van een slang en hij zet de loop tussen zijn wenkbrauwen.

'Wilde je echt jezelf voor je kop schieten, eikel?!'

'Ik wilde de steekvlam uit de loop van het pistool zien komen.'

'Dacht je nou werkelijk dat je die flits kon zien voordat de kogel eruit kwam? Je ziet helemaal geen flits, Pauli, zeker niet als de zon in je ogen schijnt. Je hebt nooit geweten hoe die dingen werken.'

'Ik heb hem anders wel degelijk gezien. Voor ik de trekker overhaalde, zag ik hem vuur spuwen, en daarvoor nog zag ik het piepkleine kruitvonkje voor mijn ogen schitteren, maar toen richtte ik al niet meer op mijn hoofd, ik hield de kolf met allebei mijn handen stevig vast en mikte op de kleine zeemeermin op zijn kont, geloof ik.'

Geloof je? Wat is er gebeurd, knaap? Huil niet. We willen de waarheid horen.

Ik weet het niet.

Twee schoten. Waarom?

Het ging per ongeluk af…

Waar richtte je op?

Dat weet ik niet, meneer de agent.

Je zit om een geweldig pak slaag te vragen, en waarom? Waar richtte je op?

Op heel veel plekken, op allerlei dingen… Eerst richtte ik op een kalender, toen op een foto van oom Ramón die met punaises aan de muur hangt, toen op de stamper van de vijzel waar hij me een keer mee heeft bewerkt, toen op de helm die over de rugleuning van een stoel hing en toen op mijn hoofd…

Wilde je jezelf echt overhoopschieten, stuk ellende?

Nee, meneer. Ik heb er alleen even over gedacht. Ik probeerde het eerst bij mezelf, ik richtte op mezelf… Ik wilde weten wat je voelt als je de loop tussen je ogen zet.

En je had het magazijn er niet uit gehaald.

Dat had ik er niet uit gehaald, nee, meneer. Ik moest het doen met het magazijn erin, en met de veiligheidspal eraf. Helemaal echt, zo moest het. Allemaal fantasie, maar echt, met echt kruit en echte kogels… Nou ja, alles behalve de tranen.

In het tuchthuis zul je alle tijd van de wereld hebben om te grienen.

Dus laat dat nu maar.

Ja, meneer. Goed, meneer.

En wanneer begon je te janken, voor of na het schieten?

Daarvoor. Maar ik huilde niet van woede, daarom wist ik niet zo goed wat ik deed. Ik huilde misschien uit zelfmedelijden, vanwege mijn ongeluk, meneer. Maar daardoor ging het helemaal mis.

En waarom het tweede schot, als je beweert dat het eerste per ongeluk was? Je wilde hem vermoorden, dat is wel duidelijk. Waarom?

'Het ging per ongeluk af, David, daardoor ging het helemaal mis. Hij had zich naar me omgedraaid en de tweede kogel had wel dodelijk kunnen wezen…'

'Als je het besluit al had genomen, waarom heb je het dan niet eerder gedaan, sukkel, toen je hem stond te scheren?' vraagt David op een fluistertoon die troostend werkt. 'Makkelijker had je het niet kunnen hebben. Een haal met het scheermes door zijn halsader en klaar is Kees, en niemand had enige verdenking gehad. Een stommiteit van een leerling-kapper.'

'Daar heb ik ook wel aan gedacht. Meer dan eens. Maar ik zat al op zijn kont te richten…'

'Ja. Pang, op het grijnzende zeemeerminnetje waarmee hij zo vaak op je gezicht was gaan zitten… Sorry, daar wilde ik je niet allemaal aan herinneren.'

'Geeft niet.'

'Vertel eens, Pauli. Heb je echt misgeschoten?'

'Ik weet het niet. Ik mikte op het zeemeerminnetje, dat had ik wel vaker gedaan. Maar ik wilde de trekker niet overhalen, dat niet, ik geloof van niet…'

'Je gelooft van niet. En je schoot mis.'

'Ik raakte zijn andere bil.'

'Maar zij denken dat je niet misschoot.'

'Ja.'

'Nou, laat ze dat maar geloven, want dat had je moeten doen: niet missen.'

Pang. De eerste kogel landt in de bilstreek en boort zich twaalf centimeter naar binnen, allengs langzamer, gesmoord in de bloedfontein van de wond. En de tweede slaat in de wastafel in. Zo lang heeft hij het pistool zitten schoonmaken en invetten met zijn zachte, ijverige handjes, zo vaak heeft hij het pistool opgenomen en met de vizierkeep het gaatje in het achterwerk van de verkeersagent gezocht, een heimelijke training als scherpschutter, zoveel stiekeme oefening waarbij het water hem in de mond liep en hij het succes al proefde. En je hebt misgeschoten, arme sukkel. Het is niet te geloven.

'Nou ja, een volgende keer beter.'

Te midden van alle herrie die zijn gekwetste gehoor dag en nacht teistert, vormt het gezoem van de Spitfire die dodelijk getroffen neerstort nog altijd een balsem die telkens weer in zijn oren dringt.

Achtung! Hände hoch!

Hij doet direct zijn ogen open en komt op een elleboog steunend overeind op zijn veldbed. Opgelucht constateert hij dat hij de aansteker van de inspecteur nog in zijn rechterhand geklemd heeft. De door het Duitse afweergeschut neergehaalde motor ronkt nog. De rookzuil die uit de cockpit opstijgt is dunner en zwarter, en de houding van de twee soldaten die hun wapens op hem richten lijkt driftiger. David laat zijn wang op zijn handpalm rusten, knijpt zijn ogen half dicht en zoekt tussen de vonken naar de brutale blik van de piloot.

Waarom glimlacht u, luitenant?

Wat kan ik anders op een foto?

Bent u niet bang dat ze schieten?

Maakt me niet uit. Je hebt geen idee hoe saai het is om werkeloos op een foto te staan. Of wat nog erger is, op het omslag van een tijdschrift als propaganda voor het Derde Rijk te dienen, alsof je een trofee bent. Ik ga even de benen strekken.

Met een norse uitdrukking op het vermoeide gezicht laat luitenant Bryan O'Flynn zijn opgezette armen zakken en klopt met zijn vuisten op zijn dijen, dan zet hij zijn muts en bril af, maakt zijn halsdoek wat losser, wrijft er wat roet mee van zijn voorhoofd en gaat met de benen over elkaar op de rand van het veldbed zitten. In zijn verschroeide hand houdt hij een witte roos.

Well, laten we eens horen wat er zo belangrijk is wat je vader me te vertellen heeft. De luitenant ruikt aan de roos en glimlacht. *O Rose, thou art sick!* Ik heb hem bij me om hem een beetje op stang te jagen.

Komt mijn vader dan?, hoort David zichzelf vragen.

Je zult hem zo op dit bed zien zitten en dan blaast hij ons zijn rottende chloroformadem in ons gezicht. Maar voordat hij komt en je laken met zijn legendarische bloeding naar de filistijnen helpt, vind ik het leuk om even met je te praten.

Fijn.

Ik wil graag weten wat de *red-haired* je over mij heeft verteld.

Wie?

De roodharige! Je moeder!

David wordt argwanend en knijpt zijn ogen nog verder dicht. Het silhouet van de roos vervaagt.

Wat ze me over u heeft verteld? Niets.

Je vader dan.

Dat herinner ik me haast niet meer. Het stelde niet veel voor, en het is lang geleden… Dat hij u vanuit Frankrijk de weg heeft gewezen, zo'n vier, vijf jaar geleden, nadat ze uw vliegtuig voor het eerst hadden neergeschoten, en dat u hier in huis was toen ze op het Engelse consulaat de papieren in orde maakten waarmee u naar Gibraltar kon reizen, want daar moest u een koffer afleveren met een stuk van een Duitse onderzeeër.

Fantastic! Net als de dichter geeft gedaan, zou jij, *little boy,* kunnen zeggen: *Once a dream did weave a shade O'er my Ange-guarded bed,* oftewel, een droom weefde een schaduw over mijn bed waar de engel over waakt. Niettemin…

Krijg de pest, Bryan O'Flynn! buldert pappa's gesloopte stem onder het oor van dr. P.J. Rosón-Ansio.

…Niettemin, wat je vader je niet heeft verteld, we zullen later wel zien waarom, is dat ik bij mijn vertrek naar de basis in Gibraltar de koffer niet heb meegenomen. Die dag zei ik tegen je vader dat het, aangezien de franquistische politie me op de hielen zat, beter was dat de koffer met het ontzettend waardevolle stuk onderzeeër hier bleef. Later zou iemand hem wel komen ophalen, misschien ikzelf, zei ik. Maar je vader wist niet dat toen ik hier wegging, het stuk van de onderzeeër niet meer in de koffer zat... *Well*, eerlijk gezegd heeft het er nooit in gezeten.

David moet zijn ogen nog harder dichtknijpen als hij iets wil zien en begrijpen. Onder het grote oor van de kno-arts zit niemand. Op de zwarte hand van de piloot vermengt de geur van de roos zich met de walm van zijn verschroeide nagels, wat hem in verwarring brengt. Maar niet lang: Dat stuk onderzeeër heeft nooit bestaan, nietwaar, luitenant?

Klopt. Het was een soort grap. *Look*, het is allemaal begonnen met een leugen die ik je vader vertelde toen we door de Pyreneeën trokken en ik zag hoe hij op een *drink* was gesteld. Jongen, wat een zuiplap! In de koffer zaten documenten en twee flessen van de beste Franse wijn, Chateau d'Yquem, een cadeautje van een dame dat ik niet van zins was met iemand te delen, zeker niet met die spons die voor me liep en in zijn eentje al twee flessen brandy soldaat had gemaakt. Ik was je *father* heel dankbaar voor zijn hulp om de grens over te komen, maar iedereen blijft op zijn eigen manier trouw aan zijn dierbaarste herinneringen, *I am sorry.* Daarom verzon ik dat stuk van de *German submarine*, gemaakt van een nieuw metaal waarvan de samenstelling uiterst interessant was voor de Britse marine, zodat ik zeker wist dat niemand de koffer zou openmaken...

Is dat alles? vraagt David ontgoocheld.

Er is nog iets. Namelijk... ik zocht een smoes om naar deze stad terug te kunnen.

En heeft u daarom de koffer met de flessen wijn bij ons achtergelaten?

De flessen zaten ook al niet meer in de koffer. Eentje hebben je moeder en ik bij het eten gedronken, toen je vader een avond weg was. De andere heb ik de volgende dag *on my own* gedronken, ik was een beetje verdrietig. Omdat ik de koffer hier wilde laten, heb ik de flessen en de papieren vervangen door twee stukken ijzer, een stel verroeste trapassen van een fiets, gevonden tussen het afval dat in het ravijn was gegooid.. Ik zei al dat ik een excuus nodig had om terug te komen.

Waarom wilde u terugkomen, luitenant O'Flynn?

De piloot laat de vraag in het donker oplossen. David kijkt onder zoekend naar zijn langgerekte sproetengezicht dat vervormd in de lucht hangt, alsof het uit een wolk komt of erin verdwijnt. Daaronder lijkt de geblakerde hand die de witte roos vasthoudt een treurige klauw.

Waarom had u een excuus nodig om terug te komen?, houdt David aan.

Well, ik denk dat je recht hebt op een antwoord. Voordat hij verdergaat, ruikt luitenant O'Flynn aan de roos. Omdat je vader, die naar Toulouse terug moest om zich met andere zaken bezig te houden, dan niet achterdochtig hoefde te zijn over mijn terugkeer, als hij daarvan hoorde. Hij dacht dat ik de koffer kwam ophalen, *you understand?* Alleen dat en verder niets. Zeg maar dat ik hem om de tuin heb geleid, maar dat deed ik omwille van je *brave father,* om hem niet nog meer spanning te bezorgen dan hij toch altijd al te verduren had... Hij liep groot gevaar, zowel binnen als buiten Spanje, en daarom moet je het hem vergeven dat hij iets te veel drinkt, of dat hij vaak kwaad wordt om niets. Ik wilde alleen je moeder de groeten doen, we waren goede vrienden geworden. Ik denk dat je er ook recht op hebt om dat te weten... Enfin, daarna liep het zo dat ik nooit meer in een Spitfire kon vliegen, kijk maar naar mijn handen, dus droegen ze me andere missies op, de oorlog ging door en er verstreek veel tijd voordat ik terug kon komen. Er deed zich begin juni vorig jaar een goede gelegenheid voor, een paar dagen voor de landing in Normandië, maar uiteindelijk lukte het niet en moest ik wachten tot onlangs, nog maar...

Waarom houd je je bek niet eindelijk dicht, heldhaftige jachtvlieger?!, dondert de satanisch ontplofte stem weer, ergens vaag in de duisternis. Lulmeier! Als je er toch zoveel uitflapt, zeg er dan gelijk maar bij hoe eindeloos veel brieven je Rosa hebt geschreven nadat je vertrokken was. Me dunkt dat je dat mijn zoon ook wel mag vertellen, per slot van rekening heeft hij die brieven in zijn vingers gehad voordat hij ze verbrandde in opdracht van de roodharige, die ze ongetwijfeld eerst in duizend snippers had gescheurd... Kom op, vertel het hem dan!

Pappa zit op één bil op het andere eind van het bed en houdt de fles tussen zijn dijen geklemd – in een voor hem merkwaardige houding waar iets van gêne en hulpeloosheid uit spreekt –, terwijl hij zijn peuk met een lucifer aansteekt zonder zijn blik van de tegenover hem zittende luitenant te halen. Nu zeker niet, nu is hij geenszins waardig en toonbaar. Op zijn gezwollen gezicht verraden zijn gelaatstrekken een eigenaardige wanorde, net zo'n verwarring als waaraan de roodharige in haar keuken thuis ten prooi is: niet alleen zitten zijn tanden niet meer op hun plaats, ook zijn neus zit niet waar hij hoort, evenmin als die zo mannelijke groeven in zijn wangen, de doordringende blik en het spottende dédain dat altijd om zijn hoge, dikke wenkbrauwen speelde. Alleen de jaap in zijn bil zit nog op dezelfde plek. De vergelijking tussen zijn deerniswekkende aanblik en die van de Ierse piloot van zijn dromen is een hele domper, maar David bijt op zijn tong en zegt niets, hij denkt slechts dat als pappa zich tenminste op een ander soort verwonding aan een ander lichaamsdeel kon beroemen, of op een zwart leren ooglap, er misschien nog een mogelijkheid zou zijn om zijn fatsoen een beetje op te houden...

Of is het soms niet waar?, gaat pappa verder als hij de brandende lucifer over zijn schouder weggooit. Vooruit, doe alles maar uit de doeken voor de zoon van de naaister.

Het is waar, geeft O'Flynn schuchter grijnzend toe terwijl hij zich in zijn hals krabt. Onschuldige brieven, vol poëzie, wolken en tijgers en wormpjes, duistere impulsen en eenzame vluchten, crashes, de spiraal met die vreselijke symmetrie. Jongen, zegt hij als hij Davids slaperige blik zoekt met zijn eigen, zo blauwe ogen die vertroebeld worden door roetdeeltjes en rookslierten, het komt allemaal door mijn persoonlijke passie voor poëzie en mijn openlijke zwakte voor roodharigen, die niet per se van Ierse afkomst hoeven te zijn...

Fuck you, Bryan, onoverwinnelijke geallieerde!

Roger. Bericht begrepen. *Thank you.*

Houd op met je grollen of ik zal je eens een lesje leren!, houdt pappa vol. Waarom moest je die jongen over je complotjes vertellen en over je poëtische rotstreken als RAF-dandy?

Was jij dan niet van plan om het hem ooit zelf te vertellen? Ben je dan geen verantwoordelijke *father*? Heeft die jongen dan geen recht op de waarheid?

Pappa zit naar de vergulde aansteker in Davids hand te kijken als hij antwoordt: De waarheid moet je verdienen. En dat is mijn zoon al op de meest geschikte manier en door zijn eigen gang te gaan aan het leren.

Het meest geschikt voor wie?

Voor het vaderland, natuurlijk! roept hij uit terwijl hij de bebloede zakdoek openvouwt en weer uiterst voorzichtig op zijn opgerichte bil deponeert. Dwangmatig voortbewogen door zijn tong wandelt de smerige peuk die hij tussen zijn lippen heeft van de ene spottend grijnzende mondhoek naar de andere. Wat is er met je, geallieerde paladijn, gelauwerde klotepiloot, de kwestie is dat jij je in je eigen legende hebt begraven en niet in staat was terug te komen voor wat werkelijk de moeite waard was in dit land! Zoals zoveel andere on-overwinnelijken van jouw soort ben je de zaak vergeten waarvoor je in je mooie Spitfire zoveel keer je hachje hebt gewaagd...

Bryan O'Flynn heft zijn arm om aandacht te vragen. *Just a moment, please.* Heb je het over de zaak, onze gemeenschappelijk en heilige zaak? Kijk naar jezelf, Víctor, beste vriend, en vertel me wat je ziet, kijk naar je gellefde fles, naar je ongeschoren spookgezicht, je open-gehaalde achterste en je roerende mombakkes van opgejaagde verlie-zer, kijk naar jezelf en zeg me nu wat voor jou de zaak is.

Voor mij is dat nog dezelfde als altijd: alles wat niet uitpakt zoals je had gehoopt. Een rijstschotel, bijvoorbeeld! Maar denk niet dat ik zo erg ben veranderd. Ik zal altijd op de tronies en de woorden van de machthebbers spugen, want die mensen plaveien hun weg naar de overwinning en hun rondgebazuinde vaderlandsliefde met lijken.

Wat zeg je toch allemaal, pappa?

Wat een toffe gozer en wat een zeikerd is die bewonderde piloot van je aan het worden! Zie je niet dat hij een leeghoofd is? Het verschil tussen je vader en die vent is dat je vader een andere, waardiger le-venswijze begint te overwegen, en die jonge god van de RAF gelooft nog altijd dat hij een overwinnaar is. En je hebt geen idee wat een el-lende dat ons zal bezorgen!

Dus jij bent niet blij over onze geweldige overwinning op het fascisme, zegt O'Flynn.

Ik verkoop de huid niet voordat de beer geschoten is.

David laat pappa's stem versmelten met de schaduw en kijkt naar luitenant O'Flynn. Hij wacht even, denkt na over de vragen waar nooit een antwoord op is gekomen: En hoeveel dagen bent u bij ons thuis gebleven toen u daar voor de tweede maal kwam, mogen we dat ook weten?

Eén nacht. Eén nacht maar, antwoordt de luitenant.

Maar lik nou gauw m'n reet, Bryan O'Flynn! dondert pappa weer met gebroken stem. Of heb je liever dat ik de complete neus van je fameuze Spitfire in je reet ram?!

Zeg maar wat je wilt, mij maak je niet kwaad. Ik heb *an exciting life,* ik ga kriskras over de einders van vuur en smaragd, voorbij de regenboog, *my friend,* ik ben een jachtvlieger, een dromer. Ik ben romantisch, charmant, onverschrokken. Ik glijd door de lucht als een rups tussen de bloemblaadjes van een roos, want door een solitaire drang naar genot ben ik naar dat kabaal in de wolken gelokt, naar die smetteloze zijde…

De overwinning is niets dan een drogbeeld van verwaande stommelingen, gromt pappa met een blik op David. En ik vind het schaamteloos om er zo mee te koop te lopen als dit uilskuiken. De echte overwinning is die margrietenstruik die je moeder bij de stoep van ons huis heeft gekweekt… Maar ik ben je moeder niet. Zij wilde altijd volgens een moraal leven, en daarom heeft ze het nu te kwaad met een stel herinneringen. Dus laat dat gelul maar achterwege, O'Flynn!

De luitenant schudt zwijgend zijn hoofd. Met een sceptische blik kijkt hij naar zijn rouwnagels, naar zijn mooie, donkere handen, en hij zegt: Víctor, zeg me eens, wat is dat voor bitterheid waar je dit jong mee overstelpt? Echt, waardoor word je zo gekweld en geobsedeerd, makker? Dat ik zijn moeder een beetje heb laten dromen, die destijds zo wanhopig was, zo gekweld door eenzaamheid en ontgoocheling, of de omstandigheid dat je tegenover ons allemaal je treurige rol van verliezer moet spelen…?

Van misdadige rooie! kapt pappa's op drift geslagen stem hem af. Wat een afgang! Anders gezegd, dringt de luitenant aan, wat doet jou meer pijn, de teleurstelling of de nederlaag? Voorover op zijn bed en met zijn kin op beide handen steunend kijkt David naar pappa en wacht hij op diens antwoord.

Tyfuspiloot. Dat is de meest relevante en gemene vraag die me is gesteld sinds ik van huis ben weggevlucht, mompelt pappa; in een verzuchting wordt zijn stem in de lucht verstoven, maar hij kan niet voorkomen dat zijn slecht vastzittende kunstgebit kleppert. Rikketik-ketikketik. Ach, ik weet het niet, Bryan, ik weet het niet… Rikketikke-tik…

Strakst valt je gebit eruit, pappa, jammert David bijna met tranen in zijn ogen.

…ik weet het niet. Tot voor kort was ik een door de nederlaag getekend iemand, dat weten zelfs de kleinste kinderen in de buurt, maar nu, ik weet niet… Het ongeluk heeft zich in mij vastgebeten, maar ik heb ook niet ten strijde kunnen trekken, niet in de wolken en niet op de grond. In ieder geval zou al die troep het beste in het vuur kunnen worden gegooid, zoals David met de brieven heeft gedaan. Ik word te zeer gekweld door pijn en wanhoop, en vooral door alle verschrikkingen die ik heb gezien, inbegrepen die ik zelf heb veroorzaakt, daarom hoop ik dat er van dat alles niet de minste herinnering overblijft. Het was de moeite waard illusies te koesteren en te vechten, zeker, allebei die dingen hebben me af en toe voldoening geschonken, en die momenten zou ik voor niets in willen ruilen. Maar het is afgelopen.

Je vergist je, *darling*, zegt luitenant O'Flynn, die met zijn verschroeide, samengeknepen vingers een blonde haarlok van zijn voorhoofd schuift. Luister naar me: als er ook maar een van die details uit het geheugen raakt, gaat alles verloren en zullen wij alles kwijtraken, het hele universum zal met ons ten onder gaan. Ofwel we redden ons met zijn allen en met alles, of niets en niemand wordt gered.

Spaar me je preken, Bryan!

Well, jij hebt altijd graag in de stinkende poel van de nederlaag rondgeplonsd, met je geliefde fles, je kapotte kont open en bloot, je voor het vaderland bedorven bloed en al die flauwekul, *well,* ik snap je gevoelens, *but* ik heb je nog nooit zo gezien, dappere vriend, jij bent helemaal niet zo radicaal van je geloof gevallen en evenmin zo bezeten op de vlucht, *oh no,* volgens mij ben jij het levende voorbeeld van een waardige burger. *Oh yes.* En ondanks alles, ondanks je glijpartij het ravijn in, ondanks je brandykegel en de jaap in je *arse* heb je het respect en de liefde van jouw Rosa. Ook jij hebt je overwinning behaald. Je bent een held, of je wilt of niet. Net als ik.

Een oorlogsheld is niets anders dan een bloederig toeval! Bij mij ligt het anders, luitenant.

Laten we dan eens zien, komt David ongeduldig tussenbeide en hij gaat midden op het bed zitten, laten we eens zien, zodat ik het snap. Jachtvlieger Bryan O'Flynn komt terug naar ons huis en neemt een witte roos voor de roodharige mee. En waar was jij, pappa?

Ik was toen al drie nachten eerder het ravijn in gedoken. Maar daar zat ik toen ook al niet meer.

En ik? Waar was ik, pappa?

Eens even denken...

Als je verstandig bent, zeg je nu geen woord meer, waarschuwt O'Flynn vader zachtjes.

Het moet eind maart zijn geweest, de week voor Pasen, dus dan was je bij oma, aan de kust.

Ja, zegt David, precies een jaar nadat ik die b-26-bommenwerper in zee had zien vallen. Jij beweerde dat luitenant O'Flynn in dat vliegtuig was omgekomen; verbrand of gestikt.

Ik? Een in zee gestorte RAF-bommenwerper? Zelfs in de kranten stond niets over een bommenwerper die voor de kust bij Mataró in zee was neergekomen, bedenk dat wel...

I see, bromt de luitenant. Dat heeft hij je verteld omdat hij wenste dat ik dood was.

Ik dacht dat je dood was. Dat is niet hetzelfde.

David voelt de heksenketel in zijn hoofd weer tot leven komen.

Wie spreekt de waarheid?

Je moet je oren spitsen, jongen, mompelt pappa. De waarheid is een kwestie van je gehoor.

Sure, zegt Bryan O'Flynn terwijl hij voor het voeteneind gaat staan. Goed gezegd. Hij knoopt zijn zijden halsdoek onder zijn uitstekende adamsappel, trekt zijn leren jack recht, zet zijn muts op maar laat de bril op zijn voorhoofd zitten en voordat hij weggaat, schenkt hij David zijn verhulde halve glimlach waarbij hij zijn geblakerde vingers tegen zijn slaap houdt, als een plagerige imitatie van een militaire groet. *Good luck.*

Terwijl hij zich weer rustig en trots naast zijn neergeschoten jachtvliegtuig posteert, de moffen het hoofd biedt en zijn heldere, spottende stem verheft – Niet op mijn leren jack, *please* – drijven in de diepste verte achter hem, boven de trieste, gebrandschatte velden roze wolken die zich hebben losgescheurd uit de schemering, in de richting van het nachtelijk duister. Met uitgebluste stem neemt ook pappa afscheid.

Bijt je er niet in vast, jongen. Van die hagedis kun je het staartje niet afhakken.

Opeens 's ochtends vroeg in dat kamertje wakker worden heeft tot gevolg dat je bent overgeleverd aan een paar ogen die je in het donker aankijken, bijna altijd vanuit het zwart van de op een kier staande klerenkast, maar Davids telkens op die manier weerkerende schrik wordt nu getemperd doordat hij in zijn hand de aanstaande wraak voelt kloppen, de hoekige, krachtige symmetrie van de Dupont die in zijn slaap warm is geworden en die hij onder het laken stevig in zijn vuist heeft geklemd, als een wapen.

Hij begint in het donker te fluiten, maar de bikkelharde ogen van inspecteur Galván blijven in de schaduw drijven, ze twinkelen glibberig en kwaadaardig. David springt van zijn veldbed, zet de kastdeur helemaal open en betast de winterkleren, pappa's versleten zwarte trui en wat kledingstukken van de roodharige die ze, nu ze zwanger is, niet meer aan kan. Hij stelt vast dat de rechercheur daar natuurlijk niet zit, maar hij is nog steeds gespannen en blijft fluiten. Dan gaat hij op zijn tenen staan en reikt naar twee dozen die boven in de kast verborgen liggen; hij haalt er de saffraankleurige blouse uit, het gele rokje met groene zakken en een roze meisjesslipje en kleedt zich als in een roes, verbeten en klappertandend in het donker aan. Dan opent hij een volgende doos en haalt daar de rode alpino uit en de rode plexiglazen tas met de lange riem, hangt die over zijn schouder en drukt hem met zijn hand stevig tegen zijn heup, hij loopt weer door de duisternis en laat zich met ingehouden adem achterover op het bed vallen, stijf als een plank, de muts schuin over een oog en met in zijn andere hand de vergulde Dupont geklemd.

Houd je me nog steeds in de smiezen, vuile klootzak? Nou, je gaat je gang maar, want ik zal hoe dan ook met je afrekenen. Zwijn. Slachter. Verrekte politiepooier.

David komt uit het rietveld te voorschijn en gaat midden op het pad staan, zodat hij de weg voor de fiets verspert. Het verraste meisje remt bruusk, met een voet zoekt ze steun op de grond.

'Je hebt een heel toffe fiets,' zegt David met verstikte stem. Op zijn voorhoofd zit een gaasje met wat jodiumvlekken en een aura van heimelijke heldhaftige fantasieën. 'Is die van je vader?'

Met haar kille ogen kijkt ze hem aan maar ze zegt niets. Ze zet haar voet steviger op de grond, duwt haar buik zachtjes naar voren en licht haar billen van het zadel, ze buigt haar knie over de stang van het frame en schommelt met haar been terwijl ze het stuur stevig met beide handen vasthoudt. Nu ze deze keer zo dicht bij hem staat, kan David op haar rechterarm, onder de moet van de pokkenvaccinatie, een tattooplaatje zien van een vlinder met gespreide, zwart met rode vleugels.

'Hoe heet je?' vraagt David. Ook deze keer krijgt hij geen antwoord, en hij kijkt naar de vioolkist die aan het fietsframe is bevestigd. Het is een oude, versleten koffer met rafels aan de randen. 'Zit je op muziekles?'

Hij meent een spottend lichtje in haar blik te bespeuren en bedenkt dat daar, ook al is het een vioolkist, helemaal geen viool in hoeft te zitten; misschien zit haar lunch er wel in, of een breiwerkje of een paar kilo rijst of bonen.

'Wat zeg je?' dringt David aan. 'Ben je je tong verloren, meid?'

Ze verblikt of verbloost niet. Rustig slaat ze een insect weg van haar gezicht. Kleine zilveren ringetjes hangen aan haar oren.

'Je kunt hier niet langs als je het wachtwoord niet zegt, wist je dat niet?' David geeft zich niet gewonnen. 'Het wachtwoord is Knoeier. Je moet Knoeier zeggen, en dan staat het nog altijd te bezien of ik je doorlaat. Vooruit, zeg op! Zeg Knoeier!'

Ze draait de fiets iets weg alsof ze om hem heen wil, maar lijkt er niet echt moeite voor te doen. De nieuwsgierigheid wint het van haar angst, en weer blijft ze hem heel ernstig en zwijgend aankijken.

'Kalm maar, ik doe je niets.' David breekt een jonge rietstengel af en begint die te schillen terwijl hij zijn heup koket naar buiten draait. 'Maar je hebt je wel in de nesten gewerkt, kindje. Als je het wachtwoord niet wilt zeggen, zul je tol moeten betalen... Ik woon daar, in dat grote huis. Zie je deze te gekke aansteker?' Hij haalt de Dupont uit zijn zak. 'Die is een meneer kwijtgeraakt die met mijn moeder bevriend is, toen hij daar beneden in de bedding een hondje aan het begraven was. Die meneer is nu bij mijn moeder thuis. Als je erheen gaat en hem de aansteker teruggeeft en zegt dat je hem in de bedding hebt gevonden, op de plek waar hij de hond heeft begraven, laat ik je door zonder je iets te doen.'

Het meisje kijkt hem wantrouwend aan, nu wel. Ze zet de fiets recht, gaat op het zadel zitten en haalt de trapper met de wreef van haar voet omhoog.

'Wacht,' zegt David snel. 'Wat kan je gebeuren, je hoeft hem alleen maar te zeggen dat je hem, toen je hier op een dag langsreed, met een schop zag graven, en dat je daarom denkt dat het zijn aansteker is. Meer niet. Als je het niet doet, moet je me nu meteen je slipje laten zien, en als dat wit of roze is, dan heb je pech gehad, dat is dan de tol omdat je geen Knoeier wilt zeggen, want dan moet je met mij het rietveld in en dan stop ik een prop in je mond, ik bind je handen vast en maak je pas vanavond weer los, en misschien jat ik ook je fiets nog...'

Hij krijgt geen tijd om haar gezicht te zien, alleen haar blonde haar dat wappert in de wind, want haar eerste pedaalslag is zo heftig en verrassend dat de fiets wel gelanceerd lijkt te worden en zijzelf achter lijkt te blijven met haar rok opgewaaid terwijl haar knieën razend beginnen aan de driftig op en neer gaande beweging.

'Het is maar een geintje, sufferd, ik doe je heus niks!' schreeuwt David, die net op tijd opzij kan springen om niet overreden te worden. Terwijl hij haar snel achter het rietveld ziet verdwijnen, jammert hij zachtjes en verslagen: 'De kleur van je slipje interesseert me geen moer, echt, ik heb het toch al gezien. Waarom doe je zo vervelend, kind, was het nou zo moeilijk om dat voor me te doen? Als je eens wist wat ze met mijn arme Chispa hebben gedaan, dan zou je me vast wel helpen. Vast.'

Hij loopt naar beneden de bedding in en blijft ruim een uur met het pennenmesje in zijn hand wanhopig hagedissen voor Paulino zoeken. Hij ziet er twee of drie maar krijgt er niet een te pakken, zodat hij het uiteindelijk opgeeft. Ik heb mijn dag niet vandaag.

Tegen de avond dringt de slinkse wind uit de omgeving de hoger gelegen wijken binnen en voert een geur van verschroeide hoeven aan. Schemerige voetgangers schuifelen, als schuwe gedaanten gebogen, vlak langs de muren door de straten. Een kleine man die met grote voetstappen langsloopt, trapt in de hondenpoep en zegt: wel godverdommese strontzooi, het is een schande. In zichzelf gekeerd gaat David iedereen uit de weg, hij steekt de Plaza Sanllehy over en piekert over een paar afscheidswoorden. Hoi, bollie, ik kom je dag zeggen.

Hij heeft net de rode kamer verlaten, zijn vingers geel door het ontwikkelen van foto's van een spetterende bruiloft en nog meer foto's van soldaten en dienstmeisjes die op de Plaza Cataluña de duiven voeren, en voordat hij naar huis gaat, wil hij Paulino zien. Hij gooit een kiezelsteentje tegen de vensterruit en even later komt Paulino naast hem op een bankje op het plein zitten. Allebei zijn ze eventjes stil.

'Ik kom je alleen even dag zeggen, ik smeer 'm zo weer,' zegt David terwijl hij een opgerold blaadje uit zijn zak haalt.

'Oké.'

'Ik heb deze kleurenfolder van Sabu meegenomen. Die is van de film die we in de Delicias hebben gezien, weet je nog?'

'Tuurlijk. Dank je wel,' zegt Paulino. Voor de zoveelste keer hebben ze zijn hoofd weer kaalgeschoren, hij lijkt wel een gevangenisboef, met zijn naar zijn neus gedraaide verdrietige ogen en zijn gegroefde oude kindergezicht. 'Ze komen me zo meteen ophalen. Minder dan een halfuur en ik zit in het tuchthuis, dus...'

David klakt met zijn tong. 'Ik voel me ook ellendig. Het lijkt wel of het steentjes regent in mijn oren, en moet je de hemel zien, geen wolk te bekennen.'

'Zal ik eventjes lekker hard op mijn sambaballen spelen?'

'Nee. Daar kan ik vandaag niet tegen.' Na een lange pauze gaat David verder: 'Ze hebben je mooi te grazen, joh.'

'Als ik niks zeg, zal me niks gebeuren.'

David had verwacht hem nog klageriger en bangiger dan anders aan te treffen, maar nee. Hij heeft voor de gelegenheid zijn beste kleren aan, een lange broek met krijtstreep en een blauw matrozenhemd met een ronde hals waarvan het koordje loshangt. Hij heeft zijn sambaballen bij zich in een kartonnen doos.

'Wil je ze voor me bewaren tot ik terug ben?'

'Natuurlijk.'

'Mijn scheermes neem ik mee. Ze hebben me gezegd dat ik daar verder kan oefenen.'

'Sluiten ze je lang op?'

'Het is geen gevangenis, weet je? Het Durán is net een soort school... Voor ontspoorde jongeren en van die immigranten zonder familie, oké, dat wel, maar het is geen gevangenis, weet je?'

David knikt zwijgend. Dan zegt hij: 'Ik dacht nog even dat je ouders je niet naar buiten zouden laten gaan.'

'Waarom niet? Ik ben geen misdadiger. Ze houden me niet steeds in de gaten. Het was een ongelukkig toeval, dat heeft mijn oom ieder een heel duidelijk laten weten.'

'En hebben de smerissen dat geslikt?'

'Ik weet niet.'

'Eén schot kan wel per ongeluk afgaan, maar twee schoten... Waarom heb je de waarheid niet verteld? Dan hadden ze die grote smeerlap in de bak gegooid.'

'Denk je nou heus dat het handig was geweest als ik had gepraat? Zelfs toen hij dat gat in zijn kont had en op de grond lag te bloeden als een rund, heeft oom me gezegd dat hij me zou vermoorden als ik mijn mond opendeed. Hoe erg het tuchthuis ook mag zijn, zo erg toch ook weer niet, dacht je wel?'

David zegt weer even niets, hij heeft zijn hoofd gebogen. Het gesuis in zijn oren neemt toe. Psssj... Paulino kijkt naar hem. 'Waar zit je aan te denken, David?'

'Nergens aan.' Maar direct daarop: 'Wilde je echt niet dat die zak de pijp uit ging?'

'Nee.' En met een stem die langzaam anders, vaster begint te klinken, zegt hij: 'Mijn vader zou ik wél willen vermoorden, omdat hij zo'n angsthaas is. Voordat ik wegga, zou ik wel hazenvlees in het etui van zijn scheermes willen doen...'

Ze zitten op het houten bankje bij de fontein en blijven op een meter afstand van elkaar zitten met tussen hen in de doos met de sambaballen; Paulino heel formeel met rechte rug, zijn knieën bijeen en daarop zijn handen, terwijl hij naar het schuwe profiel kijkt van David die nog steeds lusteloos en wijdbeens naar de grond zit te staren.

'Ben je bang, Pauli?'

'Ja, een beetje...'

'Ik kom je elke zondag opzoeken.'

'Maar daar zullen ze me niet slaan, want ik zal het goed doen.'

'Wat zul je goed doen?' vraagt David.

Nu is het Paulino die even zwijgt. 'Alles wat ze me vragen,' zegt hij met de tanden opeengeklemd. 'Als ze het me aardig vragen. Ik heb meer dan genoeg van slechte manieren, weet je?'

Opnieuw een stilte, die David verbreekt met een stroom woorden die hij half inslikt. 'Ik zal doorgaan met hagedicten zoeken. Als ik er eentje te pakken krijg, bewaar ik het staartje voor je...'

'Niks staartjes, verdomme. Dat brouwsel zal ik nooit meer nodig hebben. Als ik er over een paar jaar uit kom, zal ik genezen zijn en niemand zal zich meer iets herinneren.'

Een sinister pistool, vastgehouden door twee trillende handen boven een kommetje scheerschuim. Een etterende kont van een voormalig legioensoldaat met daarop getatoeëerd een kleine zeemeermin die haar borsten vastheeft en obsceen grijnst. En niemand zal zich iets herinneren? Opeens draait David zich om en kijkt hem met ingehouden woede aan, de lippen samengeperst en met verschrikt gezicht, alsof hij zich beider noodlot realiseert, dat van Paulino en dat van hemzelf, dat de tijd stipt zou onthullen. Hij zegt het niet maar denkt het: wat er gebeurt als je over een paar jaar of misschien eerder uit die tuchtschool komt, staat wel vast, Pauli: je zult weer de godganse dag kinnen van ouwe opaatjes inzepen, in het Cottolengo en in het ziekenhuis, je zult weer handdoeken verwarmen en schuim klaarmaken en op schapenleren riemen scheermessen wetten voor je vader, en vooral zul je weer te maken krijgen met de kin van de verkeersagent bij hem thuis, want hij zal op je zitten wachten, die vuile smeerlap, zo rottig, zo klote zal het je vergaan als je eruit komt, joh, tot je op een goede dag, op een zonnige zondagochtend waarop hij je in het Durán is komen ophalen om de dag met hem door te brengen – je weet wel, hij doet dat om de week, jij scheert hem en hij trakteert je op een etentje en neemt je mee naar de film of naar de botsautootjes op de Vía Augusta, en dan levert hij je weer af in je gevangenis –, terwijl je hem snel scheert op zijn dakterras, opeens door een vlaag van angst wordt overvallen en tjak!, met een enkele houw zijn keel compleet doorsnijdt, en dat is het einde van het verhaal…

De onzekere stem van Paulino haalt een streep door de lugubere voorspelling: 'Ik kom er als nieuw uit, je zult het zien. En dat is het einde van het verhaal.'

'Hoe dan ook,' zegt David die hem niet langer aankijkt, 'je hebt je gedragen als een man. Ik heb altijd gedacht dat je geen knip voor de neus waard was. Dat ik de gemeenste van ons tweeën was. Maar nee.'

'Jij denkt te veel na,' zegt Paulino.

David haalt zijn schouders op en zegt een hele tijd niets. Dan: 'Ik wilde graag dat je iets voor me zou doen voordat je weggaat, maar daar is nu geen tijd meer voor.' En hij vertelt hem zijn plan: naar de met mamma bevriende smeris gaan als die bij haar thuis is en hem de Dupont teruggeven met de mededeling dat hij hem in de bedding heeft gevonden, op dezelfde plaats waar iemand hem had zien graven, enzovoort. 'Jou zou mijn moeder wel geloven,' zegt hij nog. 'Heel jammer.'

'Maar de inspecteur zou me flink hebben uitgevraagd, en wat dan?' zegt Paulino. 'Denk je echt dat hij die onzin zou slikken?'

'Het is geen onzin. En het gaat me er niet om wat híj denkt, het gaat me erom dat mijn moeder het gelooft. Maar goed, ik verzin wel iets anders.' Hij pakt de doos en staat op. 'Ik ga. Ajuus.'

'Wacht,' zegt Paulino terwijl hij een hand in zijn zak stopt. 'Ik heb een gedicht voor je geschreven.'

'Zeik niet!'

'Je moet ernaar luisteren voordat ik wegga, of je nou wilt of niet.'

'Sodeballen, Pauli, je bent toch echt een supereikel.'

'Het is maar heel kort. Luister. De blaadjes van een margriet afplukkend in de Windsteeg, was het dat ik in mijn gedachten kreeg, mijn beste boezemvriend. Vind je het mooi?'

'Top.'

'Het viel me zomaar in.'

'Je moet wel getikt zijn om zulke dingen te zeggen…'

'Goed dan,' hij ziet de bobbel van Davids knuist in zijn broekzak en vervolgt: 'Zeg, wat doe je nou met de aansteker van de inspecteur?'

'Dat heb ik je al gezegd.'

'Je zou hem gewoon terug moeten geven, zonder dat je…'

'Ciao, bollie,' onderbreekt David hem. 'De mazzel.'

Hij gaat niet naar huis terug via de Avenida maar door de straatjes met aangestampte aarde aan de andere kant van het plein en dan over het kale braakland, waar uitgehongerde katten en zwerfhonden zijn pad kruisen, tot hij bij de lieflijke heuvel aan deze kant van het ravijn komt waar hij tussen de bremstruiken door loopt die met hun gele bloemetjes nog het wasgoed van die dag dragen. Daar liggen de kledingstukken waar hij van houdt en die hun felle kleuren weer hebben nu ze in de zon zijn gedroogd. Hij neemt er twee of drie mee, stopt ze weg onder zijn hemd en vervolgt zijn route, de doos met de sambaballen onder zijn bovenarm.

Hij loopt dicht langs afgebrokkelde scheidingsmuurtjes en hutten met moestuintjes over sporen van wat ooit landweggetjes waren, parallel aan het rivierbed om die op een hoger gedeelte dan het huis over te steken, dan blijft hij midden in de bedding staan, voor het hoopje zand dat de schim van Chispa bedekt. Het gezang van een merel bereikt hem vanaf de oever, net als het geluid van het water over de afgeslepen stenen. Eens te meer stokstijf in het steenachtige rivierbed voelt hij om zijn enkels het dode water wervelen dat zonder begin of eind voorbijstroomt. Een vreemde kracht, een onbekend energieveld heeft hem naar dat duin getrokken naast het laagstaande water, naast hem en de vergulde Dupont. Waar de hond ook ligt – hier, bevestigt hij nog eens tegenover zichzelf, hier is hij afgemaakt en hier ligt hij begraven –, er zal niets meer van hem over zijn dan enkel en alleen zijn skelet, zijn ribbenkast die onder de grond opengaat en zijn oogkassen vol zand, met naast hem de rottende halsband en riem. Wat een pech heb je gehad, Chispa. Heeft niemand gezien wat ze met je hebben gedaan? Kwam er niemand voorbij op dat moment?

Er kwam een meisje op een fiets voorbij, zegt Chispa, die heel stram en nog met verband om zijn kop op zijn eigen graf zit. Ik heb haar gezien.

Een blond meisje op een herenfiets; klopt, bevestigt David.

Ja. Weet je hoe ze heet?

Amanda.

Drommels! Wat een mooie naam!

En je zegt dat dat meisje jullie heeft gezien, jou en de inspecteur?

Dat weet ik niet.

Vast en zeker. Toen zij hier langsreed, trok die smeris je nog voort over de grond door als een gek aan de riem te trekken…

Nee, het was later.

Was het nadat die hufter zijn revolver had getrokken?

Laten we er nou geen zootje van maken. Ik heb helemaal geen revolver gezien.

Natuurlijk niet. Zelfs daarvoor heeft hij je geen tijd gegeven, arme Chispa.

Ik was aan het doodgaan, mannetje, wat wil je?

Dan, veronderstelt David in stilte, kwam dat meisje vast voorbij toen die kerel de kuil al stond te graven. Hoewel de aansteker half onder het omgewoelde zand moet hebben gelegen, kon de laatste middagzon hem nog net even laten schitteren, en die schittering heeft

255

Amanda vanaf haar fiets gezien, toen ze hier een uur later weer langsreed, en ze is afgestapt en heeft hem opgeraapt... Probeer het je te
herinneren, Chispa!

Ja zeg, jij wilt wel alles op een presenteerblaadje, grapjas! brengt
het dier uit terwijl hij de vacht van zijn vieze rug vol zand en larven
schudt. Wat gebeurt er als er iets gebeurt wat in je hoofd is gebeurd
omdat het wel moest gebeuren maar waarvan niemand weet of het
gebeurd is? Chispa niest en verstart dan weer met zijn lange oren en
melancholieke blik onder het bebloede verband. Kom nou, jij wilt alles heel helder en duidelijk hebben, maar dat gaat niet! Die man had
me ook daar ergens als een peuk kunnen laten liggen...

Zodat ik en Pauli je met een gat in je kanis hadden gevonden? Nee,
hij moest meteen een kuil graven, dat denk ik. Hij heeft hier ergens in
een hut een spade opgescharreld en een kuil gegraven, gaat David verder die zich languit op het zand laat vallen en zijn benen over elkaar
slaat.

Hier voor het graf gaan zitten en je Chispa's laatste wandeling in
gezelschap van inspecteur Galván voor de geest halen moet net zoiets
zijn als het kijken naar de bergstroom na een regenbui, in afwachting
van de dingen die komen; zoals het lezen van de naam van Chispa's
beul op een door de regen schoongespoelde, van dorre bladeren en
verwelkte bloemen ontdane grafsteen. Hier is het. Zonder twijfel is
het zo gegaan. Maar Davids gedachten zijn nu niet somber: zoals hij
het zich voorstelt, heeft de inspecteur hem een eind meegesleurd
door meedogenloos aan de riem te trekken en is hij de bedding over-
gestoken die rond die tijd wel een oven moet zijn geweest. Erg ver zullen ze niet gekomen zijn, want Chispa was buiten adem en aan het
eind van zijn krachten, en je hoefde niet te denken dat de inspecteur
hem heeft opgetild en in zijn armen naar het bureau van de Guardia
Civil aan de Travesera heeft gedragen om hem aan de dierenarts over
te geven... Het beest is zo oud en lijdt zo erg, zal hij hebben gedacht,
welbeschouwd is het een wandelend lijk, die haalt het niet levend tot
het balletje strychnine, dus ik kan maar het beste, enzovoort. Ze zijn
waarschijnlijk niet verder gegaan en daarom de bedding door gelopen bijna tot aan de tuingronden, een verlaten gebied, de smeris erg

moe en zenuwachtig, hij was het getrek aan de riem beu. Chispa al half gewurgd en met zijn tong uit zijn bek, ik zie hem voor me, nu, op dit moment zie ik hem en dat maakt me radeloos. Hij kan niet meer en laat zich op zijn buik op een strook zand vallen. Tot hier zijn we gekomen, diender, tot hier en geen stap verder. Maar ongetwijfeld was zijn geest, al lang voordat hij de grens had bereikt, berustend in de onverbiddelijke commando's van het getrek en gesjor, zijn kale achterpoten als vodden van zichzelf meeslepend, voordat zijn blik vertroebeld raakte en zijn hart tot stilstand kwam, van verdriet bezweken.

Het is ook best mogelijk, denkt David, dat de pestbui van de inspecteur en diens besluit om de zaak met grof geweld te beslechten niet alleen maar veroorzaakt was door de vreselijke hitte en Chispa's koppige weigering om verder te lopen of ter plekke te creperen, maar dat er andere redenen in het spel waren, wie weet welke, een politieman is immers altijd een misselijk type, en daar kun je alles van verwachten...

Zo vaak en met zulke intense emoties heeft David het verloop van die dood uitgesponnen dat de wreedste aspecten ervan zich inmiddels, of hij het nu wilde of niet, met al hun treurige details en zekerheden voorgoed in zijn geheugen hebben gegrift. Hij weet bijvoorbeeld zeker dat Chispa op het laatste moment heeft geprobeerd de inspecteur met een klauw te krabben, want het was een hond met een driftige katteninborst, en dat het arme dier vlak voordat het de kogel kreeg zijn ogen heeft opgeslagen en zijn beul verwijtend heeft aangekeken, en dat hij vervolgens zonder een kik, misschien met een schalks miauwtje bij wijze van afscheid van deze wereld, de geest heeft gegeven.

Het schot en de echo weerklinken nog in het slakkenhuis van mijn oren, ze wedijveren met het gesuis van altijd. Of waren het twee schoten, Chispa? Niet één en niet twee, fantast. Wel waar. Ik zal het je vertellen... Ver weg, nog voorbij de Plaza Sanllehy, buk ik me aan de rand van de weg naar El Carmelo om mijn schoenveter te strikken, vlak voor mijn neus zie ik aan de rand van het asfalt het verdorde onkruid dat wordt platgestreken door de wind, die naar mij toe waait, snap je? Ik had net trouwfoto's afgeleverd bij een familie in El Carmelo, en dat pasgetrouwde stel was zo arm dat ze er maar twee namen, eentje waarop ze elkaar aankijken op het altaar en een bij de ingang van de kerk, waarop ze elkaar ook aankijken, hij stijf en glimlachend en aartslelijk, en Paulino was bij me op die weg en zei dat hij niks had gehoord – of toch: Dat was een luchtdrukgeweer, om de duiven weg te jagen. Welnee. Best, moppie, als jij het zegt –, maar zelfs zo ver weg en tegen de wind in heb ik de echo van dat schot waarschijnlijk opgevangen, want ik kon hem al horen nog voordat die smeris zijn revolver had gepakt, zelfs nog veel eerder dan hij hem uit zijn schouderholster had gehaald en de twee kogels in de cilinder gestopt. Opeens richtte ik mijn hoofd op, alsof de eerste kogel ook door míjn voorhoofd was gegaan, en ik voelde zelfs in mijn hand de terugslag van de kolf bij het schieten. De echo strekte zich hiervandaan uit en direct daarop raakten mijn zieke oren erdoor verstopt als door twee opeenvolgende wattenbolletjes. En voordat hij in de lucht vervaagde, kon ik ook de kruitgeur ruiken. Erewoord.

De echo van het hersenschimmige schot vervlecht zich met de fietsbel en David draait direct zijn hoofd om en komt overeind. Hij hoort het ruisen van het nabije rietveld dat wiegt in de wind nadat de wind de haardos van het meisje heeft gewiegd.

Met haar voeten op de grond, zonder van de fiets te stappen en schrijlings over het frame waar de vioolkist aan hangt, zit ze op ongeveer vijftig meter afstand naar hem te kijken vanaf het pad dat langs de bedding loopt. Haar ogen staan strak en haar boze mond lijkt iets te zeggen. Zou ze denken, dat rotjoch heeft net een rok en een blouse van me gejat? Zou ze hem gezien hebben? Maar waarom zou een jongen meisjeskleren stelen? Ze schudt haar haren, gaat weer op het zadel zitten en fietst hard trappend weg, haar vlammende haren omhoogwapperend en de viool tussen haar benen, terwijl David bedenkt wat een merkwaardige overeenkomst er bestaat tussen de vergulde Dupont die hij in zijn vuist geklemd houdt en die vurige manen die achter het rietveld uit het zicht raken, tussen de verkrampte dwangmatigheid van de wraak en de toevalligheid der dingen. Zijn dromen zijn altijd geschraagd geweest door louter intuïtie, de door drift gestuurde revanche die hij in de zin had: hij opent zijn hand en laat de aansteker onder aan het zandhoopje vallen, waar hij op zijn kant nog half zicht-baar blijft liggen.

Het is waar, jongen, denk er maar niet meer over na: dat meisje is hier op de fiets langsgereden en is gestopt om te kijken, ik heb het ook gezien, zegt de verdoofde stem achter hem. Maar het bevalt me niets wat je zit te bekokstoven...

Met vuile handen en opgeheven hoofd komt pappa dichterbij, de peuk bungelt tussen zijn mondhoeken en de fles brandy die hij bij de hals vastheeft, danst heen en weer; hij loopt daar alsof hij de wind van een vervloeking wil trotseren of van een spookbeeld dat eropuit is hem hier vast te houden, in deze stinkende plooi van de geschiedenis. In tegenstelling tot zijn stem is zijn lijf allerminst vluchtig, ongrijp-baar of gasachtig, en bovendien stinkt het behoorlijk.

Inspecteur Galván verzwijgt de waarheid, pappa. Hij is een bedrie-ger. Nu neemt hij bij elk bezoek een witte roos voor haar mee en hij kankert niet meer over me en beweert dat hij ons wil helpen. Allemaal leugens.

Je moeder zal alle hulp nodig hebben.

Je moet weten dat hij bijna iedere dag bij ons langskomt en altijd neemt hij iets mee, chocola, een zakje bonen, suikerklontjes... Als ik van de fotograaf thuiskom, tref ik ze met hun tweeën aan de ronde ta-fel aan, mamma geeft hem koffie en hij steekt haar sigaretten aan, je zou ze moeten zien, ze zitten kalmpjes te kletsen, de roos staat in een vaas water die zij neerzet tussen de brandende lamp en die smeris, en hij zit in jouw stoel en de schaduw van de roos valt op zijn gezicht ter-wijl hij praat en soms schitteren zijn ogen, afgeschermd door de scha-duw... Weet je wat hij haar laatst heeft gezegd? Hij zei, ik vraag me af, Rosa – want ze tutoyeren elkaar al –, ik vraag me oprecht af of jouw man nu een echte anarchist is geweest of simpelweg een rokkenjager. Moet je nagaan.

Wat geeft het, jongen. Het gaat erom dat je de tijd zoetbrengt.

Ik heb jouw grapjes nooit begrepen, pappa. Jij speelt ook geen eer-lijk spel.

Dat spel heb ík niet verzonnen. Dat is al oeroud, het is al door meer mensen gespeeld dan er aan de kont van mevrouw Vergés hebben gezeten, maar op dit moment hebben we geen ander spel.

Wie is mevrouw Vergés?

Geen gevraag.

David laat zijn hoofd op zijn borst zakken en wacht, zijn blik rust op het door hagedissen of ratten gekalligrafeerde zand om zijn voeten. Hij begint het geluid van Paulino's sambaballen te missen die hij in de doos onder zijn bovenarm heeft: door dat geluid van tropische stranden werden het gesuis en de stemmen uit zijn oren buitenspel gezet. De schaduwen van de vallende avond kruipen de rivierbedding al in en vormen vlekken op het miezerige laagje water, maar de deels begraven nep-Dupont laat nog steeds zijn gouden glans zien. Plotseling bukt David zich, hij raapt de aansteker op en bekijkt hem peinzend. Er zitten zandkorreltjes in de naden en hij let op dat die er niet afvallen.

Mag ik ook weten wat je doet? vraagt Chispa terwijl hij met een poot een aasvlieg verjaagt.

Zie je dat niet? Ik heb de aansteker van de inspecteur gevonden, kijk.

Echt? Jemig, joh. Wat een bof!

Hier lag hij. Hij is uit zijn zak gevallen toen hij de kuil groef om je in te begraven. Hij heeft hem laten vallen, vast.

Wat je daar zegt, is een leugen, zegt pappa. En hoe vaak je het ook herhaalt, je kunt er geen waarheid van maken.

Dat zullen we nog wel zien.

Ik geloof dat je niet goed snik bent, jongen. Ben je vergeten dat je vader zijn hele leven tegen zulke smoesjes heeft gevochten…?

Met een witte, melancholieke grijns om zijn bek komt Chispa tussenbeide: Om het in politietaal te stellen, al dien ik toe te geven dat dat met mijn stamboom noch mijn opvoeding spoort, moet ik zeggen dat wat dit jochie doet het aandragen van valse bewijzen is om een verdachte te beschuldigen van wiens schuld hij overtuigd is.

Ik ken die foefjes, gromt pappa, die de fles tussen zijn dijen klemt om met beide handen de vieze zakdoek tegen zijn achterste aan te kunnen drukken. Je bent woedend, en ik zal je zeggen waarom. Je beweert dat die praatjesmaker jouw hond op een gemene manier heeft afgemaakt, oké, volgens jou is dat een voldongen feit. Maar vooralsnog is het niet zozeer een feit als wel schijn, en dat maakt je razend. Dat is een gevaarlijke vorm van misleiding, die ik goed ken en aan den lijve heb ondervonden. Niet dat je liegt om de waarheid te verdoezelen, dat weet ik wel, je doet het juist om die aan het licht te brengen, maar hoe dan ook, je liegt… Hij grijpt de fles weer en neemt een slok, dan blijft hij verdrietig berustend in het luchtledige staren. Sommige mensen denken dat de werkelijkheid iets anders is dan de waarheid, en zo iemand ben jij. Je bent gevaarlijk, jongen… Nou ja, ik ga ervandoor.

Met doffe ogen en hangende schouders, de fles stevig bij de hals, blijft hij in de richting van de stad kijken. Je zou je hier ver vandaan moeten verbergen, denkt of zegt David. Nee, antwoordt pappa, ik zit op de plek waar ik hoor, in deze slecht geheelde wond in de aarde, een stinkend, vals ravijn… Het is me een raadsel hoe iemand het voor elkaar krijgt om zoveel stommiteiten uit te halen in zijn leven. Als ik van schuilplaats moet veranderen, zal ik daar ergens een briefje achterlaten waarop staat: hier beging Víctor Bartra de zoveelste stommiteit. Zoals je ziet, heb ik niets meer dan deze gedoofde peuk. Jij hebt de aansteker, en het beste wat je ermee kunt doen, is mijn peuk aansteken en hem daarna aan de inspecteur teruggeven.

Hij krijgt hem wel terug, maar niet van mij. Mij zou hij niet geloven, zegt David.

Wat zou hij niet geloven?

Dat ik hem precies hier heb gevonden, waar hij Chispa heeft vermoord. Net zoals mamma vindt hij mij een leugenaar… Iemand anders moet het hem zeggen. Ja, iemand anders.

Pappa draait om zijn as, hij zwaait de fles boven zijn hoofd als was het een molotovcocktail en gooit hem tegen een rots. Voordat de fles aan diggelen slaat, als hij nog door de lucht wentelt, heeft David de scherpe glasscherven al over de rivierbedding verspreid zien liggen: voordat de brandy wegstroomt, zelfs al voordat hij het glas waar die in zit kapot hoort slaan, ziet hij de natte grond de alcohol gulzig opzuigen. Dan denkt hij, terwijl hij met Paulino's sambaballen onder zijn arm en de Dupont in zijn vuist rechtop in het midden van de bedding staat, dat was het dan, ik heb lang genoeg gewacht, en vastberaden loopt hij naar huis.

In het portaal bij de nachtdeur lijkt inspecteur Galván net afscheid te nemen voor vandaag. De roodharige leunt met haar handen op haar rug achterover tegen de deurpost, haar hoofd dromerig of misschien spottend naar opzij, haar ogen neergeslagen. Ze draagt de slecht zittende grijze werkjas, haar haar zit slordig in een staart op haar hoofd gedraaid. De inspecteur staat met zijn handen diep in zijn broekzakken en de blik op zijn schoenen gericht tegen haar te praten, vlak bij haar, zijn schouders gespannen en hulpvaardig; geen van beiden zoekt de ogen van de ander en toch zou je zeggen dat ze elkaar voortdurend aankijken.

David blijft bij de varens aan de oever staan en besluit nog even te wachten. Mamma tilt haar hand op naar de rode warwinkel van haar haren, verschuift een speld en voelt dan opeens aan haar adamsappel, haar hoofd zakt nog verder naar opzij en het lijkt of ze, terwijl ze haar ogen sluit, helemaal onderuit zal glijden. Met haar lichaam nog tegen de deurpost geleund zoekt haar hand steun bij de schouder van de inspecteur en direct daarna valt ze in zijn armen met haar voorhoofd tegen zijn borst. Hoewel de beelden in slowmotion aan Davids netvlies voorbijtrokken, is alles heel snel gegaan en is het door het vlekkerige licht van dat late uur niet te zeggen of het weer een van haar bekende flauwtes is of simpelweg een onhandige beweging, een slecht beheerste impuls, aanvankelijk slechts bedoeld als een gebaar van vriendschap en dankbaarheid voor de bewezen attenties maar plotseling omgeslagen in een hartelijkheid die misschien niet zo onvoorzienbaar of ongecontroleerd was als je zou hebben verwacht... Met een arm om haar middel houdt de inspecteur haar vast en met de vingers van zijn andere hand tilt hij zachtjes haar kin op om haar gezicht te zien, terwijl zij haar ogen dichthoudt, haar armen naar beneden. De bedaarde bewegingen van beiden verraden niets. Direct gaan ze weer uit elkaar, maar zij is nog verdwaasd, ze praten even, hij strijkt met een hand over haar elleboog en loopt behulpzaam met haar mee, ze verdwijnen naar binnen en de deur gaat dicht.

De rivierbedding is een oven en op de gebarsten klei zit een donkere, grote, stokoude hagedis met een verminkte staart, de kop geheven boven zijn voorpoten en oogjes als rode kraaltjes. Was het niet zo dat die niet bestaat, dan zou het de Ibiza-hagedis kunnen zijn waar mee hij Paulino altijd voor de gek hield. David blaast en het beestje schiet weg. Jij geluksvogel, staartloze hagedis die in de spleten van het niets woont, dat niemandsland tussen mijn huis en de wereld, tussen de stilte van de bedding en pappa's stem. Op zijn hurken, zijn blik op het huis gericht en een beetje ongeduldig heeft hij nog steeds het gevoel dat iemand naar hem kijkt, in zijn nek priemende ogen waar een spookachtig verwijt uit spreekt, maar hij is niet meer onzeker of rancuneus, hij lijkt niet meer te verlangen naar het geweld van het water, zich meegesleurd voelen, gewiegd door de stroming en meegenomen, hier ver vandaan. Met een vastberaden uitdrukking op zijn gezicht, de gestolen kledingstukken onder zijn hemd en de aansteker in de woedende vuist in zijn zak, in zichzelf gekeerd en alleen, als de met leugens gewapende hoeder van de waarheid zal hij daar net zo lang blijven wachten als nodig is. Het contact met het metaal in zijn hand, de hoekige en compacte vormen, vervullen hem van zekerheid: iets zegt hem dat het vastklemmen van die nep-Dupont in zijn vuist eigenlijk betekent dat hij het hart van de politieman in handen heeft. Hij herinnert zich wat die indiaan in een film zei: voor een goede spoorzoeker is het de kunst iets te vinden wat niet op zijn plek ligt. Wat pappa betreft, diens met zuurstof verbonden spookverschijning heeft een spoor van chloroform en jodiumtinctuur achtergelaten, een in het vlees gedrongen droefheid, en David slaat zijn ogen neer. Aan zijn voeten vormt een dubbele rij witte kiezelstenen een grillige lijn tussen het kreupelhout, net een kunstgebit dat hem schots en scheef vanuit de ingewanden van de aarde toegrijnst. Weer voelt hij zich bekeken en hij draait zijn hoofd om. Sommige ogen blijven naar ons staren wanneer ze al weg zijn.

Lotgevallen in een andere buurt

Christene ziele, Tejada, wat er allemaal niet gebeurt zonder dat je er iets van hoort. Wist je dat Galván betrokken was bij dat netwerk van illegale gokkers en dat hij vier jaar geleden is berispt omdat hij een inspecteur uit Bilbao met zijn blaffer had bedreigd? 'Je meent het! Daar zakt mijn broek van af. Hé. Mario, een sifon spuitwater waar nog leven in zit! En nog een portie pens en een rode wijn voor Quintanalla hier!'

Een stamcafé van politieagenten aan de Vía Layetana, vlak bij het hoofdbureau. Aan het ene einde van de bar achterin vragen twee onderinspecteurs een sifon spuitwater die het doet. Ze hebben allebei korte nekken, zijn de veertig gepasseerd en keurig gekleed, hun gezichten hebben de kleur van zuurtjes, dat van de dikke is rood, dat van de ander groen. Op een dozijn bordjes die voor hen op de toog staan uitgestald, liggen gebraden vogeltjes met geplukte kopjes en uitpuilende ingewanden. De muren van deze kroeg herbergen vreselijke geschiedenissen, waarvan ik er nu één zal vertellen. Laat duidelijk zijn dat die herinneringen niet op fantasie berusten, ze zijn niet uitgebroed in de koortsige baarmoeder van de roodharige: ik zie die twee speurneuzen nóg voor me, precies zoals mijn broer hen over een paar minuten zal zien, kort na twaalven op deze zonnige, warme dinsdag eind september.

Een van de onderinspecteurs is een miezerige schrielhannes, de andere een knalrode dikzak die dwars op een hoge kruk zit en een bril draagt waarvan het metalen montuur met een smerige pleister bijeengehouden wordt; een knoop van zijn gulp staat open. Hij spietst een olijf aan een prikkertje, stopt die in zijn mond en kauwt erop met een vies gezicht. De wijsvinger van zijn rechterhand is met meters verbandgaas omwikkeld en afgedekt door een leren kapje dat met een touwtje aan zijn pols vastzit. Ze drinken wijn en vermout en bladeren de ochtendkranten door, Europa in puin, staat er op alle pagina's, dat in Neurenberg belooft een poppenkast van de geallieerden te worden. Wat je zegt, Quintanalla. Heeft Basora drie keer gescoord?, nou en?, de beste buitenspeler van Spanje was toch Gorostiza, dan kunnen ze van hem zeggen wat ze willen, natuurlijk, hij zal wel niet voor niets de Rode Kogel zijn genoemd. Precies, valt zijn maat hem bij, hij was de beste, met excuses aan Gaínza.

Daarna praten ze over de ongelukkige kwestie waarbij inspecteur Galván begin mei jongstleden betrokken was geraakt. De dikke is van sommige details nog niet op de hoogte, bijvoorbeeld dat de papieren van de arrestant, een ambulante verkoper van encyclopedieën, zo vertelt de schrielhannes hem, kennelijk niet in orde waren.

'Voldoende om hem vast te zetten,' zegt de dikke terwijl hij nog een verlepte olijf test.

'Ja, maar daardoor ontstond het misverstand,' zegt de ander. 'Daardoor, en omdat hij een tikje brutaal was. Ze hielden hem voor iemand anders, en nadat ze hem twee weken lang hadden afgetuigd, was die kerel nog ongebroken en bleef hij alles ontkennen. Als je eens wist hoe ze zijn voeten hadden verpulverd. Kolere! Ze hebben een dozijn spijkertjes in zijn kop geslagen en hem flink met sigarettenpeuken bewerkt.'

'Heb jij hem gezien?'

'Ik heb hem later gezien, toen Serrano het had overgenomen. Die heeft hem een oplawaai gegeven waarbij een van zijn ballen geknapt is. Die Serrano is een onhandige boer en een gapper. Hij heeft zijn eigen knuppel toch voor die karweitjes? Maar nee, meneer, die vent moest zo nodig mijn stok gebruiken, terwijl hij weet dat die me een rib uit mijn lijf heeft gekost, en je wilt niet weten hoe de ivoren knop er nu uitziet met die smurrie van zijn voetzolen...'

'Hoe dan ook, het zag ernaar uit dat Serrano en iedereen door die sukkel voor schut zou worden gezet, dat heb ik met mijn eigen ogen gezien. Ondanks dat hij zo was afgetuigd, wist hij van een moment van onoplettendheid gebruik te maken om naar het raam te glippen dat op de binnenplaats uitziet, hij was er al met één been doorheen en stond op het punt om te springen. Ik geloof ook dat hij dat gedaan had, en in dat geval was hij net zo goed wijlen geweest, maar dat zullen we nooit weten…'

'Jezus, pieker er toch niet meer over, Tejada,' zegt de dikke. 'Ik weet niet of hij zich van kant wilde maken, maar hij wilde ongetwijfeld wel een ander leven.'

'Wat voor de donder wil je daarmee zeggen?' reageert de dunne nijdig. 'Verdomme, Quintanalla, je bent gestoord. Wil je beweren dat hij aan de hemel dacht, zo'n vervloekte communist?'

'Christus, wat ben je toch een kalfskop! Ik bedoel dat die vent misschien aan een beter leven dacht als het hem zou lukken te ontsnappen, beter dan dat gezeik dat hij van jullie over zich heen kreeg. En dat was een flater van heb ik jou daar, da's wel zeker.'

'Ik heb daar allemaal niks mee te maken gehad. Die vent zat al in het raam en had zogezegd al één been in de andere wereld, dus hij gaf Galván de tijd niet om na te denken, bovendien was die niet in de stemming voor flauwekul, zijn arm zat in een mitella en zijn sleutelbeen deed ontzettend pijn, weet je niet meer?, hij had het gebroken toen hij op het bureau in Horta van de trap was gevallen, en bovendien had die klootzak hem tijdens het verhoor in zijn hemd laten staan, dus hij kon zich niet meer inhouden, één beweging en ik maak je koud, zei hij, en hij verloor zijn zelfbeheersing, moet je nagaan, iemand als Galván, die van de grootste slimmerik nog een bekentenis loskrijgt, altijd zo geduldig en flegmatiek, en opeens kan hij zich niet meer beheersen, hij loopt naar het raam en geeft hem een duw, vlieg dan, als je dat zo graag wilt, smeerlap, zei hij. Ik had er niks mee te maken…'

'In feite kan je zeggen dat hij een lijk een zetje heeft gegeven. Een zelfmoordenaar die je om het laatste zetje vraagt, zo heeft de hoofdcommissaris het me later verteld.'

'Ja, want die ellendeling was toch wel gesprongen,' zegt de dunne nog.

'Ik weet het niet,' zegt de dikke, 'daar ben ik nog niet zo zeker van.'

'Omdat je er niet bij was. Je moet het zo zien: het raam was zijn enige vluchtweg. Ik denk dat ik het ook zou hebben geprobeerd.'

'Montero was nog het meest over de rooie,' zegt de dikke, 'die trok zijn pistool en schoot nog twee keer terwijl het niet meer hoefde. Twee kogels in zijn nieren, zo viel hij nog makkelijker.'

'Door zijn val op de binnenplaats is hij de pijp uit gegaan, niet door die schoten,' zegt de dunne.

'Wat maakt het uit?' snuift zijn maat terwijl hij zijn schouders ophaalt. 'Dat kan iedereen overkomen. En wat hebben ze met hem gedaan?'

'Naar het mortuarium van de bureauarts,' bromt de dunne die alweer in zijn krant verdiept zit. 'Er moest iets worden bedacht over de gang van zaken, een vent zoeken die hem zou identificeren als iemand anders, een zwerver zonder familie waar niemand naar komt vragen...'

'Een mooie manier om je tijd te verdoen en je het leven ingewikkeld te maken,' oordeelt de dikke.

'Zeg dat. Maar je weet dat Portela zich graag aan de wet houdt. Hoe laat leven we, collega?'

'Tien over halfeen.'

'U loopt vijf minuten achter.' De lieve stem achter hem komt van een glimlachend meisje dat op het felgekleurde plastic kermishorloge om haar pols staat te kijken. 'Het is kwart voor een, meneer.'

Ze loopt het door de zon gegeselde rechtertrottoir van de Vía Layetana af, en daar op de hoek blijft dat meisje, dat zich wel alle kleuren en schitteringen van de dag lijkt te hebben toegeëigend, even te midden van de gejaagde en bedrukte massa voetgangers staan en kijkt op haar plastic horloge met gele cijfers en purperen wijzers. De wijzerplaat is hemelsblauw en het bandje dat om haar pols sluit doorzichtig paars met gele randen. Waarom kijk je erop, broer, je weet immers dat die cijfers liegen, dat de wijzers erop zijn geverfd en altijd dezelfde tijd aangeven, kwart voor een? Raadpleeg je je nephorloge om net te doen alsof je drukbezet bent, iemand die een beetje haast heeft om een belangrijke afspraak te halen? Kwart voor een, beweren de kunststof wijzers, en ik mag graag denken dat dit door een gril van het lot exact het tijdstip is dat alle klokken aangeven, precies dezelfde juiste tijd die het echte horloge van inspecteur Galván aangeeft als deze met gezwinde spoed de Sky Bar verlaat om op Jaime I de metro te nemen zodat hij op tijd is om zijn dochter uit de nonnenschool te zien komen, terwijl de voorbijgangers hier een pubermeisje met lange donkere benen snel en heel stijf verder zien lopen, enigszins achteroverhellend en lacherig, alsof tegenwind haar uit balans brengt en ze dat wel leuk vindt.

Ik praat vanuit een morele loopgraaf in de tijd die me in staat stelt gevoelens van nostalgie onschadelijk te maken, net als het misprijzen natuurlijk, de spot of de simpele verbluftheid, opgeroepen door dat dappere meisje dat over straat liep. Als ik haar was tegengekomen, had ik haar waarschijnlijk zelf ook niet herkend. Daar gaat ze, welhaast in de uitmonstering van een argeloos hoertje en met het voortdurende gesuis in haar oren en hart, pronkend met vuurrood gestifte lippen en kriebelende sambaballen op haar heup. Ze draagt het gele rokje met grote groene zakken en de mouwloze saffraankleurige, met korenaren en fletse klaprozen bedrukte blouse, de rode plexiglazen tas met de lange riem aan haar schouder en de grote zonnebril met het witte montuur, het pagekapsel is met een elastiekje in haar nek gebonden, de weerbarstige pony danst op haar voorhoofd en de rode alpino hangt schuin op een oor. Op haar rechterarm, iets onder de moet van de pokkenvaccinatie, spreidt het op de huid geplakte tattooplaatje van een vlinder zijn zwarte vleugels met rode vlekken. Haar mokkende knieën en fijne enkels glanzen in de zon, haar ivoorkleurige rubberen sandalen laten de ongedurige, dwaas blozende en sensuele wreef van haar lenige voeten vrij. De kalm vastberaden kin en de opstandige houding zijn het enige dat misschien twijfel kan wekken over die feestelijke blufverschijning, maar wat schitteren haar ogen die het gejakker op straat uitdagend bezien, wat is de emotie die haar bij die hele schijnvertoning in de zon in beslag neemt intens! En met hoeveel plezier en zelfvertrouwen weerspiegelen haar grote ogen het daglicht, wat houdt dit meisje dat schaamteloos naar de voorbijgangers glimlacht van het leven!

Het zo spontane gebaar van de blik op het plastic minihorloge zonder tijdsaanduiding vat ik nu op als een onbedwingbare knipoog naar een persoonlijkheidsideaal, of misschien is het alleen maar een schokje vanwege het eigen bedrog, het conventionele tikje waarachtigheid dat nodig is voor zo'n kunstmatige uitdossing die niet zozeer voor de toeschouwers bedoeld is – deze meneer die een sigaar opsteekt en haar schuins aankijkt als hij haar tegenkomt – maar voor hemzelf: een zenuwreflex van de manipulerende spanning die hij altijd heeft gekoesterd, met name wanneer hij oog in oog stond met zijn eigen hersenspinsels, de schimmige beelden die mettertijd zijn lot zouden bepalen.

Hij arriveert bij het café van de politiemannen en gaat uiterst behoedzaam naar binnen. Langzaam, met een hand op zijn taille, de ene voet zorgvuldig voor de andere plaatsend, terwijl hij zijn heupen meer in zijn verbeelding dan in werkelijkheid laat draaien, loopt hij door naar het eind van de tapkast. Die twee moeten het zijn, denkt hij; hij hoefde alleen maar zijn snufferd in de buurt van hun bezwete oksels te houden. Hij vraagt een glas amandelmelk, betaalt en blijft daar een hele poos door een rietje staan zuigen, luisterend naar hun gemompelde commentaar over het vermorzelde lijk waarvan de identiteit verhuld diende te worden, en trouwens, waarom al dat moeilijke gedoe, enzovoort. Als zijn oren wel genoeg te verduren hebben gehad – hij is niet gekomen om naar het gewauwel van een stel kroeglopende smerissen te luisteren, en bovendien staat hij te popelen om tot uitvoer te brengen wat hij zich heeft voorgenomen –, gaat hij met het glas amandelmelk in zijn hand en het rietje in zijn mond stilletjes achter hen staan, trekt de rand van zijn gele rok omlaag en kucht. 'Neemt u me niet kwalijk. Kent u een inspecteur die Galván heet?'

'Die is net weg,' antwoordt de dunne onderinspecteur met een olijf aan een tandenstoker geprikt en een heel geamuseerd gezicht als hij ziet hoe het meisje is uitgedost. 'Lieve hemel, wat is dat?!'

'Waar heb je hem voor nodig, de inspecteur?' vraagt de dikke terwijl hij zich langzaam op zijn kruk omdraait. Hij lijkt zijn ogen niet te geloven en hij richt het zwarte kapje op zijn vinger naar het meisje alsof hij naar een fabeldier wijst. 'Wat is dit voor iets, Tejada?'

'Ik zoek inspecteur Galván. U kent hem toch, nietwaar? Zou u hem namens mij iets kunnen geven?'

'Wat voor iets?' vraagt de schriele agent, maar in plaats van het antwoord af te wachten, draait hij zich om naar de bar, doet de krant even dicht en bestelt bij de ober een portie ansjovis in azijn, en snel een beetje, deze gevulde olijven zijn overjarig, Mario, waar heb je die bewaard, in de pruim van je opoe? Hij spuugt op de grond en kijkt haar dan weer aan. 'Goed, wie ben jij, kindje?'

'Ik ken die slet ergens van,' zegt de dikke. 'Kijk eens goed naar die paardenbek, Tejada. Ik heb jou ergens gezien… Liep jij niet in de Barrio Chino anjers te verkopen?'

'Nee, meneer.'

'Maar je woont daar wel ergens, ik durf te zweren dat ik je daar heb gezien.'

'Nou ja, dat is zo…'

'Hoe heet je?'

'Amanda Espinosa de los Monteros, om u te dienen.'

'Neem je me in de maling, wijsneus?'

'Hoezo? Dat is gewoon mijn naam…'

'Oké, zeg op,' komt de andere agent tussenbeide, 'wat moet je van inspecteur Galván?'

'Ik heb een heel mooie aansteker gevonden, en volgens mij is hij van hem.' Ze haalt hem uit haar zak. 'Dit is hem.'

'Ja, inderdaad, dat lijkt de zijne wel,' zegt de dikke als hij de Dupont bekijkt waar nog zandkorrels in de naden zitten.

'Ik heb hem in een rivierbedding in de Guinardó gevonden, ergens waar bijna niemand langskomt,' zegt Amanda kauwend op het rietje.

'En hoe wist je dat hij van inspecteur Galván is?'

'Dat zal ik u vertellen: op een keer liep ik heel rustig…'

'En wat moest jij in de Guinardó,' onderbreekt de dikke onderinspecteur haar, 'in een buurt die zo'n end van de Barrio Chino af ligt?'

'Daar wonen mijn opa en oma, ik ben daar elke zomer. Ik heb er een fiets en ga daar naar vioolles… Ik was dus rustig aan het fietsen en reed net boven langs het huis waar David woont, een jongen die ik deze zomer heb ontmoet, toen ik een lange meneer met een heel grote spa een kuil zag graven. Hij had zijn colbert uitgetrokken en dubbelgevouwen op de grond gelegd naast een dood hondje met bloed op zijn kop, en op het colbert lag een pakje Lucky Strike en deze aansteker, die viel me op doordat hij glom, hij leek wel van goud… Ik ben niet afgestapt om te kijken hoe hij hem begroef, want ik vond het zielig, ik kende dat hondje, dat was van mijn vriend, dus ben ik doorgereden, en een uur later, toen ik daar op de terugweg weer langsfietste, ben ik ernaartoe gegaan maar ik kon het graf van het hondje niet vinden. Ik heb even rondgekeken en daarbij vond ik de aansteker op de grond…'

'En waarom heb je zo lang gewacht om hem terug te geven? Je wilde hem natuurlijk houden.'

'Nee, meneer.' Ze doet de plexiglazen tas weer open en wroet daarin zonder er iets uit te halen. 'Verdikkie! Heb ik mijn poederdoos thuis laten liggen,' zegt ze, waarbij ze haar schaamstreek schijnbaar ongewild tegen de omvangrijke dij vleit van de onderinspecteur die met zijn benen wijd uit elkaar op de kruk zit. 'Ik was niet van plan om hem te houden, maar wat kon ik doen, ik wist immers niet wie die hondenbegraver was…'

'Heb je dat gehoord, Tejada?' vraagt de dikke die het meisje ondertussen blijft aankijken. 'Hondenbegraver, wat een prietpraat! Waar heb je het over?!'

'Dat zal ik u vertellen, meneer. Ik fietste langs het rietveld en zag iets boven het zand in de bedding uitsteken, en ik zeg tegen mezelf: dat is de poot van een hondje, dat die misschien onder de grond heeft uitgestrekt, dat gebeurt weleens, ik heb mijn oma haar arm zien optillen toen ze al in de kist lag.' Hij buigt voorover naar de bar en legt quasi verstrooid een hand op de worstdij, terwijl hij met zijn andere een olijf pakt. Hij stopt hem in zijn mond en vervolgt: 'Zo slecht zijn ze niet. U bent wel erg kieskeurig… Ik zei dus dat die hondenpoot gebaarde alsof hij me riep. Hebt u weleens het stijve pootje boven de grond zien uitsteken van een hond die op een gemene manier was begraven? Daar word je eng van, neemt u dat maar van me aan. Kortom, ik stapte van mijn fiets, ik liep ernaartoe en toen zag ik dat het geen hondenpootje was dat daar omhoogstak, ik had het me verbeeld, want ik ben een beetje een sentimenteel meisje, weet u?, het was gewoon een dennentak die daar half begraven lag. En toen, op diezelfde plek, viel deze prachtige aansteker me op. De inspecteur heeft hem vast laten vallen toen hij zijn colbert opraapte…'

'Dus hij was een hond aan het begraven,' valt de dikke hem ongeduldig in de rede. 'Inspecteur Galván die honden begraaft. Waarom zou hij dat doen?'

'Omdat die hond dood was, meneer. Hij had hem afgemaakt.'

'Je meent het. Heb je dat gehoord, Tejada? En waarom heeft hij hem afgemaakt?'

'Omdat hij heel oud was en ziek, en hij zal gedacht hebben dat het niet de moeite was om hem naar het abattoir van de veearts te brengen…'

'Nou ja, Tejada, hoor je niet wat ze zegt?! Sinds wanneer houden wij ons met zulke klusjes bezig? Zou je een bonus krijgen voor het koud maken van een hond?' schatert de dikke terwijl hij zijn makker aankijkt, dan draait hij zich weer naar haar: 'Wat is dat voor geouwehoer over een dode hond, kun je dat ook vertellen, kindje?'

'Wat ik u zei, het was het hondje van mijn vriend David.' Een paar tellen blijft ze peinzend staan, ze trommelt met haar vingers op de gedrongen worstdij terwijl de agent haar half grijnzend opneemt.

'Hoe zei je ook weer dat je heette, liefje?'

'Amanda, meneer. Dus zoals ik u zei, wist ik niet wat ik met die aansteker moest doen, totdat David me vertelde dat hij meneer de inspecteur kende. Ik geef hem wel aan hem, zei hij, maar ik geloofde hem niet meteen. Ziet u, ik ken die jongen niet zo goed, maar ik weet wel dat hij soms dingen pikt en nogal een bedrieger is. En deze aansteker is heel mooi en veel waard, hij lijkt wel van puur goud. Hij had hem vast achterovergedrukt. Kortom, ik zei nee, weet je wat, zeg maar hoe die meneer heet en waar ik hem kan vinden, dan breng ik hem zelf wel terug, want misschien krijg ik wel een mooie beloning. En toen ben ik naar het hoofdbureau gegaan en daar zeiden ze dat ik hem hier kon vinden… Nou, dat is het, en nu moet ik ervandoor… Geeft u de aansteker maar aan de inspecteur en vergeet u alstublieft niet erbij te vertellen hoe en waar ik hem gevonden heb; dat hij me opviel doordat er, toen hij die kuil stond te graven, bloed uit een gat in de kop van het dode hondje stroomde...'

'O ja? En waarom zouden wij al dat geleuter aan inspecteur Galván moeten overbrengen?' onderbreekt de dunne onderinspecteur hem.

Amanda aarzelt een paar tellen voor ze antwoordt: 'Omdat het de waarheid is, meneer.'

'Zeg, weten ze bij jou thuis dat jij je snuit verft?' vraagt de dikke.

'Dat is mijn natuurlijke kleur,' kirt Amanda.

'Niet liegen, daar wordt je neus langer van. Nog een rode wijn voor mij en nog een Cinzano voor Tejada, Mario! Zal ik je eens wat zeggen, meid? Een dezer dagen trap ik nog iemand z'n ballen tot moes.'

'Wat wilt u daarmee zeggen?' vraagt Amanda.

De dikke kijkt haar aan alsof het meisje Chinees spreekt en geeft geen antwoord. Hij zit al een hele tijd op een andere manier naar haar te kijken. Amanda zet het glas amandelmelk op de toog. 'Nou, ik heb u verteld wat er gebeurd is. Nu moet ik weg.'

Zonder zijn ogen van haar af te wenden pakt de dikke het potje tandenstokers; de vinger van zijn andere hand, die met het kapje ero-ver, legt hij op zijn gulp. 'Wacht. Waarom kijk je verdomme steeds op je speelgoedhorloge?'

'Omdat ik haast heb, meneer.'

'Hoe is het mogelijk dat jouw moeder je de deur uit laat gaan ter-wijl je erbij loopt als een geplukte papegaai?' Hij zwaait met de aan de tandenstoker geregen ansjovis en opeens krijgt hij door de fysieke na-bijheid, de stem en ook de transpiratie van dit onbeschaamde imita-tievrouwtje de aandrang haar te beledigen. 'Heb je jezelf wel in de spiegel bekeken, schoonheid?'

Amanda liep al weg, maar ze draait zich om en kijkt hem met een hand op haar heup aan. 'U praat zo tegen mij, meneer de politieagent, omdat u zich verbeeldt dat ik een analfabeet ben, een meisje uit een arme buurt dat geen schoolgeld kon betalen, dat niets geleerd heeft en geen fijne vrienden heeft of mensen die haar aanbevelen, en dat geen enkele smaak heeft. Nou, laat me u dan vertellen dat deze zonnebril bijvoorbeeld gewoonweg enig is en precies zo één als Ginger Rogers draagt. En beweert u nu niet dat Ginger Rogers geen smaak heeft, want dan bent u blind en bovendien een boerenpummel…'

'Zo is dat, meid! Goed gezegd!' roept de dunne schaterend uit. 'Heb je dat gehoord, Quintanalla?'

'Nee maar, zo'n papegaaitje toch,' zegt de ander terwijl hij naar de vingers van dat brutale nest op haar heup kijkt. De nagels met rouwranden passen niet bij zo'n hooghartig, verwend meisje. 'Vertel eens, bijdehandje. Heb jij het weleens met het gezag aan de stok gehad?'

'Nee, meneer, nooit'

'Nou, volgens mij zal dat niet lang meer duren. En nogmaals: ik ken jou… Weet je waar je op lijkt, trut?' Hij spuit een straal mineraalwater uit de sifon in zijn glas wijn en vervolgt grinnikend: 'Op een poppetje dat is ontsnapt uit een hoerenkast.'

'Kom op, Quintanalla, laten we er nou mee ophouden,' maant zijn collega hem zonder van zijn krant op te kijken. 'Laat haar opdonderen en stop jij die aansteker in je zak. Volgend seizoen speelt Deportivo in de tweede divisie. Het is onrechtvaardig. Terwijl Acuña nog wel zo goed is… Hoepel op, meid.'

Weer draait zij zich om en ze wil weggaan, maar de dikke houdt haar tegen door de riem van haar tas vast te pakken. 'Momentje, verroer je niet! Nu weet ik wie je bent, verdomme! Die kleine rat die in de Barrio Chino sigaretten en lucifers verkocht.'

'Nee, meneer, u vergist zich…'

De diender knijpt zijn ogen achter de jampotglazen van zijn bril tot spleetjes en houdt vol: 'Ben jij niet die slet die ze de Afzuigkap noemen?' Hij wendt zich tot zijn collega en vervolgt: 'Ken jij die niet ook, Tejada? Weet je wie ik bedoel?'

'Ze heeft net zulke kleren aan en ze gedraagt zich net zo, maar zij is het niet. Je vergist je, Quintanalla. Pas op.'

'Kijk dan naar die trutlippen. Zij is het. Ik heb haar een keer gezien, ik weet niet meer waar, waarschijnlijk in zo'n goor kroegje in de Calle Robadors of de San Roque, ze droeg deze zelfde rok en die rode tas, precies een hoertje…'

'Maar wat zegt u daar!'

'Kom eens hier, liefje, niet boos worden. Kom eens bij je ome Quintanalla. Zo, doe die bril eens af, kijk me aan en zeg dan nog eens dat jij niet de Afzuigkap bent, als je durft.'

'Dat ben ik niet, verdorie! Ik heet Amanda.'

'Schiet op, neem je zuster in de veiling! Ik ken je toch, meid. Jij hebt er heel wat van hun angina afgeholpen door ze eens lekker te pijpen, ha ha ha! Jij bent Paquita, de Afzuigkap! De jongens uit de Calle San Ramón kennen jou heel goed. Je moeder tippelt in La Maña en jij struint daar ergens rond met je sigaretten, je lucifers en wat zich zo voordoet, en je laat je opgeilen als ze iets bij je kopen, je bent een keer betrapt in een portiek met de lul van een bakker in je mond, dat hebben ze me zelf verteld. Staan blijven, verroer je niet!'

'Welnee, Quintanalla, heb je stront in je ogen? Het is haar niet,' houdt de ander vol, die nu met een mengeling van medelijden en verachting over zijn schouder naar het meisje kijkt. 'Niet dus.'

'Lik m'n reet, Tejada. Ik zeg je van wel.'

'En ik zeg je van niet, verdomme.'

'Kijk dan naar die mond, die hooischuur,' gaat de dikke door terwijl hij het meisje bij haar arm pakt. 'Ze doet het vast retegoed en voor een habbekrats...'

'Maar man, je bent niet lekker. Ik zeg je nog een keer: het is haar niet!'

'Dat zullen we dan eens zien,' gromt de politieman; hij draait op zijn kruk naar Amanda en houdt zijn ingepakte vinger vlak voor haar neus. 'Zie je dit arme vingertje? Ik kan er niks mee. Niet eens in mijn neus peuteren, geen trekker overhalen, niet aan mijn ballen krabben, ha ha, niet eens mijn gulp openknopen om te pissen. En nu moet ik pissen.'

Amanda kijkt en luistert, rechtop, de knieën stijf tegen elkaar, haar mond volgesmeerd met lippenstift, in de ogen achter het gekleurde plastic van haar kermisbril lichte spot. Nu moet ik die vent maar voor lief nemen, denkt ze, wat er ook gebeurt, volhouden. We hebben steeds geweten dat we risico's moesten nemen, dus nu verstop je je niet en je laat je niet intimideren. Je doet maar wat je wilt, smeerlap. Met een vinger drukt ze de donkere bril vaster op haar neus en ze schraapt haar keel. 'Moet u echt pissen, meneer?' klinkt het zangerig terwijl ze met haar heup draait.

'Dat zeg ik toch? Wat zou je ervan denken als je me eens een handje hielp? Maar geen misverstanden, hè, dus zeggen we even ons lesje op voor mijn maat hier. Luister wat ik zeg en herhaal dat: toevalligerwijs constateerde ik dat onderinspecteur Quintanalla, ambtenaar van Groep Vier van de Zesde Brigade, de wijsvinger van zijn rechterhand had gebroken... Vooruit, zeg het na.'

'Toevalligerwijs constateerde ik dat onderinspecteur Quintanalla de wijsvinger van zijn rechterhand had gebroken...'

'En aangezien hij dringend moest plassen en zijn gulp niet kon openknopen...'

'En zijn gulp niet kon openmaken...'

'Nee. Hij moest dringend plassen en kon...'

'En kon zijn gulp niet openknopen vanwege zijn gebroken vinger.'

'Precies, heel goed. Toen kreeg ik medelijden en bood ik spontaan aan hem naar het toilet van het café te begeleiden om hem te helpen. Kom op, meid, zeg na!'

'Ik kreeg medelijden met die arme man en begeleidde hem naar het toilet om hem te helpen met...'

'Wateren.'

'Zijn handen wassen...'

'Nee, trut! Hem te helpen met het openknopen van zijn gulp zodat hij kon doen wat hij moest.'

'Ja, precies. Doen wat hij moest.'

'En die goede daad heb ik verricht zonder dat iemand mij ertoe dwong en zonder kwade bedoelingen, zonder het oogmerk daar munt uit te slaan, de spot met hem te drijven of het gezag te beledigen...'

'Je gaat te ver,' zegt de dunne onderinspecteur. 'Waar ben je verdomme mee bezig?'

'Houd jij je mond, Tejada.'

'Maar man, wat ben je van plan?'

'Volledige naam!'

'Je zit te bazelen, Quintanalla. Wat moet dat?'

'Kut, sorry, ik was in de war!' schatert hij met zijn hand op zijn gulp, maar dan gaat hij weer in de aanval: 'Heb je haar verklaring goed in je opgenomen?'

'Krijg wat! Man, echt, krijg de klere,' zegt zijn maat en hij vraagt de ober nog een portie vogeltjes.

Amanda stopt haar handen in de grote zakken van haar rok en neemt de twee mannen op. De dikke laat zich van zijn kruk glijden en grijpt haar pols, die nu sneller is gaan kloppen, stevig vast. 'Kom, schoonheid, zeg me na...'

'Bla bla bla, we hebben alles al gezegd en herhaald,' kirt Amanda met een hand op haar heup en een uitdagende blik, maar in haar mond al een smaak van as. Als dit de prijs is die ik moet betalen, vuile klootzakken, dan zal ik die betalen. 'Maar doet u me toch geen pijn, meneer de agent, alstublieft.'

'Kom maar met me mee, meid. Dan kun je een goede daad verrichten.'

Rood aangelopen, waggelend op zijn grote stampers en met een plotseling gedweeë, verbouwereerde blik neemt hij haar mee naar de wc achter in het café. Vanaf de bar ziet zijn collega hem weglopen, hij schudt zijn hoofd en verdiept zich dan weer in zijn krant; het gekir klinkt telkens zwakker, als een monotone melodie: 'Ik vind het niet erg om u te helpen, maar behandelt u me alstublieft niet slecht, meneer de agent, niet zo hard alstublieft. Ook al gelooft u het niet, ik ben een zoet en aardig meisje, en ik beloof dat ik voortaan gehoorzamer en liever zal zijn voor mijn moeder en mijn broer, maar we horen maar steeds niks van pappa, weet u, luistert u, luitenant Faversham, we moeten meer vuren aanleggen om de gieren van de lijken weg te jagen en we moeten alles verbranden en de fiets in een andere kleur schilderen... Ik ben alleen maar een arm weesmeisje zonder vader, en straks krijgt mijn moeder mijn nieuwe broertje, hopelijk gaat de bevalling goed en overkomt haar niets en wordt er een gezonde en heel sterke baby geboren en hoeft hij zich later niet voor zijn zus te schamen en kan hij alle gevaren aan met een lieve glimlach en een prachtig leren jack, net als de dappere wolkenridder...'

'Wat sta je verdomme voor onzin te herkauwen?' bromt de dikke die de wc al is binnengegaan. 'Maak mijn gulp open en haal hem eruit, ik kan het niet.' Het meisje doet het met lenige vingers en zonder aarzelen, hij zet de bril omlaag. 'Ga zitten.'

Wat er ook gebeurt, ik houd het vol, herhaalt hij telkens. Om niet te bezwijken in het stinkende donker schakelt hij zijn zintuigen uit, zijn tastzin en zijn reuk, hij houdt zijn blik gericht op een witte vlinder die bij wijze van spreken vanuit zijn hart naar mamma's margrieten fladdert. En dan kotst hij alle amandelmelk uit.

Met een tandenstoker tussen de lippen wandelt onderinspecteur Tejada naar de wc, doet de deur open en steekt zijn hoofd om de hoek. Hij zegt niets, loopt terug naar zijn kruk en even later schuift het meisje in haar volle lengte zwijgend achter hem langs, zo licht als een engel of een duivel. Aan de bar bestelt ze een flesje limonade en ze blaast bruisende belletjes in het glas. Ze stopt, denkt na, een golf woede en wrok overvalt haar, maar ze herstelt zich en blaast opnieuw gorgelende belletjes. Een klein kaal mannetje dat net naast haar is gaan staan en een anijslikeur bestelt, draait zich naar haar om, kijkt haar aan en zegt bestraffend: 'Meisje, die smerige dingen doe je maar thuis.'

Onderinspecteur Tejada kijkt op van zijn krant en spuugt zijn vermalen tandenstoker uit. 'Wat is er aan de hand, kerel? Heb je er iets op tegen als iemand zijn mond spoelt?'

'Ik had het niet tegen u…'

'Maar ik heb het wel tegen jou, lul! Zeg op, wat heb jij tegen op een beetje hygiëne, gegorgel of wat ook. Nou, vertel op.'

'Tja, dit lijkt me niet de juiste plaats om…'

'Ach nee? Meneertje snugger! En wat is dan de juiste plaats, meneertje snugger?'

De man vangt een blik van de barkeeper op die beduidt dat hij het daar beter bij kan laten, wat hij dan ook doet. Met één teug slaat hij zijn likeurtje achterover en vanuit zijn ooghoek ziet hij dat het meisje haar limonade wil betalen. De onderinspecteur geeft de barkeeper met een subtiel knikje te kennen dat hij haar niets moet rekenen. Dan stopt ze haar geld weg, hangt de riem van de tas weer over haar schouder, brengt met haar vingers als kam haar pony op orde, peutert met verachtelijke blik met haar nagels tussen haar tanden, kijkt op het horloge met de fosforescerende wijzerplaat en de purperen wijzers en neemt ten slotte met luide, heldere stem afscheid. 'Ik ben erg laat.' En zonder iemand aan te kijken: 'Geeft u de aansteker namens mij aan inspecteur Galván, alstublieft. Vooral niet vergeten. Alstublieft.'

Een reis en een kort verblijf in Zaragoza vanwege zijn werk weerhouden inspecteur Galván vijf dagen van een bezoek aan het huis. Als hij zich weer vertoont, heeft hij een kilo bonen bij zich, twee blikjes gecondenseerde melk, paarse pantoffels met gouden borduursel voor mamma en een aardewerken suikerpot met een afbeelding van de Ebro en de kathedraal van Onze-Lieve-Vrouw van de Pilaar. En diezelfde dag ligt de Dupont weer waar David die wilde zien, op de ronde tafel in onze kleine hal-eetkamer, tussen de twee koffiekopjes en de nieuwe suikerpot vol klontjes.

Op dat beslissende tijdstip komt David thuis nadat hij de hele middag bestellingen voor de fotograaf heeft rondgebracht. Hij is door de nachtdeur naar binnen gegaan en is de spookachtige woonkamer van de KNO-arts door gelopen, tussen de meubels door die onder gele doodshoezen staan te vergaan en langs spiegels met kwiktranen die dode hazen en patrijzen weerspiegelen tussen druiventrossen en opengekliefde watermeloenen, hij is de donkere gang ingegaan tot voorbij het groene gordijn en met stille voetstappen bij de ronde tafel en de twee rieten leunstoelen gekomen die nu leeg onder het raam staan dat een vale schemering aan het eind van september omlijst. Het eerste wat hij heeft gezien, is de aansteker, rechtop op het witte tafelkleed en opnieuw glimmend met zijn valse gouden schijn, dan het colbert van de inspecteur dat over de rug van een stoel hangt, de op een kier staande slaapkamerdeur en ten slotte, op de grond, voor de stoel waarop zij altijd zit, de teil water en haar gloednieuwe pantoffels.

De matglazen slaapkamerdeur gaat iets verder open zodra hij die met zijn vingertoppen aanraakt. De roodharige ligt op bed met een grijs vest over haar werkjas met verschoten klaprozen, zonder schoenen en met een hand stijf op haar buik, en de inspecteur zit op een stoel naast haar, hij ondersteunt haar nek met zijn ene hand, terwijl hij met de andere een glas water bij haar lippen houdt. Nadat ze gedronken heeft, doet ze haar ogen dicht en haalt hij zijn hand zachtjes weg; geen van beiden zegt iets.

'Wat is er aan de hand, mam?'

'Dag jongen,' glimlacht ze flauwtjes. 'Het is niets... Wil je mijn koffie even halen? Die staat op de ronde tafel.'

Met het glas nog in zijn hand staat de inspecteur op. 'Luister maar niet naar haar,' zegt hij. 'Je kunt beter de dokter gaan halen.'

'Het gaat best met me, jongen, schrik maar niet.' Ze komt iets overeind en verschuift het kussen in haar rug. 'Het gaat wel over als ik een paar slokken koffie heb gedronken...'

'Geen koffie meer,' valt de inspecteur haar in de rede. 'Nu even niet.'

David kromt zijn hand achter zijn rug, alsof hij de Dupont al vastheeft. 'Ik zal het meteen doen, mama.'

'Nee, jongen. Blijf hier,' zegt de politieman met nadruk.

Zonder zich iets van hem aan te trekken, draait David zich om en loopt snel naar de eetkamer. Hij pakt het kopje met het schoteltje en pakt in het voorbijgaan ook de aansteker, of beter gezegd, hij grijpt hem, houdt hem vast als was het een wapen, en terug bij de slaapkamer blijft hij even staan luisteren voordat hij naar binnen gaat, in verwarring bedenkt hij dat die twee daar binnen merkwaardig stil zijn, zij ligt op bed en hij staat naast haar met het glas water in zijn hand, hij willigt haar wensen in en waakt over haar gezondheid terwijl hij zijn aanvechtingen in toom houdt. En door die stilte heen vangt David een onrust op waardoor het gesuis in zijn oren nog in kracht toeneemt. Waarom zijn ze zo stil, vooral zij?

Sinds pappa bij ons weg is, heeft zij met geen enkele man meer zo'n stilte gedeeld. Aan het begin verliepen hun contacten niet zo. Wanneer ze in de loop van vele middagen met zijn tweeën om de ronde tafel koffie zaten te drinken en zij er op aandringen van de inspecteur in had toegestemd over zichzelf te praten – alleen maar om niet onbeleefd te lijken of ondankbaar voor zijn geschenken en attenties, zo had ze zich aanvankelijk verontschuldigd –, babbelend over bepaalde kanten van haar werk als naaister bijvoorbeeld, over haar zwangerschap of haar kwaaltjes, of over wat dan ook, mits hij haar maar toestond het onderwerp Víctor Bartra en diens eeuwige dispuut met de justitie aan te kaarten, was er altijd wel een moment geweest waarop zij, waarschijnlijk doordat de conversatie tijdelijk op dood spoor kwam, plotseling zweeg en een wederzijdse stilte toeliet: Joost mag weten welk gevoel dat er gevaar dreigde, wellicht dat er onheil op komst was of de dood op de loer lag, haar ertoe bracht te zwijgen. Maar deze stilte nu in de slaapkamer, dat weet David heel goed, is niet de opgelaten stilte van twee mensen die elkaar opeens niets meer te melden hebben, allesbehalve: die doet veeleer denken aan het soort gêne die wordt ingegeven door het vele dat ze elkaar zouden kunnen zeggen, maar toch zwijgen ze.

Hij gaat het vertrek in en loopt naar mamma, geeft haar het kopje koffie aan en draait zich dan met de Dupont als een talisman stevig in zijn hand gedrukt naar de inspecteur. Het heimelijke avontuur nadert zijn einde, en David weet het. Slechts gewapend met een nepaansteker en bluf, maar ervan overtuigd dat hij de echte waarheid en het gelijk aan zijn kant heeft, staat hij eindelijk daar, gereed om de rechercheur het laatste zetje te geven, vastbesloten en brutaal, zonder enig uiterlijk teken van het fatalisme en de wanhoop die zijn tragisch lot zes jaar later zouden bezegelen.

'Ik zie dat uw aansteker ten slotte toch weer is opgedoken,' zegt hij. 'Waar lag hij?' En zijn vingers met bruine nagels gaan langzaam open en laten de Dupont in zijn handpalm zien. Hij pakt hem beet, klapt het deksel open en wrijft met een krachtige duimbeweging over het geribbelde wieltje; de vlam schiet omhoog, hij kijkt er even naar en laat het deksel dan met zijn wijsvinger weer dichtklappen. Plonk. Voor de tweede keer bekruipt hem dezelfde grimmige gedachte: in zekere zin is het dichtklappen van het deksel met je vinger hetzelfde als de trekker overhalen. Hij legt de aansteker op het nachtkastje en zegt: 'Wat een bof. Waar lag hij? Hier in huis?'

Er komt heel even een plotselinge zenuwtrek, die mamma niet ontgaat, op het uitdrukkingloze gelaat van inspecteur Galván. 'Daar hebben we het later wel over, als je het niet erg vindt. Je moeder voelt zich niet lekker.'

'Vertelt ú haar wat er gebeurd is, of zal ík het doen?'

'Wat is er, jongen?' vraagt zij met zwakke maar montere stem. 'De inspecteur heeft nooit gedacht dat jij hem had weggepakt... Dat heeft hij me net verteld. Hij had hem in een café laten liggen en een vriend van hem heeft hem gevonden.'

'Heeft hij je dat verteld? Nou, weet je, toevallig ken ik degene die hem echt heeft gevonden, en die heeft me heel iets anders verteld.' Met een schalkse grijns om zijn mond en een zijdelingse blik op de inspecteur begint hij zijn hersenschim in woorden om te zetten. 'Hij heeft deze aansteker in de rivierbedding verloren op de dag waarop hij Chispa had meegenomen. Een meisje dat daar voorbijfietste heeft het gezien.'

'Wat heeft ze gezien?' Met haar rug tegen het hoofdeind van het bed geleund houdt mamma het koffiekopje in beide handen, alsof ze bang is dat het haar wordt afgepakt. 'Waar heb je het over, David?'

'De bwana weet wel waar ik het over heb. Goh,' zegt hij terwijl hij de inspecteur blijft aankijken, 'heeft die vriend van u, die smeris, u niet gezegd wie de aansteker heeft gevonden? Heeft hij niet gezegd dat het een meisje was dat een week geleden naar de Sky Bar was gekomen? Ze hoopte u daar te vinden. Heeft die dikke met zijn gebroken vinger u dat niet verteld? Of die ander, die dunne...?'

Het kan niet anders, denkt David vlug, of een van die twee klootzakken heeft hem de aansteker gegeven en daarbij verteld wie hem had gevonden, en ook waar en op welk moment, vlak nadat ze hem een hond met een gat in zijn kop had zien begraven – het was erg belangrijk dat ze hem dat gezegd zouden hebben –, al viel het niet te verwachten dat ze het ook over die smerige streek zouden hebben gehad die ze het meisje hadden geflikt dat de Dupont kwam brengen.

Ondertussen kijkt de inspecteur hem zwijgend aan, er ligt een grijns op zijn tronie waar grote nieuwsgierigheid en een verwensing achter schuilgaat. 'Ja, dat heb ik van onderinspecteur Tejada begrepen,' zegt hij. 'Maar hoe weet jij dat?'

'Dat meisje heeft het me verteld.'

'Voor zover ik weet, heeft ze alleen maar nonsens verkocht. Ze kent me helemaal niet.'

'O nee? En hoe wist zij dan dat de aansteker die ze had gevonden van u was, als ze u helemaal niet kent? En hoe valt het dan te verklaren dat ze u in dat café ging zoeken, ik bedoel, hoe kon ze dan weten dat u een smeris bent en dat ze u in dat smerissencafé kon vinden...?'

'Jongen, alsjeblieft,' onderbreekt mamma hem.

De laatste vragen heeft David gesteld met zijn blik niet meer op de inspecteur maar op de roodharige, en met de handen in zijn zij: hij is even benieuwd naar haar reactie als naar die van de inspecteur.

'Toen ze me namelijk de Dupont liet zien,' gaat David verder, 'zei ik tegen haar: ik ken de man die hem is kwijtgeraakt, dat is een vriend van mijn moeder, hij werkt op het hoofdbureau aan de Vía Layetana. Geef mij die aansteker maar, dan bezorg ik hem wel terug. Maar dat wilde ze niet, ze vertrouwde me niet. En toen heeft ze me verteld hoe ze hem in de rivierbedding had gevonden... Ik ken dat meisje omdat ik haar weleens voorbij heb zien fietsen, mam. Ze zei dat ze de inspecteur een kuil had zien graven...'

'Wat wil je toch, David, wat heb je ons te vertellen?' onderbreekt mamma hem weer met verdrietige blik. 'Kom eens hier en geef me een hand, ik ga opstaan.'

'Dat kun je beter niet doen. Wacht nog even,' zegt de inspecteur.

'Ik voel me veel beter...'

'Mag ik het je nou vertellen of niet, mam?' smeekt David.

Even blijft ze de inspecteur aankijken, die met zijn handen in zijn zakken en een strenge blik bij het voeteneind blijft staan, en dan kijkt ze naar David. Ze leunt weer achterover tegen het kussen op het hoofdeind en legt haar handen, die ze kalm om het kopje koffie houdt, rustig op haar schoot. 'Goed dan,' zegt ze. 'Ik luister.'

En David vertelt ongeveer hetzelfde als Amanda de onderinspecteurs aan de bar van de Sky heeft verteld: dat het fietsende meisje het schot had gehoord en hem daarna met de spade en de dode hond naast zich in de rivierbedding had gezien, en dat hij, toen ze daar later weer langsreed, inmiddels weg was en dat ze toen de aansteker had gevonden; dat onze Chispa het nooit tot de dierenarts had gebracht, niet levend en niet dood... Ik wil niet beweren dat hij hem van ons huis heeft meegenomen met de bedoeling om hem af te maken, dat niet, mam, maar doordat het arme beest niet meer kon lopen en zich ook niet aan de riem liet meeslepen, daardoor raakte de inspecteur zijn geduld kwijt en heeft hij hem met een schot afgemaakt; hij zal gedacht hebben dat hij hem uiteindelijk toch zou moeten afmaken, dus zo was het minder lastig. Nog voordat David zijn verhaal heeft afgerond, vraagt hij zich al af waarom de inspecteur hem niet onderbreekt, waarom hij niet reageert; hij had op een woede-uitbarsting gerekend en op een hele serie vragen in de trant van, waar komt die bedriegster verdomme opeens vandaan, en wat heb jij met haar te maken, en waar kan ik haar vinden, wat wil ze met deze belachelijke lasterpraat, waarom haal je haar niet hierheen, dan wil ik weleens zien of ze dat recht in mijn gezicht durft te herhalen, enzovoort. Maar verrassenderwijs houdt de inspecteur zijn mond en laat hij hem praten. Onbeweeglijk aan het voeteneind, een hand steunend op de naaiplank en de andere in zijn broekzak, kijkt hij David met ijzige ogen onderzoekend aan en om zijn gespierde mond ligt een onwaarneembare glimlach. 'Dat is het toppunt,' mompelt hij op een bepaald moment. De glimlach om zijn fijne lippen lijkt wel een worm die zich in beweging zet. Het residu in zijn keel is waarschijnlijk nog steeds woedend deeg aan het kneden, maar zijn ogen verraden hooguit iets van minachtende ergernis. 'Wat is er mis met je, knaap, we hebben toch wel heel wat betere leugens van je gehoord.' En met zijn blik op haar gericht: 'Die verzinsels geloof je toch zeker niet?'

De roodharige neemt een slok koffie, ze blijft David aankijken. Ze heeft aandachtiger naar Davids vurige leugen geluisterd dan naar de reactie van de inspecteur, die nu met een hand door zijn haar strijkt en door de kamer begint te ijsberen. 'Je zou je moeder een hoop verdriet besparen als je zulke flauwekul voor je hield,' gromt hij. 'Ben ik duidelijk?'

'Ik wil nu direct met je praten, David,' zegt mamma. 'Geef mijn pantoffels eens aan.' En tegen de inspecteur: 'Wil je alsjeblieft een handdoek voor me uit de badkamer halen? Ik heb ijsvoeten. Neem dan meteen de teil mee en gooi het water even weg...'

Met bedaarde bewegingen pakt de inspecteur het koffiekopje uit mamma's handen; alvorens de kamer uit te gaan, draait hij zich om en kijkt David even aan. Het is een blik waar geen wrok uit spreekt, maar eerder iets samenzweerderigs. Als hij weg is, gaat mamma op de bed-rand zitten, ze zet haar voeten op het versleten matje op de grond en terwijl ze haar vest uittrekt, beduidt ze David dat hij bij haar moet komen zitten. 'Vertel me nu eens wat dat verhaal van je allemaal te betekenen heeft en waar je op uit bent.' Alsof ze al haar geduld en kalmte verzamelt, legt ze haar handen weer stil op haar schoot. 'Zeker weer zo'n fantasie van je.'

'Waarom vraag je het niet aan hem?'

'Ik vraag het aan jou.'

David weerstaat haar blik maar aarzelt even voor hij antwoordt. 'Dat heeft dat meisje me verteld. Als je wilt dat ik haar ga halen...'

'Dat heb ik je niet gevraagd.'

'Dan moet je me geloven. Het is de waarheid,' houdt David vol. 'Hij heeft mijn hond op een gemene manier afgemaakt.'

Ze pakt zijn hand en kijkt hem een hele tijd met fonkelende ogen aan, ze probeert hem te begrijpen. Ten slotte zegt ze: 'Hoe kun je zoiets van inspecteur Galván denken, jongen? Waarom zou hij dat doen?'

'Daarom. Jij weet niet...' begint David fluisterend, maar dan stopt hij.

'Wat? Vertel het mamma dan, toe maar.'

'Je hebt het niet door. Ook al brengt hij lekkere dingen voor ons mee, houdt hij je gezelschap en vind jij hem aardig, want je vindt hem heel aardig, toch?, het is geen goed mens. Dat lijkt hij wel als hij hier komt, als hij hier met jou koffie zit te drinken, je aankijkt en vraagt hoe het nu met je gaat, als hij je zegt dat je niet zoveel moet roken en dit niet moet doen en dat niet, als hij je je medicijnen geeft en rozen voor je meeneemt...' En zachter, met een poeslief stemmetje: 'Hij lijkt het, mam, maar het is geen goed mens. Dat is hij niet.'

Zijn ogen en zijn fluisterende stem lijken een smeekbede te herbergen, die zij zoals altijd opmerkt en gevoelsmatig interpreteert. Op een bepaalde manier snuift ze de geur van de waarheid op, ook al sporen de feiten daar niet mee. En deze keer is het raak. Nu weet ik dat de jarenlang ondergane en zonder verbittering door beiden aanvaarde eenzaamheid en armoede bepalend zijn geweest voor mamma's gevoeligheid, haar heimelijke harmonie met de wereld, en daarmee ook voor haar romantische verdoving en weerbarstige seksualiteit; dat denk ik telkens wanneer ik me hulpeloos voel, eenzaam tegenover elk raadsel van het leven, en om die gedachte te bezweren schiet zij me te hulp met haar weerloosheid en haar kracht. Ook David heeft die tegenstelling op zijn manier overgenomen: alsof hij wist dat de waarheid niet bestaat, dat slechts het verlangen bestaat om die te ontdekken, vocht hij niet tegen de waarheid zelf maar tegen haar broze verschijningsvorm.

'Goed,' zegt mamma terwijl ze zijn hand loslaat. 'Geef me mijn pantoffels en ga een poosje naar buiten.'

'Naar buiten? Waarom?'

'Omdat de inspecteur en ik even moeten praten. Doe wat ik je zeg.'

Als de diender weer met de handdoek bij haar komt, treft hij haar op een stoel aan het werkblad vol patronen en lapjes, met haarspelden in haar mond en haar blote armen omhoog, ze schikt de rode gloed van haar haren. Zo is David bij haar weggegaan, met tegenzin heeft hij de nachtdeur genomen, want door die deur komt en gaat de inspecteur altijd en hij wil hem zien wanneer hij vertrekt. Hij blijft rondhangen bij het ravijn, waar om die tijd de vleermuizen al rondvliegen; hij loopt kriskras door de bedding. Hij denkt aan de hagedissen die nu onder de warme stenen slapen, veilig voor toeslaande scheermessen, hij haalt zich Paulino's loensende, in sprakeloos geduld verzonken ogen voor de geest, zijn hopeloos bloedende aambeien op een strozak in het Durán, en hij voelt de koude snuit van Chispa, die zijn bestaan rekt, aangeschurkt tegen zijn pijnlijke enkels, snuffelend aan geursporen van schrammen en jodiumtinctuur. Rustig maar, dapper hondje, nu moeten we afwachten, fluistert hij terwijl hij naar de deur blijft kijken, spiedend in de schaduw. Maar nu hebben we hem te pakken, we hebben hem...

Bijna een uur later gaat de deur open en komt de inspecteur naar buiten, zijn colbert in zijn hand op een hem vreemde, slordige manier. De roodharige is niet zoals anders meegelopen om hem uit te laten en de deur dicht te doen, dus doet hij dat zelf; hij blijft voor de deur staan, haalt de flacon met brandy uit zijn achterzak, neemt een slok, stopt hem weer weg en terwijl hij de drie treden af gaat, knoopt hij zijn jasje dicht, zijn ogen staren naar de grond en hij krabt zich op zijn hoofd. Hij lijkt aangedaan, verward, je zou zeggen dat hij net een klap op zijn hoofd heeft gehad. Hij staat nog op het stoepje, met een blik die, om met David te spreken, niemand zou kunnen ontraadselen, hij doet de laatste knopen dicht en zet zich weer in beweging, langzaam loopt hij het pad af langs het ravijn, de handen in zijn broekzakken, de rug recht, zoals altijd.

Die avond zal mamma hem evenmin als de volgende dag en die daarna vertellen wat zij en inspecteur Galván hebben besproken, en waar mijn broer aan de rand van het ravijn ongeduldig op heeft zitten wachten, waar hij drie maanden lang het hevigst naar heeft verlangd, het moment waarop hij de ontmaskering van de inspecteur kon aanschouwen, waarop die het huis en mamma's leven uitgezet zou worden omdat hij eindelijk tegenover haar in zijn ware gedaante te kijk stond, als huichelachtige bedrieger en moordzuchtige smeris, die wens zal maar half in vervulling gaan, al zullen de gevolgen even noodlottig blijken.

Diepbedroefd en onwillig om de kwestie weer aan te roeren, vanwege de stroomrantsoenering naaiend bij het licht van een kaars, laat ze alleen maar los – en dan alleen nog om verdere vragen van David te voorkomen en hem eindelijk naar bed te laten gaan – dat inspecteur Galván niet meer bij hen thuis zal komen, voorlopig.

'Wat bedoel je met voorlopig?'

'Gewoon, in ieder geval een tijdje.'

'In ieder geval hoe lang?'

'Dat zien we nog wel.'

'Heb jij dat besloten?'

'Ja.'

'En wat gebeurt er nu verder? Komt hij je geen spullen meer brengen?'

'Wat doet dat er nou toe?' Ze kijkt hem strak aan en zegt dan: 'Jij baart me nu meer zorgen.'

'Je moet maar denken aan wat ik je heb verteld...'

'Ik denk aan een heleboel, jongen. Maar vooral aan jou.'

Inderdaad laat inspecteur Galván zich niet zien, tot de eerste week van november, onverwachts en in een situatie waarvan David zelf later diepe spijt zal krijgen. Niet alleen komt hij de dagen na Davids uitgebrachte beschuldiging niet meer in de buurt van ons huis, maar hij laat zich een week of drie, vier ook bijna niet meer in onze wijk zien, tot hij ten slotte regelmatig in een aantal cafés opduikt, waar hij langer blijft hangen dan goed voor hem is. Hij praat bijna nooit met iemand, en als hij dat doet, dan is het om telkens hetzelfde verhaal op te hangen, over zijn vroegere beroep van wijnproever, waardoor de spot van de stamgasten zijn deel wordt, en een enkele woordenwisseling. De eenzaamheid en de aftakeling zetten met rasse schreden en duidelijk waarneembaar in, hij lijkt wel een ander mens en ik vraag me nog steeds af waarom hij geen enkele poging heeft gedaan om Davids smadelijke lasterpraat tegen te spreken en de achting en waardering van de roodharige terug te winnen. Alles wijst erop dat hij zijn beroepsplichten met de dag meer verzaakt en waarschijnlijk hebben zijn superieuren, de leiding van de Brigade, naar aanleiding daarvan al maatregelen genomen, want een vertegenwoordiger van de wet en het gezag die geen respect afdwingt, het spijt me ontzettend dat ik het moet zeggen, kindje – woorden van de bloemiste in haar zaak aan de Calle Cerdeña, terwijl ze een snikkend meisje in haar armen heeft dat niemand anders dan de dochter van de inspecteur kan zijn –, een ambtenaar van politie die een slecht voorbeeld geeft in cafés en die zich niet eens in zijn eigen huis weet te gedragen, zo iemand, hoeveel verdriet hij ook heeft, ook al hebben ze een droom van hem kapotgemaakt, want ik weet wel wat er met die man aan de hand is, ik weet best dat hij nu weer een gebroken hart heeft, moge de Heer zich over hem ontfermen...

Zeggen ze dat, moge de Heer zich over hem ontfermen?, denkt de roodharige zonder van iemand antwoord te verwachten, zonder te stoppen met trappen op de naaimachine, ze stikt en zoomt geduldig haar lapje eenzaamheid af, ze heeft geen schoenen aan, de dikke witte sokken sluiten nauw om haar opgezette enkels en haar voeten bewegen onophoudelijk, als twee duiven die hun vlucht niet op elkaar kunnen afstemmen. Als David thuis zou zijn, zou ze het aan hem vragen, hij heeft zeker wel het een en ander gehoord, maar David heeft net de studio van fotograaf Marimón verlaten, nu moet hij het materiaal van twee doopplechtigheden en een trouwerij ontwikkelen en hij zal pas laat thuiskomen.

Ongeveer om diezelfde tijd, halfdrie of drie uur 's middags op die nevelige en koude woensdag in november, zit inspecteur Galván met zijn ellebogen op de tapkast van een kroegje niet ver van ons huis, op het punt voor de zoveelste keer tegen wie het maar horen wil te herhalen dat het zo langzaamaan tijd is om mevrouw Bartra weer op te zoeken. 'Geef me een kop koffie en zeg me wat je van me krijgt. Ik stap nu gelijk op, hoor je?, ik heb lang genoeg gewacht... Moet je nagaan, ik had al zeker een week geleden bij haar langs moeten gaan.'

'Met de koffie komt het op zeven en een halve peseta,' zegt de kroegbaas nadat hij de wijnglazen heeft geteld. 'Alstublieft,' hij schuift de koffie naar hem toe met op het schoteltje één suikerklontje, maar voordat hij zijn hand kan wegtrekken, grijpt die van de inspecteur als de snavel van een roofvogel zijn pols. 'Twee klontjes, Amadeo, twee! Weet je dat nou nog niet, of ben je zo verdomd gierig?' zegt hij zonder hem los te laten. 'Ik heb altijd al twee klontjes in mijn koffie gedaan, hoor je?!'

'Ik had er geen erg in, neemt u me niet kwalijk, don Manuel...' En in de hand die op de zijne brandt, in de woede die het kloppende bloed hem doorgeeft, bespeurt de kastelein vaag welke persoonlijke hel die man moet doormaken. Maar de inspecteur is geen ruziezoeker, dat is hij nooit geweest en dat is hij nog niet. 'Ik was het vergeten. Zo, twee klontjes, alles in orde.'

'Oké, al goed... Hoe laat is het? Bijna drie uur? Ik smeer hem, ik word verwacht...'

Maar hij laat de middag verstrijken met aankondigingen van zijn vertrek, de avond valt en hij zit er nog steeds, neemt afwisselend wijn en koffie en als hij eindelijk de knoop doorhakt, zegt hij dat niet maar legt hij eenvoudigweg zijn vlakke hand op het glas als om het tot zwijgen te brengen, betaalt met zijn andere hand en verlaat de kroeg met krachtige, vastberaden tred. Met achter hem de avondhemel ziet hij de eerste ontstoken lantaarns aan de overkant van de Plaza Sanllehy, hij hoort de kettingen van fietsen die zich om deze tijd over de weg omlaag laten glijden, de stemmen en vrolijke gilletjes van de meisjes die uit een geneesmiddelenlab komen, ziet dan het sombere ravijn weer onder het dwangmatig gesponnen web van vleermuizen en direct daarna de deur met de klopper van de villa. Zijn voet schuift aarzelend de drie verbrokkelde treden op en hij glijdt weg. De deur die vroeger nooit op slot werd gedaan, is dat nu wel, zodat hij zich genoopt ziet een grote omweg te maken, eerst weer een stuk langs de bedding omhoog, dan van bovenaf het geliefde steegje in en naar beneden tot aan de kleine dagdeur, bewaakt door de margrietenstruik, die intussen gesnoeid is en kleurloos. Het licht in de hal-eetkamer knippert onregelmatig, zoals wanneer een lamp niet goed zit vastgedraaid. Hij loopt gedecideerd verder en vlak voordat hij bij de deur is, krijgt hij opeens het voorgevoel dat hij te laat is. Hij trapt op de margrietenstoppels om bij het raam te komen en ziet de roodharige op haar zij op de grond liggen, ze is naast de naaimachine gevallen. Ze heeft haar werkjas aan, haar arm ligt languit met een pantoffel in haar hand. Ze ligt daar roerloos, maar de inspecteur ziet lichte stuiptrekkingen in die hand en daarom stormt hij onmiddellijk naar de deur en drukt aan één stuk door op de bel, al vermoedt hij dat David er niet is. Met al zijn kracht slaat hij tegen de deur en dan ook tegen het raam om het open te krijgen, en direct daarop breekt hij de ruit met zijn elleboog, steekt zijn hand naar binnen, maakt het van de binnenkant open, werpt zijn trenchcoat af en springt naar binnen. De stuiptrekkingen houden even op als hij probeert haar te reanimeren, met bolle wangen en haar naam roepend, geknield naast haar, de angst slaat hem om het hart als hij haar ogen en sterk opgezwollen lippen ziet, dan geeft hij zijn pogingen op, neemt haar in zijn armen, doet de deur open en gaat de steeg in, schreeuwend om een auto of een taxi, maar hij verwacht geen enkele hulp en blijft rennen. Er verschijnen wat buren, die hem steels een hoek zien omslaan in de richting van de Avenida, waar hij een auto aanhoudt, zich als politieman legitimeert en de geschrokken bestuurder opdracht geeft spoorslags naar de kraamkliniek te rijden. Tijdens de rit lijkt ze bij bewustzijn te komen, maar even later beginnen de stuiptrekkingen weer en zo zal ze een kwartier later de operatiekamer ingaan, al bijna in coma.

Ik ben nog niet geboren en ik ga al dood. Hoe vaak zou ik er in de loop van mijn leven geen spijt van hebben dat zij me die nacht niet met zich heeft meegenomen, lekker toegedekt door de geheime, romantische illusie van die door represailles getroffen voormalige onderwijzeres, door die argeloze wensdroom die ik zeven maanden lang voor haar ben geweest, een schaduw in haar baarmoeder met een pen in mijn hand. Kom eruit en vertel op, zou ze gezegd hebben, als ze dat had gekund. Destijds hadden de sterren mijn moeder voorzegd dat David het teken was dat de schandelijke maskerade der komende tijden aankondigde, en dat ik daarentegen het teken zou zijn van een stralende, waarachtige getuigenis, maar de waarheid is dat, nu ik mezelf zo tegendraads en rampzalig op deze wereld zie komen, nu ik zie hoe zij doodbloedt en ons in deze slecht uitgeruste en smerige operatiekamer onherroepelijk zal ontvallen, niemand zoiets zou hebben voorspeld. Ik ben te vroeg geboren, blauw door de cyanose en minder wegend dan een mug, met hersenletsel waardoor ik god weet hoeveel jaar bedlegerig zal zijn en eruit zal zien als een wolfsjong om je een ongeluk van te schrikken. Drie maanden lang zullen mijn tere pootjes letterlijk in de watten worden gelegd.

'Ik zorg wel voor de baby, als hij het tenminste haalt, en ook voor zijn broer; vannacht slaap je bij mij thuis, David,' beslist tante Lola zodra ze door de dokter op de hoogte is gesteld, want van de inspecteur, die er wel verantwoordelijk voor is dat ze haar hebben gewaarschuwd en van huis opgehaald, krijgt ze geen woord los.

Uiteindelijk gaat alles heel snel. De roodharige ligt nog onder een laken, in de operatiekamer. En op de gang, steeds een meter voor oom Pau, die in zijn strakke trambestuurdersuniform geperst en met de conducteurstas schuin over zijn borst geen mond opendoet en duidelijk geëmotioneerd is, vervult tante Lola de droevigste formaliteiten en neemt ze de nodige beslissingen, met bedrukt en weinig vriendelijk gezicht maar zonder aarzelen en zonder ook maar een traan te laten. Ze staat sinds ze is gearriveerd bij de deur van de operatiekamer, in haar oude manteltje met grijze omslag en met haar zwartfluwelen handtas met goudkleurige metalen knip die het geluid maakt van een pistoolschot, ze luistert naar de uitleg van de chirurg – de prognose was al rampzalig, mevrouw Ribas, al voordat ze op de operatietafel lag – en leent het oor aan de suggesties van een pastoor ten aanzien van de kerkdienst; al die tijd kan ze van nabij gadeslaan hoe ontredderd en verslagen die man op dat bankje in de gang zit, dezelfde man die haar tijden geleden heeft ondervraagd over de verblijfplaats van haar zwager Víctor. De laatste tijd was haar wel iets ter ore gekomen over de onbezonnen toenaderingspogingen van een politieman jegens haar zus, geruchten die slechts een bevestiging vormden van wat zij altijd al had gedacht van wat zij Rosa's libertaire dwaasheden noemde en van de rampspoed en calamiteiten die ze door haar ongelukkige huwelijk over zich had afgeroepen, maar nu bleef ze liever buiten die kwestie en ging ze elke vorm van vertrouwelijkheid met die meneer maar uit de weg.

De inspecteur doet zijn best rustig en gezeglijk over te komen als hij een verpleegster vraagt of hij de operatiekamer in mag, maar zij zegt: nu niet, alstublieft. Oom en tante handelen op een kantoor nog wat administratieve zaken af. Op de verlaten gang staat David met zijn rug tegen de muur geleund te wachten en stilletjes te huilen, terwijl de inspecteur met gebogen hoofd en de ellebogen op zijn knieën op een bank tegenover hem zit, totaal geen oog voor Davids verdriet heeft maar lange tijd naar de plavuizen staart; dan draait hij zich even om en kijkt hem van opzij aan, met een mengeling van wanhoop en bedaarde arrogantie; in zijn hoofd tolt als bezeten één enkel woord rond.

Als David het voor het eerst hoort, zegt dat woord hem niets: eclampsie. Op zijn gebruikelijke manier, opportuun en fatalistisch, zal hij er pas lange tijd later in slagen een direct verband te leggen tussen mijn wording en haar dood, en zelfs dan zal bitter schuldbesef aan zijn geweten blijven knagen, want nooit zal hij de gedachte uit zijn hoofd kunnen zetten dat toen mamma die aanval kreeg ze alleen thuis was, en dat als inspecteur Galván daar had kunnen zijn en haar zoals zo vaak gezelschap had gehouden, samen babbelend en koffie met suikerklontjes drinkend, met zijn sigaretten die hij haar soms weigerde, zijn vergulde Dupont en zijn vervloekte witte roos, als ze samen verder hadden kunnen praten over pappa, de burgeroorlog, haar kwalen, over van alles of nergens over, als die man simpelweg op het tijdstip dat hij gewoon was bij haar had kunnen verschijnen, als hij hem niet zo wraakzuchtig had beschuldigd, zou de roodharige op tijd hulp en medische verzorging hebben gekregen en vast nog leven. Ziehier de triest waarheid. Niemand, zelfs inspecteur Galván niet, had kunnen bevroeden hoe David daaronder gebukt ging, en er moesten nog jaren vol ellende voorbijgaan, plus een stel lege trams – om het op pappa's manier te zeggen –, voordat ik dat zelf zou beseffen.

Als David opkijkt, merkt hij dat de inspecteur nog steeds op het bankje zit en dat zijn hand in zijn achterzak naar de flacon met brandy graaft; met lenige, verrassend vlugge vingers schroeft de politieman het dopje eraf en zet hij de tuit aan zijn lippen, maar opeens verstart hij en de slok wordt uitgesteld. David wendt zijn hoofd af en als hij het vrijwel direct daarna – er zijn hooguit een paar tellen verstreken – weer die kant op draait om nogmaals naar hem te kijken, is het bankje waar de inspecteur zat leeg en zwaaien de klapdeuren van de operatiekamer daarnaast heen en weer; als de ene naar voren zwaait, gaat de ander juist naar achteren, ze verliezen vaart maar sluiten niet op gelijke hoogte.

Terug naar het ravijn

Nu moet ik mijn van bloed gespeende geheugen een soort achterwaartse salto laten uitvoeren, een schijnkoprol. Het is niet een van mijn vele ruggelings in de baarmoeder uitgehaalde kwajongensstreken, die tot nu toe slechts ten doel hadden me beter in de placenta van deze geschiedenis te nestelen, maar ik wil me mezelf, de door de sterren uitverkorene, jaren later ten tonele voeren, in een tot armoede vervallen woning bij de Puente de Vallcarca, bedlegerig en opgescheept met de naweeën van een voortijdige geboorte. Net zes jaar oud en meestal nog opgerold als een foetus zie ik mezelf omringd met foto's van trams in oude schoolschriften krabbelen, met een zwart potlood en wazige blik. Lucía, de jongste dochter van tante Lola, is twee jaar en ze speelt met een lappenpop aan mijn voeteneind. Ik word verzorgd door oom en tante, door mijn al achttienjarige nicht Fátima en vooral door David, die binnenkort twintig wordt en nu hele dagen voor Marimón werkt, de portretfotograaf die het enorm voor de wind is gegaan en die een fotostudio heeft en een zaak aan de Rambla del Prat.

De eerste drie jaar na de dood van de roodharige is er geen land met David te bezeilen; nu staat hij op het punt zijn vriend Paulino op te zoeken in het tuchthuis. Een eenzame ruziezoeker, altijd betrokken bij opstootjes in de buurt, is hij lange tijd een jongen die nergens voor deugt, en dat hij zijn baan niet kwijtraakt, is te danken aan de goede diensten en de vasthoudendheid van tante Lola, die haar uiterste best doet hem op het rechte pad te krijgen. Aan de andere kant komt hij, althans tijdelijk, aardig tot bedaren door de lieve, rustige medewerking van nicht Fátima aan zijn eerste heimelijke liefdesavonturen. Maar niemand had kunnen denken dat hij uitgerekend door zijn werk voor zijn eigen razernij zou worden behoed.

In de fotostudio leert David de techniek om portretten ter verfraaiing van het model te retoucheren, en naar het oordeel van meneer Marimón zelf is zijn bekwaamheid bij dat karwei, het retoucheren, opmerkelijk; hij verstaat de kunst om de glimlach van pasgetrouwden op hun huwelijksdag stralender en aantrekkelijker te maken, hun wimpers langer en zijdeachtiger, de blik van jongetjes en meisjes die in hun communiekleren poseren onschuldiger en de huid van minder bevallige jongedames fijner of hun haakneus rechter. Als die werkzaamheden hem na een tijdje echter beginnen te vervelen, verlegt hij zijn belangstelling naar de fotoreportage, het met zijn eigen aftandse Voigtländer vangen van de werkelijkheid van de straat en die ongepolijst ontwikkelen zonder de negatieven met een scherpe pen te moeten retoucheren. Naar zeggen van onze nicht Fátima, die altijd een beetje gek op David is geweest, is deze achter zijn ware roeping gekomen toen hij foto's van haar maakte, na zich een tijdje kort maar hevig op de kunstfotografie te hebben toegelegd, een eenzame en wezenloze bezigheid waarvan de opmerkelijkste resultaten werden gevormd door een dozijn kiekjes op het strand en thuis – Fátima naakt op mijn bed zittend, met haar neus in een witte roos; die foto bewaar ik tussen de bladzijden van een boek – en vooral een aantal dat hij op een ochtend in de Guinardó maakte, toen hij daar al urenlang met het fototoestel om zijn nek naïef op zoek naar iets onverwachts had rondgedoold.

Het was een loodgrijze, doodstille zondag in september toen hij op het idee kwam naar het ravijn te gaan en wat foto's te maken van de villa met de dichtgemetselde ramen, van de kleine deur van de voormalige praktijk en van de rivierbedding, die er nu nog troostelozer bij lag, nog voller met stenen. De laatste stortregens hadden nieuwe, ragfijne witte zandtongen in de bedding gevormd, en tussen de modder lag allerlei vuilnis dat David vanuit de vreemdste en onnatuurlijkste hoeken fotografeerde: een soldatenlaars met een grijnzend gebit van kromme spijkers, de kale, gebutste kop van een pop zonder ogen die naar de hemel staarde zoals een aardappel misschien zou doen, een opgerolde riem of ceintuur die zo door het vocht was aangetast dat het eerder een slangenhuid leek, de stijve poten van een half begraven vogel die de hemel krabden, de halve wijzerplaat van een wandklok waarop een slak over de cijfers kroop... In al dat afval, in elk voorwerp speurt het oog van de camera van heel nabij naar een verborgen identiteit, die het ook weet te vinden, aanraakt en opnieuw bedenkt, herschept met voorbijgaan aan de bijzondere geschiedenis waar de onttakelde, afgedankte staat wellicht op duidt. Foto's van het weinige dat nog rest van de afgekalfde hellingen en de maalstroom uit de kindertijd van het ravijn, waar zich een sediment van de tijd heeft gevormd, een reflectie van het licht die niet volledig losstaat van mijn eigen verstrijkende overpeinzingen in het holletje van mijn kussen. Er is niet één stem van de vele die ik hier heb opgetekend, niet één woord dat ik in deze oude schoolschriften heb gekrabbeld – eindeloze, symmetrische golven die een persiflage zijn van het onleesbare handschrift van een gehandicapte, zo hoor ik zeggen – of de wortels ervan liggen in die verbrokkelde, rottende rivierbedding die mijn geheugen voor de vergetelheid behoedt. Mijn potlood snelt over het papier met als enig richtsnoer de onbezoedelde instandhouding van die herinnering.

Zo was David dus tegen alle voorspellingen in – want we moeten niet vergeten dat de sterren hem niet hadden uitverkoren – op weg om een scrupuleuze bewaarder van het waarachtige te worden, een kunstenaar. Maanden later, in de eerste dagen van maart 1951, geeft hij het onnatuurlijk focussen eraan, hij schudt de technische foefjes en het zo goed geleerde retoucheerwerk van zich af en maakt zijn debuut als fotoreporter. Dat was de periode waarin alles gebeurde. Ik in bed en oom Pau naast me, glimlachend en zwijgend, met een verband om zijn voorhoofd en de trambestuurderspet scheef daarboven is hij net met mijn ontbijt binnengekomen en kijkt hij me aan terwijl hij zijn uniform dichtknoopt en aanstalten maakt om naar de remise te gaan en aan zijn dienst te beginnen. Gisteren is er een steen door de achteruit van zijn tram gegooid en een scherf heeft hem een fikse snee in zijn hoofd bezorgd; ergens in huis schreeuwt tante Lola: Ik snap niet waarom je moet gaan na wat ze je hebben geflikt, blijf toch thuis en laat ze elkaar maar afmaken, ze steken jullie trams nog in brand, ga niet, doe niet zo stom… Maar oom knoopt zijn uniformjasje rustig verder dicht en blijft met zijn dwaze grijns om zijn mond toekijken hoe ik mijn broodje tonijn opeet, dan veegt hij wat kruimels van de matras, ja, klopt, ze hebben mijn kop geraakt, fluistert hij tegen me en schenkt me zijn glimlach; zijn blik is zo eerlijk, hij gaat zo geduldig met dat invalide kind om, zijn wensen in dit leven zijn zo geruisloos, zo argeloos – van de tram naar de kroeg, van de kroeg naar huis, van huis naar de tram –, het gebeurde gisteren op de Plaza de Cataluña, vertelt hij alsof het een geheim is, er werd flink met stenen gegooid, laat tante het maar niet horen, en dat terwijl de tram leeg was, de hele dag hebben we leeg rondgereden, en toch gooiden ze stenen naar ons en scholden ze ons uit…

De staking van trampassagiers vanwege een forse tariefsverhoging zet de stad twee dagen lang op zijn kop. Meneer Marimón, die lid is van een illegale vakbond die vanaf het begin van het volksprotest heel actief is, wil per se in beeld brengen wat er in de straten van Barcelona gebeurt om dat ter publicatie toe te spelen aan de buitenlandse pers. Omdat hij weet dat David een steeds grotere voorliefde voor reportagewerk ontwikkelt, stelt hij hem zijn plan voor en draagt hem op leeg rondrijdende trams te fotograferen. Het houdt wel enig risico in, zegt hij, maar als je een goede foto weet te maken, word je misschien wel beroemd.

De volgende dag, zaterdag, gaat David met zijn Voigtländer de straat op en mengt zich tussen de demonstranten, hij krijgt klappen van knuppels en vuistslagen van de bereden politie te verduren en kan een paar keer maar juist voorkomen dat de agenten hem zijn fototoestel uit de hand rukken. Tot dan toe had hij weinig belangstelling voor de kwestie getoond en voelde hij zich met niets of niemand solidair; zwijgzaam en terughoudend als immer had hij zich thuis noch op zijn werk enige opmerking laten ontvallen ten gunste van de staking en de relletjes of daartegen, en het leek hem koud te laten hoe de uitkomst zou zijn. Koeltjes, slim en vanuit de luwte opererend met de lens onder zijn regenjas weggestopt, slaagt hij erin een rolletje vol te krijgen en diezelfde avond ontwikkelt hij het. Op alle foto's staan leeg rondrijdende trams met alleen de bestuurder en de conducteur erin, maar de belichting of de scherpte zijn niet goed genoeg en bovendien zit er geen foto bij die de door hem gewenste beweging en echtheid weergeeft.

Zondag de vierde schiet hij 's middags een volgend filmpje vol, in de omgeving van voetbalstadion Las Corts, tussen de menigte die van de wedstrijd Barça-Santander komt. Ondanks de hevige regen stapt niemand in een van de vele trams die op last van de civiele en militaire autoriteiten vanwege de verwachte grote toeloop van fans voor de stadiongangers gereedstaan. De laatste foto maakt David in een vreselijke stortbui, stevig op zijn twee benen tussen de rails, in een bocht, terwijl het licht het vallen van de avond aankondigt en heel schaars is en hij zijn regenjas ter bescherming van zijn camera over zijn hoofd heeft geslagen. Even overstemt de neergutsende regen de inmiddels voorgoed in zijn oren genestelde ketelmuziek, en iets zegt hem dat hij ditmaal midden in de roos schiet. En zo is het, ik heb de foto in mijn handen: met een spookachtig licht achter de ruiten, ietwat verwrongen en onheilspellend rijdt de tram op je af, slingerend over de rails onder een gordijn van water, omgeven door een borstelig aura en omzoomd door de onverschillige, verkleumde massa, een zee van hoofden die eromheen kolkt maar hem negeert, mensen in de greep van het noodweer, sommigen beschermen zich met een paraplu, anderen met kranten, de meesten met niets. De verlichte tram te midden van de menigte lijkt wel een spookverschijning die oprijst uit de ingewanden van een wolkbreuk.

Maar voordat hij het negatief ontwikkelt, bemerkt David als hij het diezelfde zondagavond nauwkeurig bekijkt, een wit wolkje met rafelige contouren op een van de zijramen. Bij het ontwikkelen wordt de vlek duidelijk: het is het zwarte silhouet van een zittende passagier met een hoed op en de revers van zijn colbert omhooggeslagen. Dat is ongetwijfeld de enige persoon in de hele stad die het die middag gewaagd heeft met de tram te gaan. Pech. David wil de foto weggooien, maar als meneer Marimón die ziet, vindt deze hem te goed om hem niet te gebruiken en hij stelt hem voor de mensenfiguur weg te retoucheren, zoals hij dat zo goed kan. Hij is van mening dat Davids werk een voortreffelijk staaltje is van fotojournalistiek zoals hij die wil uitoefenen en feliciteert hem ermee. In eerste instantie weigert David het filmpje te bewerken: hij kan wel betere plaatjes schieten dan dit, zonder dat er foefjes of trucages voor nodig zijn, zegt hij. Meneer Marimón begrijpt zijn bedenkingen niet, wordt ongeduldig en beveelt hem het toch te doen zodat hij morgen al kopieën ter beschikking heeft. David gehoorzaamt, zij het met tegenzin; hij pakt het negatief weer en begint de witte schaduw met de scherpste pen zorgvuldig weg te werken. En op de volgende afdruk is de ongelegen passagier – een stakingsbreker misschien, of een politieagent? – verdwenen zonder een spoor achter te laten.

Hij vertelt het op mijn bed aan onze nicht Fátima en laat haar de nu geretoucheerde foto zien die hij nog niet aan meneer Marimón heeft gegeven. Dat is hij ook niet van plan, ik zie het in zijn ogen als hij hem op mijn schoot gooit zodat ik ernaar kan kijken en ermee kan spelen, misschien zodat ik hem verscheur. Dat brabbelende, glimlachende jongetje dat naar zijn broer kijkt en dan naar de foto en opnieuw naar zijn broer, ben ik, in die uitgeputte toestand van waaruit ik mijn hersenspinsels en wartaal verwoord, omgeven door kleurpotloden, broodkruimels en boeken: ik lig naar David te kijken als hij zich even losmaakt van de vrolijke mond van onze nicht en me op zijn beurt aankijkt en net doet of ik hem zeg: ik vind het niks, broer, je bent weer in je oude gewoonten vervallen, je hebt vals gespeeld.

Ik weet wat je ligt te denken, ongelukkige vroeggeboorte, zegt hij met zijn ogen. Maar hoe vaak je het ook denkt en het me voor de voeten werpt, geloof maar niet dat ik me er slechter van ga voelen dan al het geval is.

Ik beschuldig je nergens van.

Houd op met jammeren, snotneus, dat doe ik wel voor ons allebei.

Maar ik vind die foto mooi.

Dan mag je hem houden.

'David, luister,' zegt onze nicht naast me, terwijl ze het boek openslaat waarin ze me elke middag geduldig met haar vinger de letters van het alfabet aanwijst en dan zegt ze de naam van de dingen. 'Als je op zoek bent naar lege trams, ga dan met pappa naar de remise van Sants, dan kun je er daar op je gemak zoveel fotograferen als je wilt… Kijk, Víctor, ka-na-rie . Zeg het maar langzaam na: ka-na-rie.'

'Nee,' gromt David terwijl hij met de rug van zijn hand over zijn lippen wrijft. 'Het moet een tram zijn die echt op straat rijdt.'

'Man-da-rijn. Vo-gel-tje. Kus-je. Langzaam zeggen: kus-je,' glimlacht niet, maar boven me verduistert Davids blik en hij schuift nog verder van haar af. 'Joh, wat is er nou? Je hebt een schitterende foto, waarom doe je het er niet mee? Meneer Marimón zal woedend op je zijn, hij ontslaat je vast als je hem de foto niet geeft…'

'Kan me niet schelen, nicht. Hij is voor Víctor. Hij schijnt hem mooi te vinden, kijk maar, hij laat hem niet los. Ik maak wel een betere. Eentje die is zoals hij moet zijn.'

Maandag de twaalfde, als de verontwaardiging van de mensen op straat uitmondt in een poging om een algemene staking te organiseren die veel verder gaat dan het tramconflict, begeeft David zich naar zijn afspraak met het noodlot in een verlaten zijstraat in de buurt van de Paseo de Gracia. Te voet gaat hij via de Calle Bailén naar de manifestatie op de Plaza de Cataluña, alert op de trams van de lijnen 30 en 38 die leeg omlaag komen rijden en hij maakt wat foto's vanachter een boom. Telkens wanneer hij de lens opent en sluit voelt hij dat de naakte, ongecompliceerde waarheid, zoals hij die nu zoekt, als een bliksemflits zijn oog binnendringt. Hij staat aan een appel te knabbelen die hij in zijn zak had als hij op de kruising met de Calle Santa Eulalia op twee ME'rs stuit die hem sommeren onmiddellijk zijn camera af te geven en zich te legitimeren. Een van de agenten grijpt hem bij zijn arm terwijl diens collega hem het fototoestel probeert af te pakken, maar hij weet zich los te rukken.

'Oké. Hier dat apparaat,' zegt de agent.

'Niks daarvan, bwana. Ik ben fotograaf en ik heb toestemming van inspecteur Galván, van de Sociale Brigade…'

'Zal wel. Geef me dat toestel en houd je gedeisd, vooruit,' zegt de agent dreigend met zijn hand aan de wapenstok.

'Halen jullie de inspecteur er maar bij, dan zul je zien dat ik niet lieg,' zegt David terwijl hij achteruitwijkt en om zich heen slaat om zich van hen te ontdoen.

'Als je soms liever een mep hebt…'

Tussen de foto's die hij heeft gemaakt kan weleens een heel goede zitten, dat weet hij, anders had hij niet gedaan wat hij vervolgens deed: hij prikt zijn vinger in het oog van een van de agenten, schopt de andere onderuit en rent de tram tegemoet die bonkend naar beneden komt denderen, de trolley slaat vonken uit de bovenleiding. Om niet opnieuw gegrepen te worden steekt hij roekeloos de rails over, hij wil aan de andere kant op de treeplank springen, maar de tram komt met grote vaart naar beneden gereden, is hem te snel af en schept hem, werpt hem een paar meter naar voren, kan niet meer remmen, grijpt hem vast onder het ijzeren onderstel van het voorbalkon en sleept hem ettelijke meters mee.

De agent die als eerste bij hem is, durft hem niet aan te raken. David slaat zijn ogen op en kijkt om zich heen alsof hij niet weet waar hij is. 'Jemig. Zitten mijn benen onder het zand begraven…?'

'Je hebt je nek gebroken, verdomme,' mompelt de agent.

Zijn collega bukt zich ook, kijkt naar hem, staat snel op en vraagt een nieuwsgierige omstander waar hij een telefoon kan vinden. De trambestuurder is op de treeplank gaan zitten en slaat zijn handen voor zijn ogen. David houdt de camera tegen zijn borst gedrukt en met de vingertoppen van zijn andere hand strijkt hij over het natte, koude plaveisel. 'Mijn handen branden,' zegt hij met een flauw stemmetje. 'Jullie hebben vast nog nooit zo'n leren jack gezien als dit…'

'Je kunt je beter niet bewegen, jong,' zegt de agent. 'We zullen je hier weghalen.'

'Niemand haalt me hier weg.'

'Niet naar je borst kijken.'

'Geen gat in mijn jack, alstublieft…'

De agent komt overeind als hij ziet dat zijn collega hulp heeft gehaald. David kijkt de andere kant op en peutert met een nagel een restje appel tussen zijn tanden vandaan. Terwijl hij dat doet, merkt hij dat het gesuis in zijn oren verstomt en hij legt zijn hoofd langzaam opzij – niets wijst erop dat hij pijn heeft – alsof hij het op voorbijstromend water laat rusten om het geluid ervan te horen, of het op een kussen vlijt dat in zijn eigen droom is verfrommeld.

Niemand zal ons zijn Voigtländer teruggeven of het laatste filmpje dat hij die middag heeft volgeschoten, waar misschien wel de glanzende, symbolische foto bij zit, zijn favoriet, de foto waarvan hij het negatief ongeretoucheerd wilde afdrukken, met die oorspronkelijke schittering die van koppigheid afstraalt. Ik weet niet of hij erin geslaagd is die foto te maken, we zullen het nooit weten, maar die ene die ik nog heb en die hij een paar dagen eerder had gemaakt van de in de regen verlichte spooktram, omgeven door een menigte die wel gedwee was maar toch koppig te voet bleef gaan, rafelige regenjassen om gebogen schouders en natte kranten op het hoofd, die foto die hij met een scherpe pen in de eenzaamheid van de donkere kamer had bewerkt, vormt ook vandaag nog het meest rake en verontrustende beeld dat David heeft vastgelegd, de meest waarheidsgetrouwe en exacte getuigenis van wat ooit, lang geleden, deze stad in beroering bracht.

Nu heeft iemand ramen en blinden opengezet, ik tast onder mijn kussen naar mijn potlood en mijn schriften vol krabbellijntjes als elkaar achternajagende golven in een onbegrensde zee, en zo meteen zal niet Lucía weer binnenkomen met een glas melk en mijn medicijnen, daarna zal ik even in de enige roman willen lezen die ik nog van de roodharige heb, en ik zal Lucía vragen: geef me *Oorlog en vrede*. Maar ik zal het een paar keer moeten herhalen, want hoe ik ook mijn best doe, er komt iets uit mijn mond als geemoor loggevrede.

Want het kost me nog altijd grote moeite me verstaanbaar te maken.

EINDE

Inhoud